MARCHA
EDITORES

Colección
LETRAS

PRIMERA EDICIÓN, 1981

AV. UNIVERSIDAD 1900, EDIF. 19-3
MÉXICO 20, D. F.

IBSN 968-481-000-8

IMPRESO Y HECHO EN MÉXICO
PRINTED AND MADE IN MEXICO

ÁNGEL RAMA

NOVÍSIMOS NARRADORES HISPANOAMERICANOS EN MARCHA 1964 - 1980

MARCHA EDITORES

MÉXICO

885

ÍNDICE

Ángel Rama: *Los contestatarios del poder* 9

ARGENTINA

Manuel Puig: *Maldición eterna a quien lea estas páginas* 49

Juan José Saer: *Atridas y labdacidas* 77

Filocles 94

Mario Szichman: *A las 20:25, la señora entró en la eternidad* 95

Osvaldo Soriano: *Cuarteles de invierno* 111

COLOMBIA

Plinio Apuleyo Mendoza: *Retrato de García Márquez* 127

Rafael Humberto Moreno-Durán: *El toque de Diana* 141

CUBA

Reinaldo Arenas: *Adiós a mamá* 155

CHILE

Antonio Skármeta: *La insurrección* 173

ECUADOR

Iván Egüez: *Éste es el* jet-art 183

MÉXICO

Jorge Ibargüengoitia: *Los conspiradores* 195

Fernando del Paso: *Camarón, Camarón* 203

Gustavo Sáinz: *Autorretrato en un espejo humeante* 217

José Agustín: *La rueda de la fortuna* 235

Jorge Aguilar Mora: *Don Juan* 257

NICARAGUA

Sergio Ramírez: *¿Te dio miedo la sangre?* 271

PERÚ

Alfredo Bryce Echenique: *El breve retorno de Florence, este otoño* 287
Apples 301

PUERTO RICO

Rosario Ferré: *Maldito amor* 307

URUGUAY

Eduardo Galeano: *Lo demás es mentira* 319
Cristina Peri Rossi: *Monna Lisa* 329
Sesión 335

VENEZUELA

Luis Britto García: *El conquistador* 341
El juego 345

A
MARTA TRABA

excluida de esta antología
no por razones artísticas
sino por razones del corazón.

LOS CONTESTATARIOS DEL PODER

1. *Un nuevo período de productividad narrativa*

En el año 1964, el semanario uruguayo *Marcha* cumplía veinticinco años de ininterrumpida publicación. Una de esas hazañas del empecinamiento, tan raras en nuestra América. Merecía festejarse y se lo hizo con una serie de suplementos que cubrieron dos meses, revisando política, economía, sociología, de un continente al que el semanario había consagrado su pasión. A mi cargo estuvieron varios de ellos, en especial los dos dedicados a la literatura hispanoamericana: el 1216 (31 julio) y 1217 (7 agosto), ambos bajo el rótulo "Generación del medio siglo" que buscaba testimoniar y homenajear la prodigiosa tarea creadora de al menos tres generaciones de escritores que habían estado acumulando una producción de alto mérito. Se trataba, según la clasificación entonces en boga que habían puesto en circulación tanto Arrom como Imbert, siguiendo a Ortega-Marías, de los escritores vanguardistas del 25, los ya severamente críticos del 40 y los recientes del 55 que popularizaran sus aportaciones, ofreciendo de todos un muestreo que evidenciara la multiplicidad de líneas estéticas y la pluralidad de géneros cultivados. Eso permitió recoger la poesía de Pablo Neruda y la de Miguel Ángel Asturias, la de Octavio Paz, Gonzalo Rojas y Ernesto Cardenal, la más reciente de Jaime García Terrés, Juan Gelman y Roberto Fernández Retamar; la narrativa de Agustín Yáñez y José Santos González Vera, la de Virgilio Piñera, José María Arguedas, Augusto Roa Bastos, la de Carlos Fuentes, José Donoso, Juan García Ponce, Álvaro Cepeda Samudio, Mario Vargas Llosa, Lisandro Otero, Augusto Monterroso. No faltaban Rosario Castellanos, ni Enrique Lihn, ni Rubén Bonifaz Nuño, ni Noé Jitrik, ni Inés Arredondo, ni Pablo Armando Fernández.

El mutuo desconocimiento de estos plurales escritores y obras, me llevaba a hablar de la necesidad de "un urgente servicio de trasmisiones de la cultura en Latinoamérica", sobre todo considerando que había emergido "una nueva generación hispanoamericana, la que se inició en 1940, desarrollándose intensamente en el repentino vacío que dejó la presencia europea y llenó la norteamericana, y que ha tenido un acrecentamiento en este último decenio que ha enriquecido, sin modificarlas, las estructuras y concepciones artísticas anteriores, formando ambos ramales esta que llamamos *generación hispanoamericana del medio siglo*". El crítico, alborozado, concluía su presentación certificando que esa generación "ha logrado enriquecer de un modo sorprendente la literatura de Latinoamérica y aun del mundo. Su afán central implica una universalización interior de las vivencias propias, regionales, de las distintas sociedades, tratando de zafarse del dilema contradictorio que se le ofreciera —o regionalismo o universalismo. Por lo tanto esta literatura corresponde a una maduración: al inicio —apenas— del período adulto de la cultura latinoamericana".

El crítico, más tarde, tuvo que rehacer parsimoniosamente todo el largo camino que lleva a los distantes orígenes para matizar con más ecuanimidad su pensamiento. En aquel momento vivía el descubrimiento de la multiplicidad latinoamericana, su hallazgo de los sabores peculiares de las diversas culturas que conformaban el mapa continental, dentro de una modernidad que le permitía pasar, sin hiato perceptible, de los escritores europeos de la vanguardia a los poetas y narradores latinoamericanos: la experiencia artística se sostenía en un similar nivel de exigencias con el agregado de un re-conocimiento de la lengua y las culturas asentadas en la interioridad continental. De acuerdo con una tenaz porfía propia, procuraba integrar poetas, narradores y ensayistas como obligados partícipes de una empresa común y consideraba ya que una literatura no eran dos, o tres, o cinco grandes nombres, sino una continuidad de plurales generaciones que se constituían en una poderosa fuerza creadora, abriendo nuevas perspectivas, compitiendo en nuevas proposiciones, apoyándose mutuamente para ampliar un variado frente productivo.

Aurora Ocampo estimó, en México, que ese ensayo inauguraba la consideración crítica de la nueva narrativa, aunque, por lo dicho, aspiraba a más y a menos que eso, y recogió el prólogo a esas antologías de *Marcha*, como apertura de su recopilación *La crítica de la novela iberoamericana contemporánea* (México, UNAM, 1973). Esa tarea específica, referida exclusivamente al género narrativo, el crítico la estaba cumpliendo ese año pero en otro lado. Consciente del especial avance que estaba llevando a cabo la narrativa latinoamericana, le había propuesto a la *Casa de las Américas* de La Habana que consagrara un número de la revista *Casa* a la impetuosa producción narrativa que después habría de ser bautizada —desdichadamente— como el *boom*. El número 26 de la revista *Casa*, correspondiente a los meses de octubre-noviembre de 1964, reunió textos de Alejo Carpentier, Julio Cortázar, Juan Carlos Onetti, Ernesto Sábato, Carlos Fuentes y Mario Vargas Llosa, antecedidos por un largo ensayo crítico, "Diez problemas para el novelista latinoamericano" que era el texto de una conferencia que había dictado en *Casa de las Américas* en enero de 1962. Ese ensayo fue reproducido en diversos lugares y concluyó siendo, por sus dimensiones, un libro que reeditó independientemente en Caracas la editorial Síntesis 2000.

Era el intento de razonar orgánicamente las diversas vías que había tomado un género que, imprevistamente fecundado por la rica poesía de los vanguardistas y por la novela norteamericana, había respondido a las demandas del exaltado pueblo de los años sesenta. En el prólogo de ese número de la revista *Casa* se ofrecía la antología como una respuesta: "Mientras en Washington se preparaba este bloqueo cultural, nosotros preparábamos este número sobre la nueva novela latinoamericana, recogiendo algunos textos de grandes escritores del continente, para mostrar cómo han contribuido, a través de su arte, a liberarnos del subdesarrollo intelectual en que se nos ha pretendido mantener, a crear las condiciones de la independencia cultural, a proporcionar obras que enriquecen la vida espiritual de los pueblos."

"Nueva novela latinoamericana" era la fórmula que usábamos, la misma que utilizó Carlos Fuentes cuando escribió su agudo ensayo publicado en 1969 (*La nueva novela hispanoamericana*) pero que antecedió en la serie de artículos de 1965 publicados en *Siempre*. Ninguno hablaba de *boom*, sino de literatura y de arte. Cuando mucho tiempo después decidí revisar el confusionismo que amparado en esa denominación del "marketing" se había posesionado de la crítica ("El boom en perspectiva", *Escritura* 7) y me puse a examinar los caminos divergentes que por un lado seguía la ampliación de mercado consumidor y por otro la tesonera tradición creativa de la narrativa, encontré que efectivamente ese año 1964 había sido aquel en que el público, y a su servicio las editoriales, se había abalanzado sobre las obras literarias —novelas y cuentos— que se habían venido acumulando en un par de decenios anteriores y había comenzado a devorar febrilmente el tesoro artístico del que disfrutábamos unos pocos. Efectivamente, en 1964, la obra de un escritor tan secreto y elusivo como Julio Cortázar, quien parecía un autor de refinados y exiguos cenáculos literarios, era objeto de las primeras reediciones, en tiradas que triplicaban o quintuplicaban las iniciales. Desde 1964 los lectores vivieron el regocijo de una suerte de inagotable cuerno de la fortuna, ya que junto a las nuevas obras de los grandes narradores disfrutaban como nuevas de las reediciones de toda su producción anterior. Hubo una jubilosa borrachera inicial, la candorosa certidumbre de que la excelsitud artística era el pan nuestro de cada día, de que lo mejor por lo que bregábamos era también lo que la sociedad reclamaba. Después comenzamos a percibir las distorsiones y resquebrajaduras de ese cuadro idílico, tal como he tratado de describirlas en el citado ensayo sobre las vicisitudes del *boom* y tal como he venido sosteniendo desde 1972 junto con otros críticos (Luis Haars, Jean Franco, Jaime Mejía Duque, entre otros) cuando pareció que el sedicente *boom* iba camino de constituirse en una restringidísima fortaleza que pretendía detener el tiempo, contener lo que es más importante que todo: la fuerza creadora de la pujante sociedad latinoamericana.

El año 1964 que elegimos como fecha inicial de nuestra

nueva antología, no es por lo tanto una fecha casual. Es la de eso que Roa Bastos llamó "el estallido" de la nueva narrativa, cuando el público renovado que formaron los jóvenes inquietos de la época descubrió el legado que pacientemente habían forjado los narradores y lo hizo suyo como si fuera la cartilla de la liberación reuniendo por un breve tiempo, como observó Orgambide, la literatura artística y la esperanza revolucionaria. Fue también el año en que la crítica pasa de las reseñas de algunos de esos textos a los primeros discursos más amplios que procuran abarcar la singularidad del fenómeno. Pero es también el año en que publica sus primeros libros una generación de veinteañeros a los que habría de esperar una ruda pelea para encontrar su voz propia entre los innumerables ecos que repetían el modelo triunfante de los mayores. En el verso del poeta: "ellos vienen detrás como tormenta / los jóvenes, los niños, los recientes".

Esta antología ha sido preparada, nuevamente, para *Marcha,* ahora renacida en el exilio mexicano, y aspira a un simple muestreo de la ingente producción que ha venido acumulándose desde 1964 hasta la fecha, consagrándose a los narradores que han emergido posteriormente a ese año, utilizado como una bisagra tanto del éxito de los anteriores como de la mutación respecto a ellos, entre los nuevos, que se ha producido en la narrativa hispanoamericana. Ha sido construida a manera de demostración de un teorema que registra la intensa productividad y a la vez el modo en que la literatura se escribe sobre el tiempo, en el tiempo de las sociedades que la fraguan. Seccionar la serie literaria de la serie social es un intento vano: ambas convergen en la serie cultural donde el imaginario de las sociedades humanas construye sus lenguajes simbólicos. Es dentro de esa serie cultural y no fuera, donde las obras literarias conquistan su plenitud de sentido, pues es allí que las microestructuras que son esas obras resultan alimentadas, fundadas y legitimadas por la macroestructura cultural a la que pertenecen. La cual, por cierto, no es una y coherente para toda América Latina, puesto que el continente está conformado por plurales áreas culturales, las cuales, además, se integran con variadas estratificaciones, en la misma región, en el mismo país, a veces en la misma ciudad.

Si el espíritu de competencia ha podido propiciar el surgimiento de escritores, deslumbrados por las fulgurantes carreras de un García Márquez o un Carlos Fuentes, y la legítima expectativa de las editoriales las ha llevado a apostar sobre nuevos autores e incipientes obras, todo lo cual nos ha dotado de una producción aún más alta que en el período anterior, también estos nuevos narradores han encontrado imprevistas dificultades derivadas de la fijación de patrones estéticos impuestos por los *mass media*, instrumentos cuyos radios de acción son inconmensurablemente mayores que los que están al alcance de la crítica literaria. Tales vallas ha podido salvarlas, parcialmente, uno de los primeros novísimos, Manuel Puig, pero no lo han logrado en la misma medida contemporáneos estrictos como José Agustín o Jorge Ibargüengoitia, autores de una ya voluminosa y original obra.

El problema al que debieron enfrentarse era previsible pero no por eso menos complejo. Por una parte habían de ser los forzosos legatarios de las aportaciones literarias de los narradores del medio siglo, como estos lo habían sido de las invenciones de los vanguardistas de los años veinte: cada nueva promoción surge dentro de un sistema ya establecido por los mayores, de mayor incidencia en la medida en que ha sido socializado ya. Nada de lo que ellos habían inventado les podía ser ajeno, aunque en cambio ya no les sonaba a invención sino a material consabido de la producción literaria, un orden de la escritura que se colectiviza vertiginosamente y por lo mismo pierde su punzante capacidad descubridora. Por otra parte surgieron dentro de una nueva inflexión de la cultura, que fijó pautas y problemas diferenciales, para los cuales no siempre servían los recursos literarios recibidos. Con un agregado que intensifica la dificultad: a la nueva promoción no le fue concedido el derecho al repliegue experimental que marcó los comienzos de los mayores (*Los días enmascarados, La hojarasca, Los reyes*) porque emergieron a una demanda pública de los lectores masivos que esos mayores conquistaron mediante sutiles articulaciones de sus poéticas originarias.

2. *Reingreso de la historia*

Esta situación dual la puede ilustrar la recuperación del realismo que parece propia de los novísimos. Tal como ocurriera en las artes visuales: cuando parecía que ya no había otra vía que la que avanzara por el camino de Mondrian y de Rotkho, hacia nuevos territorios de la abstracción, repentinamente el *pop art* o el hiperrealismo y la nueva figuración, recuperan violentamente la construcción realista dentro de formas que nada tienen que ver con las que tradicionalmente se asignaran al realismo plástico. Eric Auerbach hubiera podido agregar un nuevo capítulo a su *Mimesis* recorriendo este reciente panorama latinoamericano donde el realismo sostiene a veces viejas batallas y otras reinventa fórmulas artísticas de lo que hoy llamaríamos un discurso del verosímil ajustado al tiempo contemporáneo, que por lo tanto ya no puede transitar por una escritura flaubertiana, que dio la pauta decimonónica de la concepción de la *mimesis.* Entre los mayores, la escritura existencial de José Revueltas o David Viñas, las complejas estructuras de João Guimaraes Rosa o de Mario Vargas Llosa (a quien ha cabido justamente una relectura apropiadora de la lección flaubertiana) habían abierto el camino hacia esta restauración realista que ponía en entredicho la inconvincente argumentación con que Mario Vargas había deslindado la primitiva de la nueva novela de creación, al tiempo de proponer aún más viejos modelos como las novelas de caballerías.

Todo eso permitiría la recuperación de los maestros que la modistería del *boom* parecía condenar a la ladera descendente: el crecimiento en la estimación pública de la obra de Juan Rulfo o Juan Carlos Onetti, ha sido tan sostenido (y quizás aún más firme) que el de la difusión universal de la obra de Jorge Luis Borges, maestro del cosmopolitismo vanguardista tal como lo supo apreciar Étiemble en su temprano elogio. Las vías realistas de los novísimos son plurales y, como se dijo, pueden venir teñidas de modos gastados ya, aunque lo llamativo es su invención de nuevos sistemas de comunicación. Eso les permite prevalecerse de los maestros citados y aun de otros más lejanos que quedaron encerrados y oscurecidos dentro de sus propios países: en el realismo del chileno Antonio Skármeta está la escuela norteamericana (Salinger, Updike) pero también la lección austera de José Santos González Vera; en el populismo de los uruguayos Eduardo Galeano y Enrique Estrázulas está Mario Benedetti pero también José Pedro Bellán; quizás sea entre los colombianos donde sea más visible el proceso de recuperación, dada la extraordinaria fecundidad de la narrativa joven; junto a las construcciones cortazarianas de Alberto Duque López (quien después de su premiada *Mateo el flautista* alcanzó su más equilibrada formulación en *Mi revólver es más largo que el tuyo*) o garciamarquezcas de Germán Espinoza (*Los cortejos del diablo*), la dominante ha sido una impetuosa reinvención realista, ya dentro del recién adquirido y recién descubierto orbe urbano, en Darío Ruiz, Humberto Valverde, Oscar Collazos, Héctor Sánchez, ya dentro de un intimismo gris que parece reivindicar la lección del García Márquez realista aunque también la del anterior y olvidado Vargas Osorio, en Nicolás Suescún, Policarpo Varón, Plinio Apuleyo Mendoza, ya en formas de las que Margo Glantz hubiera clasificado dentro de "la literatura de la onda" en la jubilosa novela *¡Que viva la música!* (1977) escrita por Andrés Caicedo antes de suicidarse (¡a los veintitrés años!) o en el orden culto, irónico y crítico de Rafael Humberto Moreno-Durán, en *Juego de damas* (1977). El proceso de urbanización que en todos se registra tiene un interés adjetivo solamente si se lo encara de un punto de vista temático, pero es en cambio sustantivo si se lo vincula al proceso de modernización de las formas literarias que él registra activamente. Desde luego esta modernización puede producirse sin que forzosamente obligue al traslado temático a las ciudades, tal como cabalmente demostraron tanto Rulfo (en *Pedro Páramo*) como García Márquez (en *El coronel no tiene quien le escriba*) pero lo habitual es que ambas evoluciones —formal y temática— se diseñen simultáneamente. Entre los novísimos colombianos, la culminación de esta evolución modernizadora corresponde al narrador más dotado de los últimos tiempos, Luis Fayad, todavía inseguro en *Olor de lluvia* y orgánico, poderoso, articulado, en su excelente novela *Los* *parientes de Ester*, una obra fundamental de la década de los setenta. Es muy curiosa la situación modernizadora que con tanta fuerza se ha intensificado entre los novísimos colombianos: los tres autores más estimables aparecidos en el último quinquenio, Plinio Apuleyo Mendoza, Luis Fayad y Rafael Humberto Moreno-Durán, han escrito sus mejores obras fuera del país, en Europa, aunque si por una parte eso les ha permitido una integración flexible y rápida a una escritura de rigores internacionales, por otra parte en nada ha opacado su concentración lúcida y crítica sobre la vida colombiana, que han hurgado con furia y con exigencia. En ellos, por lo tanto, se reitera una observación hecha por Mario Vargas Llosa respecto a los escritores peruanos, pero que es casi un modelo del continente, desde Alaska a Tierra del Fuego: la producción en el exilio, forzado o voluntario, la necesaria salida de medios cerrados y hostiles para contemplarlos con una perspectiva más amplia, por lo común crítica y aun revanchista, desde el marco de una cultura universal. En esta operación distanciadora no solo clarifican la visión sino que asumen los instrumentos modernos del análisis e indirectamente se posesionan de su marcada tendencia universalista. Es particular felicidad de los colombianos, hasta el presente, haber logrado un equilibrio entre estas dos dispares fuerzas, de tal modo que sus obras, que se nutren de culturas internas y hasta regionales y las articulan simultáneamente con sistemas expresivos modernizados, adquieren una funcionalidad social (cultural) que quizás no siempre perciben sus propios autores: son fuerzas modernizadoras que ellos enquistan, desde lejos, en el seno de sus propias sociedades como parte de su lucha para transformar la nación a la que pertenecen, modernizarla, ponerla al nivel de la patria temporal a la que todos pertenecemos (este final del siglo XX) sin que por ello pierda la patria espacial sus íntimos sabores, sus ricas tradiciones, su identidad esencial. Esa integración transculturadora (que enseñaron García Márquez y Fernando Botero) es la única que puede evitar los perjuicios del provincianismo, con sus dos caras opuestas aunque en definitiva una y la misma: la regresión conservadora hacia el pasado nacional, repitiendo sus modelos ya fuera de tiempo, o la copia servil, de pueril vanguardismo, de las más recientes modas extranjeras, para tratar de ser modernos y estar al día de la hora universal.

La búsqueda integradora fue, como dijimos, también un retorno a la historia, una recuperación de las tradiciones propias dentro de una perspectiva modernizada que se aprendió en los mayores que hicieron la "nueva narrativa latinoamericana", y que los nuevos manejaron como el elemento adquirido y consabido. Esta tendencia dominante se vio robustecida por una lección de la historia latinoamericana y de la narrativa norteamericana a mediados de los setenta: la novela testimonial, la "non fiction novel" que Capote, Mailer, Doctorow, entre otros, ponen en circulación, resulta un instrumento insustituible para abordar literariamente la represión política y social que caracteriza a la década del reflujo, los setenta. Aun si fuera posible hacer un distingo nítido, dejando a un lado la enorme producción estrictamente testimonial que se abre con *La noche de Tlatelolco* (1971) de Elena Poniatowska, en México, y se cierra con *Que é isso companheiro?* (1979) de Fernando Gabeira, en Brasil, aun así nos quedaría una igualmente enorme producción narrativa que en algunos casos, como el de *Los periodistas* (1978) de Vicente Leñero, es defendida como legítima invención imaginaria, pero que mayoritariamente aspira a contradecir el viejo rótulo del cine norteamericano, afirmando que las relaciones entre lo que allí es contado y la realidad no son meras coincidencias. En todo el grupo de más jóvenes narradores mexicanos, de un modo u otro, directa o indirectamente, es omnímoda la presencia de Tlatelolco, pues cuando no es su obsesiva reconstrucción, es su significación espiritual la que rige la visión del mundo: en Manuel Echeverría o en Manuel Capetillo, en Héctor Manjarrez, Jorge Aguilar Mora, Federico Campbell o Bernardo Ruiz. Un maestro tan avisor de las nuevas tendencias, como Julio Cortázar, lo había anunciado en *El libro de Manuel*, sin poder evitar los rechinamientos de esta incorporación testimonial que en los jóvenes en cambio es absorbida cómodamente dentro de una visión subjetiva ardiente. Así se lo encuentra en las novelas-testimonio o viceversa de Rodolfo Walsh en la Argentina, pero aún más plenamente realizado en las de Osvaldo Soriano: *No habrá más penas ni olvido* (1973) y su aún inédita *Cuarteles de invierno*. Como en Chile, en la obra de Poli Délano, Mauricio Wacquez, Ariel Dorfman y paradigmáticamente en novelas y cuentos de Antonio Skármeta. Alcanzaría desmesurados niveles en Cuba, desde la impecable versión fijada por Norberto Fuentes con *Condenados de Condado* (1968) que ha tenido sucesivas y aun contradictorias reelaboraciones posteriores hasta la última en fecha, *El comandante veneno* (1979) de Manuel Pereira. Claro que aquí la lección historicista ya venía amparada en el magisterio de Alejo Carpentier, que reviviría en Lisandro Otero, y sería pregonada como norma por el proceso revolucionario al cual obedecerían las iniciales producciones después del 59: *Así en la paz como en la guerra*, de Cabrera Infante, o las *Memorias del subdesarrollo* (1965) de Edmundo Desnoes, o *Tute de reyes* (1967) de Antonio Benítez Rojo, e incluso los primeros textos de Reinaldo Arenas (*Celestino antes del alba*, 1967) aunque ya registraran una más fuerte impregnación subjetivista o, en la medida de sus conflictos con el régimen, refluyeran hacia vastas construcciones simbólicas alejadas en el tiempo (*El mundo alucinante*, 1969). Fue en Cuba donde más visiblemente las fluctuantes fronteras de testimonio y ficción artística dieron libre curso y apoyo al viejo modelo realista-socialista, de Dora Alonso a Manuel Cofiño, el cual resultó propiciado por la evolución que se registró en la producción de Mario Benedetti, aspirando quizá rebatir la condena de que lo hiciera objeto Ernesto (Che) Guevara, tal como candorosamente lo testimonia el volumen *Cuentistas jóvenes* (1978) que compilaron Rivero García y González Jiménez, inundado de las triviales y racionalizadas fórmulas que el realismo-socialista ya había aportado en los años treinta.

Aún cabrían otras vías, aparte de las del realismo y el testimonio, para la introducción de la historia en la novísima narrativa: el intento de edificar vastas estructuras interpretativas del largo tiempo latinoamericano y del largo espacio del continente. Abandonando el modelo historicista romántico de la reconstrucción de períodos pasados, que tuvo su esplendor en la obra de Alejo Carpentier, los narradores se abalanzarían sobre la eventualidad de un discurso global, conjunto e intercomunicado de distintos tiempos o distintos espacios. También aquí la vía fue fijada por los mayores avisores. Dos obras la definen a cabalidad: *Terra nostra* de Fuentes y *Yo el supremo* de Augusto Roa Bastos, que son discursos intelectuales intrahistóricos destinados a explicar, con más amplitud y más vuelo intelectual pero menos fecundidad artística en Fuentes que en Roa, el sentido histórico de nuestro destino presente. Textos tan disímiles como *Mascaró* de Haroldo Conti, *Daimon* de Abel Posse, *Abrapalabra* (1980) de Luis Britto García, *Palinuro de México* (1977) de Fernando del Paso, *Homérica Latina* (1979) de Marta Traba, exploran estas macroestructuras, como lo están haciendo, en los libros que preparan y de los que han dado a conocer ya adelantos, Eduardo Galeano (a quien se debe un intento ensayístico-literario de similar perspectiva con *Las venas abiertas*), Gustavo Sáinz y el ecuatoriano Iván Egüez. Lo nuevo de estas invenciones no radica en la recuperación del pasado sino en el intento de otorgar sentido a la aventura del hombre americano mediante bruscos cortes del tiempo y el espacio que ligan analógicamente sucesos dispares, sociedades disímiles, estableciendo de hecho diagramas interpretativos de la historia. Es un nivel más alto de la autoconciencia nacional y latinoamericana que parece seguir de cerca el ingente esfuerzo desarrollado previamente por sociólogos, antropólogos e historiadores para construir un discurso global. La reciente novela del argentino Belgrano Rawson *No se turbe nuestro corazón* (1980), o el proyecto en curso de Fernando del Paso, *Noticias del imperio* acreditan la vitalidad de estas tendencias macroestructurales, que Ricardo Piglia ha organizado sabiamente mediante una original lectura intertextual de la cultura y de la literatura argentinas en su novela *Respiración artificial* (1980).

3. *La aceptada transculturación popular urbana*

En uno de sus agudos ensayos Jean Franco detectó en el centro de la problemática de la llamada nueva narrativa latinoamericana, un conflicto con el referente, en cierta medida reflejo de una conflictualidad que sobre todo vivió la cultura francesa de las últimas décadas en su proceso de tecnificación. Esa situación parece desvanecerse en los novísimos, en quienes observo una actitud pragmática que evoca la posición inicial de Juan Carlos Onetti, quien no por casualidad ha adquirido con el tiempo una fecundidad magisterial. Como el Eladio Linacero de *El pozo*, muchos narradores recientes pueden decirse "Es cierto que no sé escribir, pero escribo de mí mismo", otorgándole a este sesgo testimonial de lo auténticamente vivido (el "vecu" bretoniano) una implícita potencialidad artística. Como en el Onetti de 1939, esta toma de conciencia literaria nace de la desconfianza a las escuelas, discursos, corrientes, grupos, sobre todo nace de un espontáneo rechazo de la retórica que acecha insidiosamente a toda invención estética por original que haya sido en su irrupción primera. Lo vivido no es, obviamente, capaz por sí mismo de asegurar ninguna creación artística, pero establece un campo de autenticidad y un universo experiencial que resguardan la voz propia y en apariencia liberan del peso de las ideologías que se disputan la sociedad, aunque realmente las enmascaran para que mejor se expresen.

Esta actitud conduce a plurales territorios: en muchos se expresa en un descenso a la intimidad que reconstruye un ámbito silencioso, subjetivo, cargado de tonalidades casi indecibles como se registra en la obra del argentino Rodolfo Rabanal desde su inicial *El apartado* (1975), sin procurar la contención y el esmero de la escritura artística que había caracterizado en su país al adelantado del objetalismo, Antonio Di Benedetto, sino trabajando en el despojamiento, la voluntaria escritura ascética, el asedio de la cotidianidad, o como en los colombianos Nicolás Suescún y Policarpo Varón, que vienen produciendo textos que delicadamente iluminan grises y expectantes historias que se asemejan a las carbonillas de los jóvenes dibujantes caleños que realísticamente evocan la emotiva trivialidad de las vidas humanas. Otros desembocan en un cauto lirismo, que ha sido el territorio preferido de algunas narradoras capaces de una mirada más inquieta que nostálgica para la vida infantil, como la venezolana Laura Antillano o la uruguaya Cristina Peri Rossi, opuestas al diseño sutil de la intimidad siguiendo sus "tropismos" cambiantes, como se ha visto en la obra de las argentinas Luisa Valenzuela y Liliana Heker (su último *Un resplandor que se apagó en el mundo* perfecciona esta traslúcida y emocionante óptica) las cuales habían sido antecedidas por Elvira Orphée, Sara Gallardo o Marta Traba en la misma Argentina, a las que acompaña el arte riguroso, enriquecido por redes temporales que se cruzan y agudas sensibilidades de las vivencias concretas en la cubana Julieta Campos desde *La imagen en el espejo* (1965) hasta *Tiene los cabellos rojizos y se llama Sabina* (1974) que ya registra la imposibilidad de componer la acción causal tradicional pues solo este poliedro que refracta dialogísticamente mundo e interioridad puede traducir una experiencia que parece inagotable. Aunque me resulta infundada la clasificación de una narrativa femenina, separada de la que hacen los hombres, puedo reconocer que la masiva irrupción de escritoras en el género que se ha producido en las últimas décadas, al humanizar la visión masculina del mundo ha logrado perfeccionar recursos literarios poco desarrollados, apropiándose de líneas que habían sido trazadas en Europa de la Woolf y Mansfield a Nathalie Sarraute y Marguerite Duras. Es sintomático que similares soluciones narrativas las podamos encontrar en las brasileñas, de la deslumbrante Clarice Lispector a la intensa Ligia Fagundes Telles, o en las españolas, de Eulalia Galvarriato a Mercè Rodoreda o Carmen Martín Gaite. Esto no impide que muchas narradoras puedan coincidir en estas zonas como la puertorriqueña Rosario Ferré o la Elena Poniatowska de *Querido Diego, te abraza Quiela*, pero al mismo tiempo cultivar otros territorios, tanto ellas como Griselda Gambaro, o Ángela Zago o María Luisa Mendoza o Margo Glantz, y que los narradores, como José Balza o Alfredo Bryce Echenique o González Viaña, sean capaces de apropiarse de investigaciones estilísticas emparentadas.

Tal actitud vivencial puede extenderse más allá de la subjetividad escudriñadora del mundo, apropiándose de la familia o del restricto grupo social dentro del cual emergen los escritores. En la misma medida en que el ejercicio de la literatura, sobre todo el género narrativo, ha sido mayoritariamente anejo a los jóvenes de la baja clase media urbanizada, lo que nos pone en la pista de una democratización de la cultura con inmediatas consecuencias sobre las letras, los novísimos han sacado partido de una temática que incidentalmente habían explorado los mayores pero que en ellos ha alcanzado plenitud: la vida social del grupo afín, tanto el cenáculo como el barrio, el patio de la preparatoria o el café de la esquina, el suburbio acechante o el ghetto de la minoría étnica, las zonas marginales de todo poder cuya visión del mundo, lengua y formas de comportamiento han manejado con soltura, sin necesidad de explicarlas o defenderlas, volviéndolas protagónicas de la literatura. Es en esta exploración que el argentino Daniel Moyano consigue sus mejores páginas: *Oscuro.*

Lo que nítidamente estableció una ruptura dentro de la literatura mexicana al aparecer *Gazapo* (1965) de Gustavo Sáinz y *De perfil* (1966) de José Agustín, no fue tanto el "imperialismo del yo" que de Revueltas a Rosario Castellanos y García Ponce había tenido variadas e impecables versiones, sino —en palabras de Margo Glantz —que "con Sáinz y Agustín el joven de la ciudad y de la clase media cobra carta de ciudadanía en la literatura mexicana, al trasladar el lenguaje desenfadado de otros jóvenes del mundo a la jerga citadina, alburera, del adolescente; al imprimirle un ritmo de música *pop* al idioma, al darle un nuevo sentido al humor, que puede provenir del *Mad* o del cine y la literatura norteamericanos, al dinamizar su travesía por ese mundo". Son los nuevos grupos sociales afines, marcados por un fenómeno clave que en tales términos no vivieron los mayores: la transculturación producida en las grandes ciudades latinoamericanas por la influencia de la cultura masiva de Estados Unidos generando modos específicos de innegable vulgaridad y vigor. Fuentes, o García Márquez o Donoso, leyeron la mejor narrativa norteamericana dentro del vasto conjunto de la literatura vanguardista mundial; los jóvenes posteriores vivieron el cine, la televisión, el rock, los jeans, las revistas ilustradas, los supermercados, la droga, la liberación sexual, los drugstores, que inundaron la vida latinoamericana con profunda incidencia en las capas más populares, menos intelectualizadas y dispuestas a resistir la avalancha que los sectores cultos impregnados todavía de tradiciones europeas. Vivieron todo eso en las peculiares formas que adoptaba en cada ciudad, en cada barrio, entremezclándose con tendencias internas del medio, asociando comidas propias con botellas de coca-cola, desenvueltas ropas informales con formalísimos y constrictivos complejos de la afectividad, canciones de los Beatles con la jerga idiomática urbana o aun menos, de la familia, del barrio, de la rueda de estudiantes, iracundos mensajes antimperialistas con deslumbrada aceptación de la *mass culture,* lecturas de *beatniks* con regocijado reconocimiento de las expresiones populares, marginadas, ajenas al circuito de la cultura oficial. No se trata simplemente de la influencia de los largos brazos de los *mass media* norteamericanos, pues esos llegaron a todo el universo después de la segunda guerra mundial, sino de la peculiaridad regional en que se vivió una mezcla transculturadora que no agostó, ni pervertió, las tradiciones propias que ya tenían varios siglos. A solo quince años de registrarse en la literatura este magno fenómeno, es posible comprobar que la nueva ola modernizadora, que esta vez no llegó solo a las capas cultas como en el modernismo o en el vanguardismo, sino que contaminó hondamente los enclaves urbanos más desarrollados con una fuerza arrolladora, no interrumpió la continuidad de las culturas propias y que éstas se revelaron mucho más orgánicas, firmes y compactas que en los períodos anteriores. Esta vez no tuvimos necesidad de trasladarnos a las fiestas galantes de Versalles, como en el modernismo, ni apropiarnos de los órdenes europeos como en el vanguardismo para concluir con la trivialidad de que América Latina era un continente surrealista, ni siquiera tuvimos que reconocer que la cultura sureña de los Estados Unidos era parte integrante de una vasta zona cultural latinoamericana lo que permitía incorporar a Faulkner como otro escritor interior, tal como hicieron los escritores del 40 y el 55, de

Rulfo a García Márquez, sino que fue posible construir con la experiencia viva de esa cultura revuelta en una manera ardida y auténtica. De los componentes alienantes que acarrea toda transculturación, ninguno más vigoroso, casi omnímodo, que el cine, pero de *La traición de Rita Hayworth* (1968) y *Boquitas pintadas* (1969) de Manuel Puig, a *Triste, solitario y final* (1973) de Osvaldo Soriano o a los textos de Andrés Caicedo en *Ojo al cine* y en *¡Que viva la música!* (1977), lo reconfortante ha sido la perspectiva crítica subyacente que examinó la tarea del imaginario en sus relaciones con el fantasma suscitado por la imantación de la pantalla y construyó registros paralelos que permitían reconstruir las atracciones, las ficticias superposiciones, los enlaces propiciadores de un tratamiento del *kitsch*, contando vidas opacas o pueblerinas o frustradas bajo el esplendor de un nuevo bovarismo.

Ese grupo en que se registró, literariamente, la primera socialización del yo, ha sido en esta última promoción decididamente urbano. Poca sorpresa pudo causar eso en las letras argentinas, las más drástica y tempranamente urbanizadas del continente, e incluso en las mexicanas, donde la generación anterior ya había cumplido la conquista de su entorno ciudadano (*La región más transparente, La noche*) o en las uruguayas donde similar operación se había cumplido de Onetti a Martínez Moreno, pero fue una novedad en otras regiones latinoamericanas donde el proceso de urbanización había sido más lento y aún los escritores no estaban encerrados en el batiscafo de las urbes monstruosas que los signaban con su régimen de prestaciones y sus formas más abstractas y despersonalizadas. El *Barrio de Broncas* (1971) del peruano José Antonio Bravo, como *Bomba Camará* (1971), del colombiano Humberto Valverde, pudieron prevalecerse de los antecedentes respectivos de Mario Vargas Llosa, Julio Ramón Ribeyro y Mejía Vallejo, pero la frescura de su invención y el regocijo de esa realidad ambiental delataban la apropiación reciente y la mezcla de formas rurales y urbanas que se coaligaban en esos suburbios pobres. Curiosas, dramáticas mezcolanzas que en Venezuela habían sido hurgadas por la narrativa de Salvador Garmendia y Adriano González León, antes que los jóvenes Luis Britto García o Ramón Bravo se instalaran decididamente en el proyecto futurista que movía a la capital Caracas sin por eso desvanecer y al contrario agudizar las contradicciones de la sociedad.

Los grados de la urbanización variarán de acuerdo a las regiones, lo que no solo puede verse en el manejo de los asuntos sino, sobre todo, en los recursos literarios utilizados que también responden al grado de incidencia de la modernización, más antigua y persistente en Argentina, más reciente pero arrasadora en México o en Venezuela, más equilibrada dentro de vigorosos patrones nacionales en el Brasil que aún vive en la onda promovida por la Semana de Arte Moderno de 1922 que ha venido oficiando como lección integradora de las culturas nacionales, adaptándolas a la urbanización modernizadora. En todos los casos la urbanización se acompaña de una evidente popularización que también, como ya apuntamos, no solo debe verse en la introducción de personajes de las clases bajas (aunque muy excepcionalmente obreros) o personajes desclasados y marginales, sino en la adopción franca de los idiolectos grupales o de las jergas con los que se expresan tanto las criaturas novelescas como el propio autor, salvando la distancia que los narradores regionalistas establecían entre ellos y sus personajes populares. El punto más agudizado de esta tendencia particularista que es a la vez inmersión en un medio cultural restricto, lo ilustra *El vampiro de la colonia Roma*, de Zapata, que se presenta como "non fiction novel".

Dentro de esta reconstrucción fiel del grupo, por lo común juvenil, deben verse dos adquisiciones que mucho esfuerzo y padecimiento acarrearon a los mayores y que ahora se usan como bienes mostrencos: el decidido manejo del habla corriente, el español urbano o simplemente barrial de las capitales americanas y el decidido abordaje de la vida sexual. Si se sigue en la obra de Julio Cortázar o Carlos Fuentes el momento en que se producen estas conquistas, hijas de la generalizada permisividad de los sesenta, se comprobará que es contemporánea de la que han hecho los más jóvenes, como si unos y otros respondieran a la lección del tiempo, y obedecieran las mismas provocaciones de la sociedad aluvional de las ciudades, conectadas con las pulsiones externas sobre todo norteamericanas. No es que se inventara demasiado en el campo de las mil combinaciones posibles de la vida sexual, sino que ellas ingresaban a la narrativa, aun más que como tópicos llamativos que entre los mexicanos, de René Avilés Fabila a Jorge Aguilar Mora pasarían a ser meramente lugares comunes, como removedores de la escritura, capaces de desarticular las estructuras gramaticales e imponer nuevos órdenes expresivos. El "glíglico" cortazariano apuntó un camino, cuya mayor efectividad no se manifestaría en las francas descripciones sexuales sino en las más elusivas, por socialmente reprimidas, transcripciones de la sexualidad, como fue el caso del discurso homosexual cuando ocupaba un lugar subyacente, enmascarado, contaminante de una escritura que discurría por asuntos aparentemente dispares: el metalenguaje sobre "las palabras" de *Evohé* de Cristina Peri Rossi o ese oscuro y relampagueante erizamiento de las imágenes que Lezama Lima enseñó a sus discípulos narrativos: *Cobra* de Severo Sarduy.

La norma más frecuente consistió en la absorción de la íntegra historia narrada mediante voces que la desplegaban atendiendo a las peculiares modulaciones del habla, de tal modo que éstas *decían* con igual y a veces mayor precisión lo que las acciones y personajes pretendían decir y en ocasiones no lograban o consistió en la reducción a su mínima expresión de la distancia existente entre el narrador y lo narrado. En el citado ensayo de 1964, "Diez problemas para el novelista latinoamericano" anotaba en el capítulo dedicado a los problemas de la lengua en América: "el gran salto que en esta línea de utilización del habla espontánea y popular se ha producido, y que corresponde ya a nuestro tiempo, es aquel por el cual el escritor ha ingresado al mismo lenguaje de sus personajes". Claramente lo había estatuido Rulfo para sus cuentos rurales con un esmerado ajuste lingüístico pero a los jóvenes correspondería su implantación en el orbe ciudadano: la distancia entre los narradores y los personajes en los cuentos de *Tiro libre* (1973) de Antonio Skármeta, es mínima y si tantos apelaron cada vez más al "yo" narrador fue porque las "voces", como decía Borges, definen de inmediato al personaje, sin necesidad de explicaciones, y porque la unidad de atmósfera y de sentido se lograba mejor mediante este empaste globalizador. Los elementos mecánicos de la ciudad moderna (grabaciones, teléfonos, etc.) serán usados por los mexicanos (Gustavo Sáinz, José Agustín) para poder ser fieles a este registro del habla que da la espalda a la escritura culta y construía lo bello a partir de materiales tenidos por espurios. Carlos Monsiváis ha elogiado este "lenguaje de una subcultura que pretende la comunicación categórica", registrando que lo característico fue un movimiento democratizador con incorporaciones lexicales, prosódicas, a veces sintácticas, que sin embargo no modificaban el sistema lingüístico general. Las obras literarias se trasladan integralmente a los dialectos o idiolectos urbanos, con lo cual podría reconocerse que el realismo vuelve a ganar la batalla, aunque sin quedar circunscripto como antes a los asuntos vistos a distancia, sino a la misma expresión literaria en que el narrador se sumerge. En el caso de Puerto Rico, ya Emilio Díaz Valcárcel había merodeado estas vías aunque prefiriendo descansar sobre la complejidad de la estructura, pero ellas adquieren plena carta de ciudadanía en Luis Rafael Sánchez cuando abandona sus narraciones cultas y se entrega a la jocundia del lenguaje popular, a su ritmo de salsa, al placer de las homofonías que desde el título de su novela revelan su proyecto: *La guaracha del macho Camacho* (1976). El corte que la novela establece recorriendo los diversos estratos de la sociedad puertorriqueña adquiere su desenfado significativo por este manejo de la lengua hablada, al que cede el propio narrador. Todavía puede percibirse aquí una voluntariedad estilística, como ocurrió inicialmente con la incorporación que hizo Cortázar de la convención literaria de la lengua popular establecida por César Bruto. Pero también en este caso, se trató de una aproximación que progresivamente se enriquecería al permitir romper la distancia establecida entre la lengua culta y la popular que era la que corrientemente usaba el escritor en su vida cotidiana. Del mismo modo que los poetas argentinos se atrevieron a "vosear" cuando escribían, tal como lo hacían todo los días en la conversación, del mismo modo los narradores no procuraron reflejar el habla de las clases medias o bajas o de los marginados, sino que usaron su propia habla sin atender a los dictámenes escolares o académicos fijados por la cultura oficial argentina. Se asistía al triunfo póstumo de Roberto Arlt que de un modo tan intenso no habían conseguido imponer los escritores de la generación de la revista *Centro* que se habían reclamado de su magisterio y que en la escritura rota de Mario Szichman o en la directa, vulgar e intensa narrativa de Jorge Asís, sobre todo en *Fe de ratas* y en *Flores robadas en los jardines de Quilmes* (1980), colocaba a la invención narrativa dentro de la órbita expresiva del habla urbana a la que pertenecía el escritor. Los resultados artísticos no fueron siempre convincentes pero buena parte del éxito logrado dependió de esta reanimación (y aceptación) de la lengua propia, cuya irrupción brusca en el panorama literario puede medirse en relación a la obra más tersa y acicalada de Antonio Di Benedetto, donde aún se registra la presencia de Bioy Casares, o, entre los más jóvenes, Abelardo Castillo, quien atestigua el magisterio de Ernesto Sábato.

Forzoso es anotar, como entre paréntesis, que estas operaciones no pueden confundirse con un lugar común acerca de la "novela del lenguaje" que ha circulado aprovechando restos de la enseñanza barthesiana y dentro de un generalizado confusionismo crítico que provocó la consternación de los lingüistas. Una de sus últimas manifestaciones, hecha con más entusiasmo que fundamento, ha correspondido a un perspicaz narrador argentino, Héctor Libertella, que la ha puesto en práctica en *Aventuras de los miticistas* (1972) con menos fortuna que su congénere Osvaldo Lamborghini. Un narrador de tan esplendoroso manejo de la lengua literaria culta, como Fernando del Paso, ha dicho sensatamente que "hace muchos años dejé de interesarme en las teorías —del lenguaje, de la novela, etc.— tras una curiosidad inicial comprensible" aunque reconociendo su deseo de "trabajar con el lenguaje, de exprimirle sus posibilidades expresivas, de recrear al mundo con él, o a un mundo", tarea a que están aplicados hace ya algunos milenios los escritores. Lo privativo de algunas soluciones presentes, que no dejan de evocar, como Hocke ha apuntado, las del manierismo setecentista, pertenece más legítimamente al resquebrajamiento del discurso intelectual racionalizado, y más vastamente aún al cultural de las críticas sociedades actuales, las cuales han visto desintegrarse los sistemas normativos que las animaban dando lugar a una proliferación de fuerzas centrífugas que aún más que la libertad que pregonan están testimoniando la represión en que siguen formulándose.

Creo que lo mismo podría decirse de la omnímoda invasión de los temas sexuales en la narrativa reciente. Toda mojigatería parece haber desaparecido, aunque podamos sospechar que ha sido remplazada por una voluntariedad que se ha entregado a otra condición: la novelería. Esta pretende agotar las mil combinaciones posibles del tema, trabajando sobre un recurso (la provocación) cuya misma intensidad va acompañada de precariedad y cancelación, sobre todo en aquellos casos en que no alcanza otra funcionalidad artística o cultural que la derivada del mero impacto circunstancial. La sonrisa indulgente con que hoy revisamos las "prostitutas trascendentes" que bajo la influencia dostoievskiana poblaron la narrativa social latinoamericana, espera a los tríos, cuartetos, quintetos, o simples arias solitarias de onanistas, de que nos ha dotado una literatura que puede volverse tan tediosa como la gimnástica de las películas doble XX. Quizás sea la cinematografía la que mejor ilustre el conflicto, pues en ella el tratamiento libérrimo de la sexualidad sólo ha alcanzado sentido cuando, como en *El silencio* o en *Trash*, ha sido colocado al servicio de la develación de una problemática profunda. Visiblemente la permisividad ha favorecido la emergencia a las letras de las prácticas condenadas por las normas morales de la sociedad (es el caso de las relaciones homosexuales) aunque de hecho han surgido distorsionadas de otras maneras y aun me pregunto, considerando que siempre se expresaron utilizando enmascaramientos varios (*Albertine ha desaparecido*), si la imprevista libertad no las ha entregado al vórtice de un imaginario desasido, un puro juego de espejos en que se consumen. En todo caso, han colonizado territorios nuevos de la sensibilidad y, como ya se ha indicado, estos han sido buenos conductores de un manejo, diríamos lacaniano, de las palabras. Todo este tema exige un tratamiento adulto, franco y obviamente más pormenorizado, ajeno a los proselitismos de la hora, pero a cuenta de ese examen, conviene apuntar un efecto paradójico que parece haber tenido: ha concurrido a reinstaurar los mitos supermachistas del imaginario latinoamericano, más que a atemperarlos y, sobre todo, a disociar la sexualidad del universo de la afectividad. Este último, en cambio, es el que ha contado con la mejor contribución por parte de las narradoras que pertenecen a los "lazos de familia" establecidos por Clarice Lispector pero que de Marta Jara a Yolanda Oreamuno, de Armonía Somers a Luisa Josefina Hernández, de Beatriz Guido a Fanny Buitrago, ya habían tenido investigaciones acuciosas en las letras narrativas hispanoamericanas.

La cultura latinoamericana ha sido desde sus orígenes rigurosamente masculina y aunque no ha de ser la literatura la que habrá de cambiarla sino la activa participación femenina en los mecanismos de producción y mando, no deja de corresponderle una tarea ingente en la adaptación ideológica al cambio entablado para convertirla en una cultura íntegramente humana. Los orígenes del movimiento son extranjeros, principalmente norteamericanos, su introducción mimética difícil y aun perniciosa, sus campos predilectos las clases medias educadas en trance de ascenso social, pero la entidad del conflicto cultural mucho más amplia, como lo han sabido todas las sociedades que han ingresado a una dinámica de desarrollo económico y han tropezado con la maraña de prejuicios provenientes de viejas estructuras tradicionales: lo que el arco de ciudades que va de Santiago de Chile a São Paulo ya había experimentado es ahora patrimonio de Caracas, San Juan, México y problema que ha enfrentado recientemente el socialismo cubano. La libertad sexual es solo una parte de este vasto conflicto que resultaría perjudicado si se lo redujera a ese solo campo o al de los derechos en los ámbitos profesionales. Aun en aquellos ejemplos en que sortea esos riesgos, la obra de las nuevas escritoras (Elvira Orphée, Tununa Mercado, Liliana Heker, Rosario Ferré, Cristina Peri, Laura Antillano, Marta Traba, Elena Poniatowska, Inés Arredondo) ha tendido a ofrecer un "universo complementario", por atenido exclusivamente a figuras femeninas, de aquel, en cambio universal, que han presentado los narradores masculinos desde tiempos tan remotos como el XVIII, con sus Clarisas y sus Pamelas. Hay que apelar a un narrador de sutil filigrana, como Juan García Ponce, para encontrar en América Latina un equivalente de esa doble mirada perspicaz para las relaciones de ambos sexos que en las letras italianas desarrolló Cesare Pavese.

Pero en cambio hemos tenido, en la muy reciente narrativa del colombiano Rafael Humberto Moreno-Durán, uno de los asedios más divertidos y críticos al "eterno misterio femenino", porque ha combinado uno de los asuntos más gastados por la narrativa de la lengua española a ambos lados del Atlántico, a saber, los intercambiables ejercicios eróticos de los grupos amigos, con una percepción crítica, enamorada y humorística, de los movimientos, seducciones y retracciones de las mujeres. *Juego de damas* tituló fielmente su primera novela (1977), organizando la vida de la "hegeliana" según las categorías del maestro, pasando de "menina" a "mandarina" y luego a los grandes modelos (Teresa du Park, Klara Wieck, Lou-Andreas Salomé) sin que le falte al libro un "Index hembrorum prohibitorum". En su anunciada segunda novela, *Toque de Diana,* la vida erótica que hace renacer a un general forzado al retiro y condenado a la lectura de autores latinos, pretexta las más jocundas y disparatadas batallas. Al parecer se complementaría con una tercera novela, *Finale capriccioso con Madonna,* definidas las tres por su autor como "un trío concertante para virginal, viola pomposa y óboe de amor, música de cámara como suele serlo la mujer misma", concluyendo que "si bien es cierto que lo eterno femenino nos fastidia por delante (*ad majorem hominis gloriam*) también lo es que en la trilogía las mujeres no deambulan a su aire ni sirven de pretexto a un estudio de caracteres: son hermosos y apetecibles miembros de una comparsa respetable".

Es por momentos un manifiesto masculino que, dentro de otros parámetros estéticos, reitera la visión adulta de George Bernard Shaw, en *Matrimonio desigual,* cuando el tiempo augural del ibsenismo inglés.

4. *La lucha contra los poderes distorsionantes*

El subjetivismo de los novísimos encuentra otros grupos en que revelarse: puede ser la familia o, más exactamente, el medio social al que la familia pertenece (sea de alta clase como en los cuentos de Rosario Ferré o de clase media como en la novela de Alicia Steimberg o el hemisferio entero del poder como vio Bryce Echenique con impasible mirada crítica *Un mundo para Julius* [1971]); puede ser también la minoría étnica a que se pertenece y que nos ha dotado de una variada serie de historias judías, ya sean las tensiones de la adaptabilidad a una nueva sociedad contadas con discreta liviandad escéptica por los venezolanos Isaac Chocrón o Elisa Lerner, ya sea la insólita situación judío-indígena que Isaac Goldemberg ha contado en un sorprendente testimonio autobiográfico en *La vida a plazos de don Jacobo Lerner* (1978), ya sea por último la pasmosa saga que viene desarrollando el argentino Mario Szichman desde su primera novela, *Crónica falsa* (1969) hasta la cuarta, *A las 20:25 la señora entró en la inmortalidad* (1980), analizando obsesivamente la inserción de una familia de emigrantes polacos, los Pechof, en una cultura argentina que entonces se revela como todavía impregnada de tradicionalismo patricio. Este confeso heredero de Roberto Arlt ha visto descoyuntarse las estructuras narrativas a lo largo de su intento, hasta llegar a un fantasmagórico grotesco, único modo de apresar el significado de la distorsión cultural que describe. Su camino lo había prefigurado un narrador argentino que la muerte frustró, German Rozenmacher y lo ha desarrollado paralelamente Gerardo Mario Goloboff: *Caballos por el fondo de los ojos* (1976).

El grupo también puede ampliarse a partido (*No habrá más penas ni olvido* de Soriano) pero ya entonces estaremos en las clases sociales, estaremos sumergidos en la historia trágica de los años setenta. Escritores de todas las edades, mayores, medianos y menores, han concurrido a una producción inabarcable, muchas veces respuesta urgida y cruda a los acontecimientos en plena evolución. Si en el último quinquenio esta producción ha sido el patrimonio de los exiliados sureños (chilenos, argentinos y uruguayos), una larga precedencia les cabía a los centroamericanos: *El valle de las hamacas* (1976) de Manlio Argueta, *Los monos de San Telmo* de Lisandro Chávez Alfaro, *¿Te dio miedo la sangre?* (1977) de Sergio Ramírez, son algunos de los títulos de una narrativa que pareció heredar el discurso social racionalizado, manejando la literatura como arma de combate y poniendo por lo tanto el acento en un mensaje de amplio espectro de comunicación, aunque es en Lisandro Chávez Alfaro donde ese proyecto se combina con una percepción más caótica y existencial del mundo, tal como se vio en *Balsa de serpientes* y en *Trágame tierra*.

Como ya anotamos, novela y testimonio se combinan en tan variadas dosis que llegan a borrar los límites genéricos y promueven nuevas perspectivas de la narratividad, de hecho dando pruebas de la vitalidad que la mueve. En determinados períodos, por lo común cuando la férrea represión política cede definitivamente o, por un momento, alivia su compresión, irrumpe una nutrida producción que testimonia lo vivido e intenta una explicación coherente. El Brasil puede proponerse como un campo óptimo de este proceso, dado que los últimos años, los de la llamada "apertura", han visto esa irrupción de obras nuevas o reeditadas sin trabas junto con la acumulación de memorias y testimonios de los años de las dictaduras militares. De tres obras recientes, *En câmara lenta* (1977) de Renato Tapajós, *Nas profundas do Inferno* (1979) de Artur J. Poerner y *Cabeça de negro* (1979) de Paulo Francis, ha dicho Fernando Gabeira que "ningún estudioso de la historia contemporánea del Brasil podría pasar sin ellas. Mucho más que los documentos y los testimonios, llegan al fondo de la verdad, aunque esa verdad haya sido la derrota y en muchos casos la desesperanza". El juicio puede aplicarse a las propias obras de Fernando Gabeira, uno de los más desconcertantes testimonios de quien apareciera como una de las figuras heroicas de la izquierda y que, al emerger de la lucha, la cárcel, el exilio, dijera rimbaldianamente: "Je suis un autre", un otro que era sin embargo un escritor cumplido: *O crepúsculo do Macho* (1980), *Entradas e bandeiras* (1981).

Esos escritores son parte de ese conjunto surgido sobre el filo de la catástrofe brasileña reciente (el año 1964 en que Goulart es derrocado por los militares) al que Antonio Cândido ha llamado con precisión la "generación de la represión", observando en ellos la actitud protestataria, la influencia de la nueva narrativa hispanoamericana, la fecundación proporcionada por el periodismo y la gráfica y la desconstrucción del texto mediante un urgido experimentalismo en el cual puede haber tenido especial incidencia la obra de los concretistas paulistas (Agostinho y Haroldo de Campos). La producción de los autores jóvenes que resultan marcados por la fecha de 1964 (y aun más por la segunda represión de 1968, que se constituyó en el momento clave de la vida política de toda América Latina y por ende de las soluciones literarias que trataron de dar los novísimos escritores), pareció no tocar, inicialmente al mayor historiador ficcional de su tiempo contemporáneo, que fue Antonio Callado. Venido del periodismo donde había desarrollado una original carrera, tenía ya 40 años cuando da a conocer *Quarup*, que aun responde a las líneas tradicionales del realismo y a su decimonónica vocación de dar cuenta cabal del mundo circundante en un discurso coherente y racional. Fue sin embargo con *Reflexos do baile* (1976) que compuso su mejor texto. Utilizando a fondo los ardides del fragmentarismo periodístico, la superposición de tiempos históricos, las formas de la novela epistolar o del diario íntimo, manejando internamente un sistema de remisiones irónicas o paródicas, consiguió dotar de sentido a esa historia contemporánea que parecía rehusarse tumultuosamente a toda interpretación. Sobre los fragmentos que se desperdigan logró construir un discurso de la significación, más persuasivo que el de *Quarup*.

Esa obra ya se inserta en el cauce de una plena producción de jóvenes narradores, los de esa "generación de la represión", quienes muestran, en el sentir de Antonio Cândido, una ingobernable atracción por "textos indefinidos"; "novelas que parecen reportajes; cuentos que no se distinguen de poemas o crónicas, sembrados de signos y fotomontajes; autobiografías con tonalidad y técnica de novela; narrativas que son escenas de teatro; textos hechos por yuxtaposición de recortes, documentos, memorias, reflexiones de todo tipo". Tal mixtura de géneros, influida por el periodismo y por el predominio de imágenes visuales, puede reencontrarse sin embargo no solo en Brasil, sino extendida a todo el continente en el mismo período reciente. Creo que la palabra "represión" es buena indicadora, aunque encontremos expresiones de estos sistemas de composición en lugares del continente menos tocados por la opresión política. En ellos, sin embargo, operan innumerables constricciones que los jóvenes han sentido agudamente y contra las cuales se han rebelado, tal como se ha visto en el vertiginoso contagio operado en los puntos más dispares de América por el universal movimiento insurreccional del 68. Tanto el armado fragmentario, inconexo, a veces incoherente, como la tendencia a desmesurar las situaciones llevándolas hasta los límites del grotesco o del expresionismo, sin por eso abandonar una percepción realista de base que entra en conflicto notorio con las formas expresivas, son usos ampliamente extendidos entre los jóvenes narradores aunque un poeta mayor, como el ecuatoriano Jorge Enrique Adoum, al incorporarse a la narrativa con *Entre Marx y una mujer desnuda* (1975) los ejercitó fehacientemente. La composición heteróclita, mezclando géneros, es evidente en el colombiano Alberto Duque López como en el mexicano Fernando del Paso; los materiales provenientes de la ciencia ficción son incorporados por el venezolano Luis Britto García; las peculiaridades de los guiones cinematográficos subyacen a las novelas del argentino Osvaldo Soriano; la derivación hacia un expresionismo casi gestual es visible en Mario Szichman y en Griselda Gambaro, aun más que en sus novelas, *Ganarás la muerte* (1976) y *Dios no nos quiere contentos* (1979), en sus esperpénticas obras teatrales; el laberinto apocalíptico del lenguaje signa a Salvador Elizondo, en *Farabeuf* (1965) y *El hipogeo secreto,* como único recurso para describir la descomposición alucinante de la realidad; José Balza (*D* [1977]) construye una evocación de tiempo pasado mediante grabaciones alternas y los argentinos Lamborghini y Libertella procuran descarnar la lengua, o, más bien, ponerla en carne viva, para traducir un real y a la vez fantasmagórico universo.

Respecto a los hispanoamericanos, algunos brasileños (es el caso de *Paulino Perna-Torta* [1965] de João Antonio, *Zero* [1975] de Inácio de Loiola, *En câmara lenta* [1977] de Renato Tapajós, *O dia em que Ernest Hemingway morreu crucificado* [1978] de Roberto Drummond) parecen capaces de una integración más fluida de las formas literarias con la denuncia concreta de situaciones contemporáneas, apuntando por lo común a la represión política. Siendo *libros urgentes*, no aspiran a simplificar sino a realzar la complejidad de la sociedad y sus increíbles grados de distorsión. De hecho todos, hispanoamericanos y brasileños conjuntamente, aun operando en distintas circunstancias, concurren a construir un discurso apocalíptico sobre el poder.

Es demasiado larga la serie histórica de obras latinoamericanas que combaten o denuncian regímenes inmisericordes y la reciente eclosión de las llamadas "novelas del dictador" mostró en los escritores mayores una similar preocupación por el ejercicio del poder despótico. Lo que es nuevo en estas obras de los jóvenes, aun fluyendo dentro de ese cauce grande de la narrativa tradicional, es la rebelión contra todas las formas del poder, su reconocimiento de que se extiende a las más variadas manifestaciones de la vida social y de su cultura, afectando tanto las relaciones sexuales como las estructuras lingüísticas, la organización aparentemente racional del discurso como las formas legales de la explotación económica, la estructura familiar como el sistema de clases. Las anteriores explicaciones políticas simples, casi románticas, no sirven para resolver la complejidad del problema. Siendo en su mayoría escritores de ciudades abigarradas y caóticas, donde todo se mezcla, ven el poder golpeando en todos los puntos, incluso en aquellos más neutrales a los cuales contempla con evidente desconfianza. Es "la era de la sospecha" de las letras latinoamericanas, en que todo parece reprobable y todo debe transformarse. Como estos escritores operan en tanto individuos, a manera de franco-tiradores y como deben enfrentarse a la compacta y múltiple acción de los poderes, no es raro que sus obras se tiñan de una suerte de manierismo que, en algunos casos, preferentemente en los pertenecientes al área antillana, deviene una elusiva construcción barroca. No pretendemos convalidar las tesis de Carpentier que en otro lado hemos discutido, sino apuntar a las curiosas inferencias que uno de los escritores nuevos, el cubano Severo Sarduy, ha extraído de las proposiciones de Claude-Gilbert Dubois sobre la estética manierista. La palabra "excentricidad" puede leerse en varios registros, permitiendo vincular comportamientos literarios, humanos, políticos, económicos bien dispares pero que apuntan todos a una negativa del "centro" donde se consolida (se institucionaliza) el poder, y donde por lo tanto se construye el discurso oficial que aspira a enmascarar la realidad cambiante. Es cierto que en algunos puntos del continente (un buen ejemplo lo da México) el poder tiene una gran capacidad de reabsorción de los elementos excéntricos. Pero también es cierto que ya hay muchos casos de los que llamaríamos "irrecuperables", lo que no es en sí una virtud puesto que pueden desintegrarse en el nihilismo.

Singulares puestos intermedios entre los que Umberto Eco llamó "apocalípticos" e "integrados", han venido ocupando dos estirpes de escritores que a veces son una: los periodistas y los humoristas. No se trata solo de aquellos escritores que encontraron su ganapán en el periodismo mientras no podían consagrarse enteramente a las letras, sino de los que hicieron un aprendizaje de la escritura y de los mecanismos que regulan los poderes del mundo, a través de su trabajo periodístico. Un excelente antecesor en la Argentina fue Rodolfo Walsh: su obra literaria, de alto rigor crítico, se inició con las novelas policiales que ya habían apasionado a Borges, pero concluyó con investigaciones jurídico-policiales sobre las aberraciones del poder, construyendo una suerte de novela policial de pobres. Algo parecido puede decirse de Tapajós o Soriano, como de Vicente Leñero y Elena Poniatowska en México. En Eduardo Galeano o Norberto Fuentes, el periodismo sigue siendo un componente capital de la visión de la realidad, y aun de sus escrituras, aproximándolas al modelo Hemingway.

Aun más singular ha sido la irrupción de los escritores que no temen hacer reír. En un memorable artículo Cortázar se burló de la seriedad, la compostura y la solemnidad con que los escritores argentinos se ponían corbata cuando escribían. La observación podía haberse extendido a una mayoría de latinoamericanos, entre los cuales siempre fueron disonantes los lúdicos vanguardistas como José Félix Fuenmayor, Julio Garmendia o Felisberto Hernández. Habría que llegar al propio Cortázar y, como un estallido de fuegos artificiales, a García Márquez, para que el humor, la gracia, la diversión, el regocijo, conquistaran por asalto la literatura. El abanico de posibilidades es enorme y los matices diferenciales que registramos bajo los nombres de humor (rosa o negro), ironía, sarcasmo, burla, parodia, juego, etc., suficientemente deslindables para abastecer una rica clasificatoria. Desde su *Obras completas y otros cuentos* el guatemalteco Augusto Monterroso había construido un humor frío y crítico, de atemperado moralista, que no ha tenido continuador de su pulcritud.

Un hito importante fue la publicación, en 1964, de *Los relámpagos de agosto* del mexicano Jorge Ibargüengoitia. Esta "última" versión de la novela de la revolución mexicana fue el hilarante corrosivo del género y simultáneamente el jocundo desenmascaramiento del acicalado discurso oficial patriótico. Procedente del teatro y de un brillante ejercicio de la crítica teatral, Ibargüengoitia puso en acción los mecanismos de la farsa con un movimiento continuo, arrasando el túmulo solemne. Fue también uno de los eficaces instrumentos que aplicó Guillermo Cabrera Infante en los *Tres tristes tigres* para recobrar un estilo cubano de vida y romper el engolamiento sentencioso de los teorizadores políticos. Tras él, Luis Rafael Sánchez descubrió que era el mejor recurso para hacer un corte vertical de la sociedad puertorriqueña, mostrándola desaprensivamente en interiores en *La guaracha del macho Camacho* y el paraguayo Lincoln Silva explotó su capacidad disgregadora en su novela *General general* (1975). En todos estos casos es también el poder el que es asediado por la narrativa iconoclasta, pero en vez de usar las rápidas contradicciones de la información periodística fragmentaria, apela al más antiguo sistema de invalidación, inventado por la comedia; con ello, al mismo tiempo encuentra un fluido y más directo camino hacia el lector latinoamericano, asumiendo sus antiguos, tercos, eficaces sistemas de defensa: la risa insolente de quien por lo común nada tiene que perder.

El corrosivo humorismo ha servido, de Augusto Monterroso a Luis Rafael Sánchez, para desintegrar la arrogante solemnidad del poder que en América Latina frecuentemente se reviste de un ceremonial arcaico, similar a las estatuas de burgueses endomingados con que ese poder ha rellenado sus ciudades capitales. Es, por lo tanto, un efecto secundario de la modernización, más informal, que ha penetrado las capas juveniles de los últimos decenios, buenas conocedoras de las tendencias estilísticas internacionales, preferentemente americanas, pero es al mismo tiempo una manifestación del proceso de democratización que subyace a todo este movimiento literario, capaz de reencontrarse vivamente con muy antiguas tradiciones conservadas en las clases populares. Los que pueden estimarse libros fundacionales de esta tendencia (las *Historias de cronopios y de famas* y los *Cien años de soledad*) se abastecieron francamente en fuentes propias de una mezzoliteratura que se había desarrollado tanto en Buenos Aires como en el litoral costeño colombiano, de César Bruto al Tuerto López, manejando libremente sus recursos, aprovechando conjuntamente las incesantes invenciones de la creatividad humorística popular. Pero no operaron una regresión costumbrista conservadora, sino que las integraron en un discurso crítico modernizado.

Por esta vía se intensificó una comunicación más amplia con el lector, que fue la que hizo el éxito inicial de algunos rioplatenses, de Mario Benedetti a Jorge Asís, pero que también sirvió para enriquecer una escritura narrativa que en *Años de fuga* (1979) de Plinio Apuleyo Mendoza adquirió la presteza, soltura y versatilidad necesarias para contar nuevamente ese tópico latinoamericano: el aprendizaje de la modernidad en tierras europeas, tanto de las ideas como de la erótica, asunto que reaparece en *A la hora del tiempo* (1977) del peruano José Antonio Bravo estableciendo una traslúcida distancia con sus narraciones anteriores y que también puede rastrearse en la escritura culta, desembarazada y mordaz con la que Rafael Humberto Moreno-Durán ha hecho de la conquista adulta de una relación erótica el centro de su anunciada trilogía novelesca. Los recursos de la ironía, de la burla, de la parodia, concedieron a los escritores jóvenes la necesaria libertad para desembarazarse del agobio presuntuoso y arcaico de los tabúes patrios. Están aceptando la modernidad, con todos sus riesgos y lo están haciendo en nítida oposición a las constricciones de sus áreas culturales originarias a las que buscan transformar con la incorporación de estos productos. Algunos de ellos siguen subrepticiamente los modelos narrativos habituales, como si la estructura general no resultara contaminada por los corrosivos. En otros casos, como ocurre con los que solo pueden llamarse textos, de la mexicana Margo Glantz, el modelo narrativo se disuelve, recuperando las formas del futurismo en *Las mil y una calorías (novela dietética)* (1978). Más frecuentemente el modelo se ha disuelto y fragmentado en textos sueltos por obra del corrosivo poético, como se vio en el Brasil, de Clarice Lispector a Hilda Hilst, y sobreabunda en la producción más juvenil de los mexicanos actuales.

Esta tendencia fragmentadora es la misma que se registra en los narradores marcados por la influencia de los sistemas modernos de comunicación de masas (periodismo, revista ilustrada, cine, televisión) que operan concentraciones breves de la más alta significación y conjuntamente ruptura del discurso, cuya hilación ya no se desprende de una continuidad explicativa sino del ensamble de materiales disímiles, provocativamente yuxtapuestos apelando justamente a su desemejanza para originar, como en la metáfora, una selección sémica que consiga enlazarlos y los articule en una secuencia de sentido. La influencia del cine contemporáneo ha sido omnímoda dentro de esto que se ha llamado la "cultura de la imagen" del mundo actual, con la peculiar ambigüedad de un presunto lenguaje que carece de códigos precisos para ser desentrañado pero que no por eso deja de presionar, aun más que la conciencia racionalizada, los impulsos del inconsciente, liberando sus energías asociativas y emocionales.

Hay dos ejemplos muy disímiles de esta influencia del cine en los dos narradores nuevos de punta de la literatura argentina: Manuel Puig y Juan José Saer. Ambos han adelgazado al máximo la escritura, procurando una enunciación simple, despojada, un toque muy sutil con la menor contaminación del psicologismo y donde el punto de vista llamado "yo" se intercambia incesantemente y se equipara con múltiples fuentes enunciativas con lo que se conquista una transparencia enigmática, aún más intensa en Puig que en Saer pues reconstruye un imaginario alienado en su pura expresión fenoménica; ambos también se aferran a las imágenes, más intensamente materializadas y demoradas en Saer, quien se concentra obsesivamente sobre ellas, que en Puig, donde aparecen como sugestiones del inconsciente más allá de las palabras que las buscan y que, cada vez más escuetas a lo largo de sus diversos títulos, apuntan a una polisemia inexplicada.

Pero mientras Puig sigue capaz de construir la historia, mediante retazos, Saer se detiene en ellos y a ellos vuelve, fijado sobre ese "ahora" que ya en su primer libro adulto, *Unidad de lugar* (1967) señalaba la opción primera. La versión última, impecablemente elaborada de ese "ahora" está en su novela *Nadie nada nunca* (1980), que pareciera decretar el triunfo de un objetalismo contra el cual luchó frontalmente Ernesto Sábato, pero que en las letras argentinas ha tenido una robusta evolución desde el inicial Antonio Di Benedetto hasta Juan José Saer. Y sin embargo, como en la concentración alucinada sobre la imagen única de *Farabeuf* de Elizondo o como en la perforación de un único tiempo como en *Morirás lejos* de José Emilio Pacheco, esta detención no responde unívocamente, como en los objetalistas franceses, al enfrentamiento a un mundo que chorrea significados, contradictorios e igualmente fundados ideológicamente, sino a esa lancinante excentricidad respecto a la acción que mueven los distantes poderes y que reconduce al escritor a la inmersión en su única acción, la de escribir, en sus únicas operaciones, las de ver y oír, convirtiéndolos en los "grafógrafos" de ese restricto poder que manejan, que cada vez parece más recortado de aquel que dirige a la sociedad.

No podrían extenderse estas observaciones referidas a Argentina y México, al resto del continente. Ya Saúl Sosnowski ha apuntado persuasivamente la situación diferente que caracteriza a Centroamérica ("a la falta de un vigoroso desarrollo de las ciudades correspondió la ausencia de una cultura urbana") apoyándose en textos de Alfonso Chase y Sergio Ramírez que reviven, para los escritores de la región, tareas que ya habían sido trazadas para el regionalismo social de los años cuarenta. El mapa latinoamericano es lo suficientemente diversificado como para que no puedan estatuirse pautas conjuntas o para que se definan bajo el rótulo de "arcaicas", soluciones que se ajustan a la evolución de cada una de las zonas del continente. Sin contar que las soluciones modernizadoras de algunos puntos (México, Caracas) no dejan de acentuar la fractura con zonas internas que esas ciudades dirigen. Dado el disparejo desarrollo que caracteriza a la mayoría de los países latinoamericanos, los desequilibrios culturales se acentúan dentro de fronteras y por lo tanto las invenciones literarias registrarán el estado de las áreas culturales dentro de las cuales emergen y consiguientemente aparecerán en distintos niveles de modernización. Es demasiado sabido por la lección de la historia, aunque tesoneramente olvidado por los intelectuales de cualquier tiempo, que la pertenencia a un determinado estadio de la cultura (que en literatura se expresa por la invención de estilos epocales) jamás es por sí sola garantía de la producción de ninguna obra artística, la cual más frecuentemente resulta de un ajuste entre su particular estructura y la de la cultura dentro de la cual florece. Pero desde siempre, por pertenecer a enclaves-girasoles que rotan en torno a los centros más avanzados del mundo, los escritores tomaron como metro valorativo, rector de sus propias producciones, el desarrollado en las metrópolis, y aun se puede decir que apostaron exitosamente en la meddia en que el desarrollo progresivo de sus propias comarcas siguió evolutivamente esas pautas: tal fue lo ocurrido con los modernistas del 1900 y los vanguardistas de 1930, aunque sus éxitos mayores los alcanzaron cuando ajustaron sus creaciones a la verídica situación de sus culturas transicionales (Darío o Martí o Silva; Mario de Andrade, Vallejo, Borges) ; tal es lo que ocurre con múltiples escritores jóvenes, aunque ellos surgen en una nueva situación, que es el establecimiento del mercado universal de la literatura. Ninguno de los modernistas o vanguardistas citados alcanzó en su tiempo la menor repercusión europea o norteamericana, ni sus obras fueron traducidas, sino tardíamente cuando se organizó poderosamente ese mercado, de modo que aunque codiciaran esa eventualidad y soñaran con el premio Nobel, tuvieron que construir sus obras en un marco cultural específico y propio al que propusieron, adaptando patrones universales, la modernización. Alguna vez he estudiado este problema para establecer el doble linaje de nuestro vanguardismo (Huidobro-Vallejo) según la mayor incidencia que cada uno de los polos rectores alcanzó en cada una de las líneas. El dilema sigue planteado, aunque con una intensificación: el reconocimiento que puede alcanzar un escritor en el mercado universal, probablemente pueda ser equiparado por él a una certificación de valor artístico, cuando de hecho solo dice que puede adaptarse a las pautas de ese mercado, lo suficientemente amplio sin embargo para que quepa la mera imitación ocasional y la obra de arte cabal que, dentro de él, promueve una novedad. Pero también puede acentuar un vanguardismo aparencial que es una de las piezas predilectas de la museografía.

Otro tipo de desafío, no menos arduo, enfrentan aquellos escritores que aspiran a preservar lo que llaman la "identidad" de los hombres de sus culturas. La denominación, a pesar del apoyo que le han prestado los sociólogos, no es buena: parece apuntar a un estado fijo y congelado, invariante, de la cultura y, subrepticiamente, a una concepción del "yo" conservadora y rígida. Si algo necesita nuestro continente es movimiento y transformación y si algo define la tendencia planetaria dominante es su dinamismo, tan acelerado que ha tenido que proponerse revoluciones en vez de evoluciones. Creo que el problema que se plantean estos escritores es otro, cuya legitimidad no está en discusión: procurar que el movimiento transformador (que es otro modo de hablar de modernización) no quede restringido a unos pocos o incluso se reduzca a una solitaria apuesta a través de una obra personal, sino que abarque conjuntamente a un sector grande de la sociedad, aspirando a que toda ella resulte contagiada por ese impulso. La tarea cultural que esto implica es inmensa y su complejidad inconmensurable, pues hay que operar sobre abismales retrasos históricos, rígidas estratificaciones sociales, enquistados reductos culturales, buscando liberarlos de las constricciones deformantes en que se los tenía para que entren a una vivaz productividad sin que por eso pierdan sus riquezas acumuladas y sin que impositivamente se les obligue a aceptar los esquemas propios de una visión de los "cuadros" intelectuales que orientan el proceso. Quienes así visualizan los problemas latinoamericanos, automáticamente no se limitan a contestar los poderes, aceptando de hecho su propia excentricidad, sino que se proponen asaltar el poder. Solo lo pueden hacer, como ha vuelto a demostrarse en Nicaragua, cuando su vanguardismo (intelectual, artístico o político) establece amplia y confiable comunicación con el "soberano" que es una mayoría de la población a la que, desde hace un par de siglos, le reconocemos la propiedad entera del poder. Es este poder legítimo el que puede destruir el poder espurio que se ha encaramado en lo alto de la pirámide y pretende mantenerla a su servicio. En el ejemplo nicaragüense citado se ha presenciado una situación que no por habitual en el pasado del continente parecía aún viable actualmente: el escritor contestatario (Sergio Ramírez) ha pasado a integrar la junta revolucionaria que procura la transformación de la sociedad. Esto supone la interrupción de su tarea narrativa, aunque también la eventualidad de escribir conjuntamente con los demás una novela de la sociedad. Sin abandonar su oficio con las palabras, hay muchos narradores novísimos que encaran este discurso novelesco, aun en una época tan regresiva y fuertemente institucionalizada como la que vivimos.

El 68, como ya se sabe, fue un incendio de la imaginación juvenil. Nacido en Estados Unidos y Europa occidental, se contagió instantáneamente al mundo, demostrando hasta qué alto grado había llegado la intercomunicación del planeta y la coparticipación de los sectores jóvenes y aun adolescentes en esperanzas comunes que a ellos les llegaban por la extensión desmesurada y la acción inmediata que habían conquistado los medios de comunicación de masas. Fue un auténtico *test* sobre una implícita solidaridad internacional, fuera de los parámetros pre-existentes de partidos, doctrinas, religiones, agrupando de manera distinta e imprevisible a fuertes sectores de la juventud. En cada región las llamas se colocaron con los materiales propios e internos a ellas, de tal modo que en América Latina el movimiento aceleró las reclamaciones contra los poderes regresivos, esclerosados o francamente dictatoriales del momento. Estimo que sería imprudente extrapolar esta protesta a una restricta demarcación política, pues lo que parece propio del comportamiento juvenil es su libertad operacional, incluso su disponibilidad. Sin contar que la historia también escribe con líneas torcidas y visiblemente variadas en las distintas zonas del continente: tras el 68 vinieron muy distintos comportamientos políticos y culturales en América Latina, aunque me atrevería a decir que en todas partes, según las inflexiones doctrinales de cada una de ellas, se presenció la consolidación del poder centralizador, en lo qué percibo un contragolpe del universal movimiento conservatizador que aun antes que en las metrópolis se ejerció sobre las periferias a las cuales fue trasladada la iniciada crisis económica de entonces que hoy, en 1981, ha llegado al nivel del crac de 1929.

Para entender la tarea de este equipo de escritores conviene reponer el marco en que sus obras se inscriben, dado que éstas dicen a las claras tanto su insurgencia contra los múltiples poderes constrictivos como la fuerza oprimente de ellos. Por ahora la luz está puesta debajo del almud y de esta situación recibe previsible influencia. Pero no por eso se ha apagado. Tercamente sobrevive a la espera del momento en que podrá iluminar toda la casa.

5. *Esta antología*

Esta antología pretende recoger la obra que están realizando los narradores hispanoamericanos que han emergido al libro aproximadamente desde 1964 a la fecha. Se trata de un muestreo, cuyos límites son fijados por las posibilidades editoriales, lo que puede explicar la ausencia de algunos escritores con similares merecimientos a los incluidos, sin contar aquellos que en el momento de realización de la antología (1980-81) no disponían de originales definitivos para poner a disposición del antólogo. Si la selección de los autores fue de exclusiva responsabilidad de éste, los textos fueron propuestos, mayoritariamente, por los autores, que los consideraron representativos de lo que estaban haciendo. Ellos fueron consultados, en una encuesta privada, sobre los nombres de otros narradores que ellos consideraban que debían estar representados. Aunque sus sugerencias no fueron obligadamente seguidas, sus proposiciones fueron tenidas en cuenta para visualizar su percepción de la novísima narrativa, en lo cual frecuentemente se registraron incomunicaciones y las previsibles preferencias estilísticas.

Para la selección de los autores se manejaron diversos criterios, a saber: que ya hubieran dado a conocer un conjunto de obras que pudieran representarlos con suficiente fundamento; que dicha obra diera pruebas de una maduración artística que acreditara su categoría literaria en el conjunto de la narrativa hispanoamericana; que representaran diversas tendencias estéticas con el fin de abarcar el más amplio panorama de una producción que se caracteriza por la diversidad de orientaciones; que correspondieran a diversas edades para permitir que se recorriera desde aquellos mayores que ingresaron tardíamente al género hasta los más recientes, con obra publicada; que provinieran de los diversos países y áreas culturales del continente, mostrando la diversidad de culturas dentro de las cuales se manifiestan, las que son la riqueza de América Latina.

La denominación general —novísimos— se limita a rizar el rizo establecido como un lugar común para la anterior generación —nueva narrativa— y el superlativo no hace sino proponer el agotamiento de una designación que también estuvo, y está ahora, escrita sobre el tiempo, al que éste debe devorar, cancelándola. Todas las literaturas son nuevas: los que ahora llamamos vanguardistas se designaron orgullosamente a sí mismos, desde el título de algunas revistas, "Los nuevos", y han sobrevivido de ellos unos cuantos actualmente octogenarios que han podido ver cómo se mantenía el rótulo mientras cambiaba el contenido. Infiero que por un tiempo se le concederá un merecido descanso al término, pero también que habrá de renacer tercamente.

Si hubiera tenido que denominar a todos estos escritores, atendiendo no al período histórico *posboom* de los nuevos en que aparecen, sino a los que me parecen comunes denominadores de sus plurales estéticas y de sus variados mensajes ideológicos, los habría llamado "Los contestatarios del poder". Y si fuera forzoso apelar a esas denominaciones numéricas, tan enigmáticas fuera de su momento, que se han ido aceptando en este siglo para soldar la literatura a la historia, diría simplemente que son "los del 68", año de rabia y de esperanzas pero también de enormes frustraciones.

Infiero por último que el balance artístico que para fines de este siglo (y de este milenio) habrá que hacer, cuando todos ellos hayan cumplido cabalmente con sus carreras literarias, ya no estará a mi cargo.

ÁNGEL RAMA

MANUEL PUIG

(Provincia de Buenos Aires, Argentina, 1932) estuvo dedicado a estudios de cine y a la ayudantía de dirección cinematográfica, antes de reconvertir esta pasión omnímoda en él a la literatura, con *La traición de Rita Hayworth* (1968, versión definitiva 1976) y *Boquitas pintadas* (1969), que diseñaron el imaginario de una media clase pueblerina sumergida en los mitos acarreados por el cine, enajenada en la trama de las imágenes y en los argumentos de sus historias de amor y turbulencia.

The Buenos Aires Affair (1973), *El beso de la mujer araña* (1976) y *Pubis angelical* (1979) ajustaron con mayor precisión su proyecto, centrándolo sobre las operaciones de este imaginario, aun más que sobre los accidentes de la realidad, despojando su escritura para que en ella se tradujera escuetamente el personaje y sus motivaciones, lo que lo llevó a acentuar el papel que en sus novelas jugaban las "voces", tal como aparece en su última de 1980, *Maldición eterna a quien lea estas páginas*, que elabora una lengua española en diálogos que están, de hecho, vertidos de un trabajoso inglés en que hablarían los personajes.

Todas sus novelas han sido traducidas a las principales lenguas occidentales y se ha acumulado una vasta bibliografía crítica sobre su obra, preferentemente en Estados Unidos donde actualmente reside el autor.

MALDICIÓN ETERNA
A QUIEN LEA ESTAS PÁGINAS

—¿Qué es esto?

—Plaza Washington, señor Ramírez.

—Plaza sé lo que es, Washington no. No del todo.

—Washington es el apellido de un hombre, del primer presidente de los Estados Unidos.

—Eso lo sé. Gracias.

—. . .

—Washington. . .

—No tiene importancia, señor Ramírez, es un apellido y nada más.

—¿Era dueño de este terreno?

—No, le pusieron este nombre en honor a él.

—¿Qué es eso de "le pusieron este nombre"?

—Le pusieron un nombre. ¿Por qué me mira así?

—Un nombre. . .

—Mi nombre es Larry. El suyo es Ramírez. Y Washington es el nombre de la plaza. La plaza se llama Washington.

—Gracias. Eso lo sé. Lo que no sé. . . es lo que se tendría que sentir, cuando se dice Washington.

—. . .

—Usted dijo que el nombre no tiene importancia. ¿Qué tiene importancia, entonces?

—Lo que es importante para mí no es importante para usted. Cada uno piensa como le parece.

—¿Pero qué es lo que tiene importancia de veras?

—Se me paga para pasearlo en su silla, no para que le exponga toda una filosofía.

—A usted lo mandó una agencia ¿no es así?

—Sí, me dijeron que tenía que sacarlo en la silla de ruedas y nada más. No pagan gran cosa, pero si encima tengo que dar lecciones de inglés voy a pedir más dinero. La vida está cara en Nueva York.

—Señor... Larry. Yo sé inglés, sé todas las palabras. En francés, en italiano, sé las palabras. En castellano, mi lengua original, sé todas las palabras, pero...

—...

—Etuve muy enfermo, en mi país. Me acuerdo de todas las palabras, de cómo se llaman las cosas que se pueden tocar, y ver. Pero otras cosas, que no están más que en... en...

—...en su mente...

—No, no es eso. Pero ya se va a dar cuenta, más que pronto.

—...

—Pero las palabras las sé.

—¿De veras las sabe?

—Sí... Washington, Larry, plaza, Larry joven, yo viejo, muy viejo, setenta y cuatro, y árboles, bancos, pasto, cemento, eso lo sé. Pero colapso nervioso, depresión, euforia, eso no lo sé. Los médicos me nombraron esas cosas.

—¿No se las explicaron?

—...

—Debió preguntarles.

—Sé lo que significan, leí la definición en el diccionario, pero tal vez no las haya experimentado últimamente. Y por eso entiendo el significado... hasta cierto punto, nada más.

—¿De verás sabe todos esos idiomas?

—Sí. ...Qué día tan feo.

—¿Hace mucho frío para usted, aquí afuera?

—No, llévеme por favor hasta el centro de la plaza. ...Anoche, en el sueño, vimos un árbol como aquel de allá, aquel cerca del centro.

—¿Vimos?

—Sí. Usted, y yo, y todos. Estaba bien a la vista.

—¿Qué sueño era?

—El sueño de anoche.

—¿Qué quiere decir con eso?

—La gente tiene un sueño, todas las noches. Y a veces más de uno ¿no es así?

—Sí.

—Y en el sueño de anoche había un árbol como ése, y una de las ramas estaba cargada de fruta. Pero nada más que una rama.

—Escuche, señor Ramírez, la gente tiene sueños mientras duerme. Pero cada uno sueña solo. Es cosa particular, privada.

—¿Pero no vio ese árbol anoche, el de la rama diferente?

—No, no lo vi.

—Toda la demás gente lo vio.

—Nadie lo vio. Usted solo lo vio. El único en el mundo.

—¿Por qué?

—Porque es así. Cuando se sueña se está completamente solo.

—No vaya tan rápido, si la silla salta me hace mal. Son muy bruscos esos saltos.

—Perdone.

—Me está empezando el dolor.

—¿Qué dolor?

—El del pecho.

—¿Lo llevo de vuelta?

—Me está doliendo mucho...

—Oiga, lo voy a llevar de vuelta.

—No, volver allá no, por favor...

—No me quiero meter en líos. Si no se siente bien, nos volvemos.

—Por favor, no tan brusco... no vaya rápido.

—Lo siento, perdone.

—¿Lo siento? A cada rato dicen eso todos, ¿qué es?

—...

—¿Qué es?

—...

—No me mire así... Yo sé lo que significa, que se están disculpando. ¿Pero qué les está pasando por dentro cuando dicen eso?

—...

—El dolor es tan fuerte... por favor, Larry, diga algo, muéstreme algo de la calle, o de acá del parque ¡algo! ...así el dolor se me pasa... Ya no lo puedo soportar...

—No debió insistir tanto en salir, un día tan frío como hoy. Es toda culpa suya por insistir.

—Lléveme adentro de una de esas casas. Son tan hermosas, y viejas, adentro deben resultar de lo más acogedoras.

—Casas fueron antes, ahora son oficinas, de la Universidad. No podemos entrar. Hay gente trabajando, o cargándole almuerzos al presupuesto general.

—Ese hombre... ése... ¿por qué está corriendo? No se siente bien, parece descompuesto.

—Está haciendo ejercicio. Es un modo de entrenarse.

—Pero esa cara, algo malo le tiene que pasar, está descompuesto de veras.

—No, es por el esfuerzo de correr. Le hace bien.

—Pero yo creía, que cuando la gente ponía esa cara, era porque estaba sufriendo.

—Sí, es una manera de forzar el organismo. Pero eso mismo le va a rendir más energías para el resto del día.

—¿Cómo lo sabe usted?

—Yo corro todas las mañanas, y tal vez pongo esa cara también, de sufrimiento.

—La mujer... la que cruza la calle...

—¿Qué le pasa?

—Acérqueme a ella, el dolor está fuertísimo, usted no se puede imaginar hasta qué punto... Y el ahogo.

—...

—Trae al bebé a la plaza, ¿no ve?... No hace mal venir a la plaza, con este frío...

—De acuerdo.

—Y al perro, también al perro lo trae.

—Sí, también.

—¿Qué le pasa en los dientes, a ella?

—¿En los dientes?

—Acérqueme, por favor...

—No tiene nada en los dientes... Le está sonriendo al chico, nada más.

—¿Sonriendo?

—Sí ¿tampoco eso sabe qué quiere decir?

—No.

—Mi Dios...

—Sí, por supuesto que sé lo que quiere decir ¿pero qué es lo que le hace abrir la boca, y levantar el labio?

—Para mí es agotador explicarle palabra por palabra. Y me niego a hacerlo.

—¡Qué está diciendo!, ¡el dolor es ya intolerable! Explíqueme... lo que le pedí.

—Cuando se está contento con algo, uno sonríe.

—¿Contento?

—Santo cielo ¿cómo se lo explico? si no siente dolor, ese dolor en el pecho, si está viendo el árbol, ese árbol suyo... con la rama y toda la fruta... Y quiere comer la fruta... Y va y agarra una, y se la come, entonces a lo mejor... sonríe, y muestra los dientes.

—...

—¿Me entendió?

—No, demasiadas palabras. ...Pero el dolor ya no es tan fuerte, por lo menos.

—De acuerdo, demasiadas palabras ¿pero qué importancia tiene eso de sonreír? Sé que usted no entiende pero una sonrisa puede no significar nada. Se puede sonreír y no sentir nada. La gente lo hace y nada más. Me importa una mierda que sonrían o no.

—No me gusta ese lenguaje.

—Sonreír es una mierda, es falso, vacío, en la mayoría de los casos.

—Me resulta todo muy confuso. Por eso es que le pido que me lleve hasta el centro mismo de la plaza. Así tengo una perspectiva más clara. Voy a estar a la misma distancia de las cuatro esquinas, por lo menos.

—...

—Yo soy capricorniano.

—Toda una hazaña, señor Ramírez.

—¿Y usted?

—Hace algunos años trabajé en una oficina, y los más ignorantes seguían todos el horóscopo, en especial las mujeres. Para entender por qué no les había ocurrido nada especial, mientras que sí les iba a tocar en el futuro. La mayoría no tenía salida en la vida, tanto por circunstancias externas como por inhibiciones propias.

—¿Circunstancias externas?

—Ajá, el empleo, el dinero. . .

—Y usted anotó todo eso, y cuando quiere va y lo lee de nuevo.

—¿Cómo?

—Tal vez lo haya leído esta misma mañana, y por eso me lo está mencionando.

—¿De qué habla?

—Así es, ojalá tuviese yo mis anotaciones, para poder discutirlas. Con alguien que se interesase, claro está.

—Yo no anoté nada de eso, me acuerdo nomás.

—Yo también me acuerdo de cualquier cosa que estudio, todo lo que leo, ahora en el Hogar, de todo me acuerdo. Tengo buena memoria.

—Sigo sin entender. Esas mujeres no tenían importancia para mí, se me ocurrió acordarme de ellas nada más, de cómo eran.

—Yo recuerdo todo lo que llevo leído desde que aterricé en esta ciudad, la semana pasada.

—Si lee mucho, no se pierda el horóscopo del año próximo, acaban de publicarlo. Buen regalo para las Fiestas.

—Ese tono de voz corresponde a burla ¿verdad?

—Veo que está haciendo progresos. . . A todo esto, señor Ramírez, había un papel con una anotación suya con mi nombre, sobre su mesa, y una línea y la palabra enfermera. Es todo lo que alcancé a ver. ¿Qué era eso?

—Nada.

—¿Cómo qué nada? Ahora hago yo las preguntas. Si no me contesta le aplicaré la misma ley.

—Era una tontería.

—Por algo lo quiere ocultar.

—Pues nada. Una enfermera del Hogar me preguntó por usted.

—¿La de Virgo?

—¡No! esa es joven y bonita.

—¿Quién entonces?

—Una... más vieja. Sí, vieja y fea.

—¿Qué quería saber?

—Ella y otra que se acercó, más vieja todavía, me preguntaron quién era usted.

—¿Y?

—Parece que cualquier joven las impresiona. Lo encontraron bien parecido, viril.

—Qué amables, merecen recompensa: no les cuente nada. ...¿Pero qué más le dijeron?

—¿Su gato está sólo en su casa, todo el día?

—Cuénteme que más le dijeron de mí.

—Nada. Bueno... una de las enfermeras viejas, no la de Virgo, me dijo algo, !vaya a saber qué! Parece que vive en este mismo barrio, y lo ha visto antes.

—Es posible. ¿Qué más dijo?

—Nada.

—Sí, vamos, se nota que me está ocultando algo.

—Dice que hace mucho que lo viene viendo. Y que siempre piensa lo mismo, un muchacho bien parecido y siempre solo, y todo canoso, ya pronto se va a poner viejo, ¿qué espera para encontrar una mujer?

—...

—Y dice que también pensó si usted andaba sin trabajo, porque lo veía muy seguido en la plaza, a la tarde temprano, mirando a los viejos que juegan al ajedrez.

—Estoy sin trabajo.

—¿Ya antes había cuidado gente como yo?

—No, esta es la primera vez.

—¿Por qué no tiene un trabajo mejor?

—Otra vez con las preguntas personales. Hablemos del mundo, de la realidad, que es más importante. ¿No le interesa la cuestión de Egipto e Israel?

—No estoy respirando bien hoy... algo me pasa.

—...

—Pensándolo de nuevo, tal vez haya tomado notas toda mi vida, pero cuando llegué tenía poco equipaje.

—Me perdí de nuevo, señor Ramírez.

—Quiero decirle que soy de esas personas que tienen el vicio de las notas. En el Hogar tomo notas todo el tiempo. Creo que antes también.

—Supongo que sí.

—Pero usted no ¿verdad?

—No, casi nunca.

—¿Pero entonces cómo es posible?, ¿lo mismo recuerda cosas de hace tiempo?

—Sí.

—¿Y eso lo puede hacer usted solo, o mucha gente?

—Bueno, hay quien se acuerda.

—Yo no.

—Tal vez salga ganando, señor Ramírez.

—Nunca me oculte nada, porque se lo voy a hacer pagar muy caro.

—¿Cómo?

—Sí, a usted y a todo aquel que me oculte algo.

—¿Por qué tiene que hablarme en ese tono? ¿está loco?

—El médico me la va a pagar... Me ha hecho pasar por un imbécil.

—...

—Yo busqué en la Enciclopedia algo sobre la memoria, y estaba todo explicado, pero creí que se refería a lo reciente nada más.

—...

—El enfermero del Hogar maneja la silla mejor que usted. Y es hombre también él. De las muchachas ni hablar, son más suaves todavía.

—...

—¿Por qué mete la mano en la basura? Es todo mugre.

—No todo, señor Ramírez, la gente saca de vez en cuando los diarios y revistas viejos... para que se los lleve el basurero. Me gustan las revistas, pero son caras.

—No se ponga ahora a leer, preste atención adonde va.

—Yo sé lo que hago.

—La calle Carmine. Por aquí vive usted.

—Ajá.

—Nunca he entrado en una casa de verdad, aquí en este país.

—. . .

—¿Por qué no me invita un momento? ¿está lejos?

—Está cerca, esta calle tiene dos cuadras de largo nada más.

—Qué bien. . . .No, no doble ¿por qué dobla?

—Es fea esta calle. Y mi casa peor todavía.

—¿De veras?

—Son dos piezas chicas.

—En el Hogar yo tengo una sola. Me gustaría ver una casa norteamericana por dentro.

—. . .

—¿No me invita?

—¡No!

—Dice que la casa es fea para no invitarme. Dos piezas chicas pero muy acogedoras.

—Dos piezas chicas. En una está la cocina, toda chorreada de grasa vieja, una costra dura. Con todo el polvo, y la basura que vuela, que se le fue pegando. Son como estalactitas de mugre que se han formado. Estalactitas y estalagmitas. Y no hay muebles, una silla rota que encontré en la calle. Y en el suelo las hojas de diario que se volaron de no sé dónde. Y un colchón tirado ahí mismo, una sábana sola, que era blanca pero que se volvió marrón. Y cucarachas en abundancia.

—¿Y frazada? ¿no tiene frazada?

—No, yo nunca siento frío. A veces tengo que apagar la calefacción. Y no uso almohada, es más sano así. De la calle se puede ver, o de la ventana de los vecinos, la mugre que hay.

—No es cierto. Todas excusas para no invitarme. Usted está siempre impecablemente limpio. Y más aún ¿si no quiere mostrar la casa, por qué entonces deja que lo vean por la ventana?

—No tengo cortinas.

—¡No se ponga a hojear esa revista! Preste atención adonde va.

—Yo sé adonde vamos ¡de vuelta! Ya se cumplió mi horario.

—¿Usted aquí, a esta hora?

—Ante todo buenas noches, señor Ramírez.

—¿Viene a cuidar a algún otro, a esta hora?

—No.

—¿Entonces?

—Espero que no le moleste que haya entrado sin pedir permiso.

—¿Los guardianes nocturnos lo dejaron pasar?

—No me vieron.

—¿Y la puerta mía? Yo siempre la cierro por dentro.

—Tal vez entré por la ventana. Usted nunca lo sabrá.

—¿Estoy imaginando su visita, tal vez?

—Tal vez sí.

—No, prefiero que su visita sea real.

—Como le plazca.

—Creo entonces que sí, que usted está aquí. No lo estoy imaginando.

—No es demasiado tarde ¿verdad? Yo sé que los residentes cenan a las siete, pero usted nunca me dijo a qué hora se acuesta.

—No me gusta su tono, Larry. Demasiado obsecuente, dulzón.

—Perdone.

—Me está pidiendo perdón porque ese tono era falso ¿verdad?

—Así es, perdón.

—Como usted ya sabe, todavía no capto bien a qué corresponden ciertos tonos. El del arrepentimiento sincero... no sabría reconocerlo.

—Tal vez reconozca esto...

—Larry, ¡no se ponga de rodillas!... los demás nos pueden estar viendo... es gente senil pero malintencionada.

—La puerta está cerrada.

—Dirán que usted es servil, no comprenderán la situación. Yo... yo aprecio al que se arrepiente.

—Gracias. Es usted muy generoso.

—¿A qué vino? Es casi medianoche. Supongo que hay una razón para presentarse como un fantasma, como una alucinación.

—...

—No baje la frente.

—Soy una alucinación y nada más ¿qué importa si bajo la frente?

—No, su visita es real. Si no lo fuera, significaría que...

—¡Nada! Cometí un error de cálculo, y me quedé sin dinero para cenar, señor Ramírez.

—Ah...

—Tengo bastante hambre, pensé que podía irme a dormir sin cenar... pero ya la languidez de estómago se me está haciendo sentir demasiado.

—¿Es un dolor? ¿dónde lo siente?

—Aquí en el estómago, justo debajo del esternón.

—¿Llega a ser una puntada?, ¿o es apenas un malestar?

—No llega a ser una puntada, todavía no.

—Ve que yo no lo miro con sorna, o con satisfacción.

—No entiendo...

—Sí, Larry. Usted me miraba con sorna, se divertía, cuando yo le hablaba de mis dolores, de esa espantosa opresión, y esas puntadas terribles, en el pecho. Yo no me río de usted.

—Tal vez, señor Ramírez... sea cierto que todavía no lee correctamente las expresiones de la gente. Yo tal vez... quería darle ánimo con una sonrisa.

—Sonreír es falso, vacío... una mierda, según sus palabras.

—Señor Ramírez ¿cómo es la comida del Hogar?

—No tiene sabor, pero es sana, y muy abundante.

—¿Usted se satisface?

—Sí, dejo mucho en el plato, por lo menos la mitad.

—¿Dónde comen?

—En una sala grande, o si yo quisiera podría comer en mi habitación, si me conformase con comer un poco más temprano.

—Señor Ramírez... ¿qué es lo que llevan al parque ciertas gentes que vimos juntos, o que vio usted solo, no sé, y después me contó?

—Vimos juntos que ciertas gentes llevan unos recipientes de plástico donde guardan la comida que les sobra, y se la llevan a un gato, o a un perro, o tal vez se trate solamente de pan mojado en leche, que le llevan a las palomas, Larry.

—Ah...

—...

—Yo gasto mucho dinero en comida, señor Ramírez.

—Quema mucha energía con tanto correr, y debe reponerla.

—Eso debe ser...

—A mí no me gusta cenar tan temprano, pero tampoco me gusta juntarme en la sala con todos. De modo que... vaya un sacrificio por otro, si como en mi cuarto más temprano me salvo de verles la cara a los demás. Y así nadie se enterará de que pondré más de la mitad de mi comida en recipientes de plástico.

—Para mi gato.

—Sí, para su gato... ya comprendí.

—Gracias...

—Cuando los ojos se llenan de lágrimas, dice la Enciclopedia, a veces es de alegría, no siempre de dolor. Parece ser que ciertas emociones muy profundas, aunque positivas, placenteras, hacen llorar.

—Así es, señor Ramírez, por eso me ve así.

—No baje la frente, no me gusta ese gesto.

—Bueno, ya me voy...

—Si no fuera porque tiene tanta hambre le diría que se quede un rato a conversar.

—Puedo aguantar, le aseguro.

—No, no está bien forzarlo a quedarse, porque me deba un favor.

—Al contrario, hay muchos temas de que quiero hablar con usted, una persona superior, señor Ramírez.

—Nada me halagaría más.

—Usted estuvo leyendo artículos sobre la intervención de

este país en Vietnam, y se preguntará cómo los que éramos jóvenes en ese momento pudimos ir a arrojar el napalm sobre gente inocente.

—¿Usted peleó en Vietnam?

—Sí, participé de todas las atrocidades que se pueda imaginar. Quiero contarle todo, pero antes usted me tiene que contar de lo suyo, el sabio tiene que hablar primero, para marcar el rumbo al ignorante.

—¿Yo... contar?

—Sí, todo.

—Pero Larry, ¿no se acuerda que yo... tengo mucho... olvidado?

—Posiblemente sea una táctica suya, para defenderse de posibles espías.

—Lo siento Larry, pero de pronto me siento muy cansado. Me voy a retirar a dormir.

—Tal vez otro día entonces... Necesito su ayuda, su iluminación...

—Otra vez esa mirada de sorna, de burla...

—Usted no sabe leer las expresiones humanas, todavía.

—...

—¿Se queda callado, señor Ramírez?

—...

—Me voy entonces.

—...

—Pero si es tan gentil... necesito esos dólares, para cenar.

—...

—Usted me los prometió.

—Saque lo que necesite.

—¿Me da su billetera?

—Perdone Larry... tengo el pulso tan débil... no la dejé caer a propósito.

—Yo la recojo, no me importa inclinarme.

—Ya lo veo.

—¿Cuántos saco?

—Los que necesite.

—Cinco... con cinco me alcanzan, muy bien. ...Gracias.

—De nada.
—Buenas noches, señor Ramírez.

—Y ahora llueve. Para qué le habré hecho caso. . .
—Puede parar pronto, Larry.
—. . .
—¿Le molesta si lo llamo Larry? ¿o debería ser señor Larry?
—Mejor Larry solo. Por lo pronto ya nos agarró la lluvia. Antes de cruzar la Sexta Avenida se lo dije, que iba a llover. Pero usted siguió insistiendo en venir.
—Una de las enfermeras me dijo varias veces que tenía que ver Soho.
—La enfermera de Virgo, seguro.
—Sí, muy perspicaz su observación, Larry.
—El horóscopo aconsejaría paseos bajo la lluvia, estoy seguro.
—Pero ahora que estoy en Soho no puedo ver nada.
—Hay unos cuantos charcos.
—No le mencioné la cuestión del aumento, todavía.
—Cierto ¿qué hubo de eso?
—Bueno, me va a tener que disculpar. La verdad es que el teléfono del Hogar está siempre ocupado.
—Si es por eso entramos en un bar y llamamos desde ahí.
—Pero al final di con esa secretaria tan amable, de quien le hablé.
—¿Y qué resolvió?
—Ella no podía decidir, tiene que hablar con el director de la Fundación.
—¿Por un aumento de dos dólares tiene que reunirse el Directorio?
—Eso es lo que dijo ¿yo qué le voy a hacer?
—No importa, me ajusto el cinturón y basta.
—Ah, a todo esto, me olvidé de mostrarle algo que le traje.
—¿Qué es?
—Comida de la casa, bien guardada en estos recipientes de plástico, muy higiénicos.

—¿Se la quiere echar a las palomas?

—No, es para usted.

—¿Para mí?

—No ponga esa cara... Larry, no se ofenda.

—Da asco, es un revoltijo ¿no?

—Es... para su gato, pensé que le resultaría un ahorro, de tiempo... más que de dinero.

—No, gracias. Al gato le doy leche y una cosa especial que viene en lata. Me dura hasta dos semanas, no es problema.

—Ah, no sabía...

—Esta comida parece de lo peor. Los van a matar a ustedes, ahí. Se come muy mal en Nueva York, yo por eso tengo mucho cuidado. Alimentos integrales, siempre que puedo. Y verduras, pescado, ninguna grasa, ni pasta. Ni excitantes, nada de café ni té, y lo peor de todo es el azúcar.

—Déjelo ahí Larry, o lo tiramos al cesto que hay en la esquina, cuando pare de llover.

—¡No me mire así! Las galerías de arte no abren de mañana, yo se lo dije.

—No quiero ver cuadros, no quiero encerrame.

—Sí, pero bajo la lluvia no lo puedo estar paseando.

—Si por lo menos pudiésemos estar en una parte donde no se vean estas escaleras de incendio.

—¿Qué tienen de malo?

—Pregunta inútil. No he leído nada sobre escaleras de incendio últimamente, así que no puedo decirle nada al respecto. Lo único que sé es que no voy a estar acá quieto mirándolas un segundo más.

—¿Dónde mierda vamos a ir?

—Por favor sáqueme de acá.

—Llueve a cántaros. Dé gracias que encontré este toldo.

—Apenas si viene unas horas tres veces por semana, y nos tenemos que quedar quietos así.

—...

—Tenía una lista de preguntas que hacerle, pero me olvidé el papel en el Hogar. He estado leyendo mucho y me surgieron dudas.

—¿Qué leyó?

—La Enciclopedia. Y libros de Historia. ¿Se acuerda que hace unos días no sabía casi quien era Washington? Ahora sé todo. Y parece que me acuerdo de todo lo que leo. Aunque por cuánto tiempo no sé.

—¿Encontró algo interesante?

—La Argentina, mi país, está compuesta principalmente por inmigrantes españoles e italianos.

—Eso me interesa.

—. . .

—Cuénteme algo. Yo tengo un abuelo italiano, el paterno, Giovanangelo se llamaba.

—Su apellido es John, como el nombre de pila.

—Sí, cuando mi abuelo entró se lo mutilaron en Inmigración.

—Después que usted me dijo que había estado en Vietnam, me puse a leer todo lo que encontré al respecto.

—Yo no estuve.

—¿Cómo que no? Por edad le tocaba.

—Me negué a ir.

—¿Se negó y basta? ¿qué es eso?

—Cuando me preguntaron por qué me negaba, les conté la historia completa del colonialismo imperialista en Indochina.

—¿Y lo escucharon?

—Al terminar mi tirada ya no querían saber nada conmigo, y me empezaron a dar citas para más adelante. Otros como yo fueron más valientes, porque se dejaron alistar y una vez adentro propagaron sus ideas, como pudieron, trataron de imponerlas.

—¿Sabotaje. . . dentro del servicio?

—Sí.

—¿Cuántas veces tuvo que repetir la tirada?

—Con una vez les bastó. Después de oírme lo que querían era asegurarse de que no iba a entrar al Ejército, y les vino el gran alivio cuando encontraron una excusa para eliminarme: me faltaban nueve meses para cumplir veintiséis años. Esa era la edad tope para los reclutas.

—Yo creí que sí había ido a Vietnam.

—. . .

—¿Por qué me mintió entonces?

—Jamás salió el tema con usted. Y no sea irritante, que hoy tengo los nervios de punta.

—¿Por qué razón?

—. . .

—¡Larry! No lo mire, por favor.

—¿A quién?

—Al que camina hacia la esquina.

—¿De dónde lo conoce?

—Por favor, no deje que se acerque. Yo no lo miro, éntreme a la tiendita.

—Ya se fue. Dobló a la izquierda, por Prince Street.

—Larry, sé que no se le paga para escuchar mis quejas, pero le aseguro que algo muy malo puede pasar, y no sé cómo evitarlo.

—¿Malo en qué sentido?

—¡No se vaya! ¡no mire! ¡vuélvase acá! por favor. . .

—. . .

—¡Larry!

—Nada, quería echarle otro vistazo. Era un tipo vulgar y silvestre. Entró en una casa de departamentos. Un edificio pobre. . . .Es posible que se parezca a alguien que usted conoció en su país. Alguien que le hizo daño. Pero ya se fue y mojado hasta el fundillo.

—Larry, por favor no vaya a decirlo a nadie. Es un secreto.

—Mejor no me lo diga, entonces.

—Es que no quiero que piense que me estoy imaginando cosas. Por desgracia el tiempo me va a dar la razón.

—Yo le creo, señor Ramírez.

—No me cree nada. Pero ya lo va a ver, y bien pronto. A ese hombre lo están siguiendo y no se va a poder escapar, lo tienen al alcance de la mano casi.

—¿Quiénes lo siguen?

—Conviene no estar cerca. Porque no lo podemos ayudar. Ese es el problema.

—. . .

—Si por lo menos pudiese soportar estas puntadas, no se imagina lo que duelen.

—¿Le ha vuelto el dolor?

—¿No se había dado cuenta?

—No, para nada.

—De acuerdo, tampoco para eso se le está pagando. Pero es como si alguien me arrancase parte del pecho.

—No sabía que era tan fuerte.

—Así y todo no se dio cuenta.

—¿Pero cómo diablos me voy a dar cuenta si no me dice nada?

—No quiero aprovecharme de usted. Después de todo es joven, qué puede saber de estas cosas.

—En primer lugar, no soy tan joven, señor Ramírez. Tengo treinta y seis años. Y en segundo lugar, también soy un ser humano.

—¿Treinta y seis años?

—Sí ¿no se me nota? Hay quien dice que parezco mayor todavía.

—Entonces se tiene que ir ya. Al dueño de la tienda le pido que telefonee al Hogar, me mandarán a buscar.

—Pamplinas, lo llevo yo de vuelta. Tener 36 años no significa que un gángster me va a balear. El peligro está en que se me caiga el pelo.

—No bromee, es muy serio lo que le digo.

—¿Quién bromea? Es una edad crucial en la vida de un hombre. Hay tipos que se hacen trasplantes, se ponen pelucas, se peinan para adelante, se tiñen el pelo, se dejan crecer la barba, cualquier cosa. En este país el pelo es titánico como problema.

—Por favor, déjeme solo.

—Señor Ramírez, ahora es usted el que se deja de bromas. ¿A qué me viene con tanta pavada? No puede ser que hable en serio ¿quién va a estar interesado en hacerme mal a mí? Además tiene todo el día para mortificarse con esos pensamientos. Por dos horas podría ahorrarme la molestia. Especialmente hoy.

—Discúlpeme, explicarlo me es muy difícil. No puedo

darle razones, no las sé. Pero estoy convencido de lo que digo. Cada vez que me ha venido esa certidumbre, el tiempo me ha dado la razón.

—Empiece por pensar que no está en su país, donde había bastante alboroto ¿no? Está en Nueva York. Acá no hay mucha garantía ¿pero quién se va a interesar por usted, o por mí?

—¿De veras?

—¡Sí! ¡de veras! ya me saturó con tanta paranoia.

—Larry. . . perdóneme, no fue cierto lo que le dije de ése que pasó. Fue todo fingido. Quise ver cómo reaccionaba, si me decía a todo que sí como a los locos.

—¿Y por qué hizo eso, no me tiene confianza?

—No, no puedo tenerle confianza, lo conozco muy poco.

—Con usted, mi único interés está en cumplir el horario con el menor desgaste nervioso posible.

—. . .

—. . .

—Supongo que esta mañana no pudo correr como de costumbre.

—A la mañana no llovía.

—¿Se entrena todas las mañanas?

—Sí, todas.

—¿Corre y basta?

—Hago gimnasia, salto a la cuerda, nado. Y a veces ando en bicicleta, lo que sea. Para descargar esta tensión terrible que tengo.

—¿Tensión terrible?

—Sí, hacer algo, para lograr algún tipo de satisfacción.

—Le tiemblan las manos, Larry.

—Hay días que estoy muy nervioso, eso es todo.

—¿Usted se droga?

—Ni con café. Detesto los excitantes.

—¿Qué le sucede?

—Nada. Déjeme temblar en paz.

—. . .

—La vida está llena de cosas, y hay quien no puede estirar la mano para alcanzarlas.

—¿Por qué no? ¿se refiere a mi caso?

—. . .

—¿A qué hora se levanta?

—Temprano, por disciplina. Hago flexiones ni bien me levanto. Conviene entrar en calor corriendo algunas cuadras, después parar y dejar que el corazón lata a su gusto, hasta calmarse. Después corro unas cuantas millas, hasta la punta sur de Manhattan, la plaza Battery. Y respiro a todo pulmón el aire de mar. Después de correr me desayuno, y todo me parece un manjar. Si pudiera pasarme el día corriendo, me daría por feliz.

—¿Le gustan las mañanas, o le tardan mucho en pasar?

—Lo mejor es antes de que el tráfico y el ruido empiecen, cuando uno no se ha despertado del todo.

—Eso es antes de que la mañana real empiece ¿pero y después?

—Hay que planear el día, aunque uno esté sin trabajo. No es fácil, hay un vacío o una nada, ahí delante, y uno tiene que llenarla... con tareas menores, cualquier actividad que sea. Alguna compra, el lavadero, almorzar, dar una vuelta, leer los anuncios de trabajo, cenar, ver televisión, pero...

—¿Pero qué?

—Uno duerme en cantidad, cada vez más... El día se vuelve más corto, y cualquier tarea se vuelve pesadísima, cada vez uno hace menos.

—Larry, está dejando de llover. Puede llevarme de vuelta.

—Vamos entonces.

—Por ahí no ¡por favor!

—¿Por qué no?

—Es un camino más largo, y estoy sintiendo frío.

—No, es un atajo. Vamos a llegar más pronto.

—Aunque sea más largo, el otro camino es mejor. Hay menos charcos.

—Tonterías, no lo voy a meter en ningún charco.

—Se lo ruego, no podemos correr el menor riesgo.

—¿Qué riesgo?

—Por usted no me importa, ya que es tan tozudo, pero

yo no, no quiero correr riesgo ninguno, por favor ¡pare! por aquí no...

—¡Déjese de aletear con esos brazos! Yo sé lo que hago.

—Usted corra todos los riesgos que quiera, pero a mí no me exponga ¿me oye? ¡no vaya a doblar a la izquierda!

—Está blanco como un papel ¿qué le pasa?

—¡Qué idiota es! Pare, le digo ¡pare! Vuelva atrás ¡¿me entiende?!

—¿Qué le pasa? está traspirando...

—¿Por qué puerta entró?

—¿Quién?

—Aquel hombre. El que pasó hace un rato.

—Creí que había sido un truco suyo, para ponerme a prueba.

—¿Pasamos ya la puerta?

—Sí, era ahí donde esos chicos están jugando.

—No vi ningún chico.

—Dése vuelta y los verá.

—Usted trata de confundirme.

—No tenga miedo, estamos perfectamente a salvo.

—Ahora por favor vaya más ligero, retroceder sería peor.

—Le va a hacer mal, sudar en este frío.

—Por favor acelere. Y no quiero que nunca más vuelva. No quiero ser responsable de lo que pueda pasarle.

—¿De qué está hablando? ¿me está despidiendo?

—Es mejor así, créamelo.

—¿Qué? ¿no se da cuenta que así me parte en dos? Necesito este trabajo.

—No se preocupe, insistiré en que le paguen la semana completa.

—Da gusto salir con este tiempo.

—Con dos días de lluvia bastó. No sé que hubiese sido de mí si hoy no hacía buen tiempo.

—Ya lo creo que es bueno.

—Larry, hoy tiene otra cara ¿es por el tiempo?

—No, estoy contento por el aumento.

—La verdad es que la secretaria todavía no me llamó.

—¿Entonces de dónde salió el dinero?

—Se me permite un cierto gasto mensual en libros, pero decidí que más importante era esto, para mi salud.

—Muy amable de su parte, señor Ramírez, se lo agradezco.

—Tengo todavía libros por ver, ahí mismo en el Hogar.

—Oiga, podemos ir a la Biblioteca, y sacar los libros que quiera.

—Pero no soy ciudadano, no estoy autorizado.

—Yo tengo carnet. Puede usar el mío. Aunque no creo que sea necesario, no tiene más que entrar, o mejor dicho yo lo subo, les da su dirección y ellos le mandan el carnet.

—Extraordinario.

—¿Quiere ir ahora?

—No, me encanta estar sentado al aire libre.

—A mí también, está bien sentarse un poco.

—Qué sol tan fuerte para Diciembre, acá es invierno.

—Me extraña verlo tan sedentario.

—Estoy gozando del sol.

—El segundo día que salimos había sol y usted no quiso parar ni un segundo.

—No está mal que también usted descanse un poco.

—¿Entra sol al jardín del Hogar?

—Sí, cómo no...

—Muy bien...

—Larry, ya que estamos sentados tan cómodamente ¿no le vendría bien discutir algunas cuestiones conmigo?

—Cómo no ¿de qué quiere hablar?

—Bueno, se me acaba de ocurrir que le doblo la edad. Así que fácilmente podría ser mi hijo.

—Cierto.

—Entonces ¿cómo podría decirle? Bueno, me gustaría saber de qué hablan padre e hijo. No sé, pero es posible que haya tenido un hijo, yo. Pero ya le dije el inconveniente que hubo con mis notas.

—¿Entonces?

—Nada, que me parece que si usted me hablase como un hijo yo sabría lo que preguntarle como padre.

—Pero los padres saben las respuestas, son los hijos quienes preguntan.

—Los padres saben las respuestas. . .

—Bueno, por lo menos siempre las dan. Y órdenes.

—Entonces ya no le podría hablar como un padre.

—Me temo que no.

—¿Qué podríamos hacer, entonces? Yo quiero saber de lo que hablan, cuando están solos.

—Ahora me doy cuenta de por qué se quería sentar. Era una trampa.

—Quiero saber un poco de esa cuestión, nada más.

—Podría verse algunas películas. Mirar un poco de televisión.

—No, son cosas inventadas, no me inspiran confianza.

—Podrían resultarle curiosas.

—Repítame lo que su papá le dice.

—Hace cinco años que no lo veo.

—¿Vive lejos?

—. . .

—Pero me puede repetir lo que le decía hace años. Eso le sería fácil a usted, que se acuerda de todo.

—Es que él hablaba poco. Lo veíamos poco.

—¿A qué horas lo veía?

—A la noche. A veces a la noche, y el fin de semana unas horas más.

—¿Estaba solo con él esas horas?

—No, dos veces únicamente me acuerdo de haber estado solo con él.

—¿Si no quién más estaba?

—Mi mamá, mi hermano y mi hermana.

—¿Viven todos lejos de aquí?

—. . .

—¿Hace mucho que no los ve?

—. . .

—¿Y esas dos veces que estuvieron solos, no me podría decir lo que le dijo él?

—No me acuerdo bien de lo que me dijo, o de lo que habló.

—¿Le dio alguna orden?

—No, me acuerdo nomás de estar con él, y muy a gusto.

—Repítame cualquier cosa, de lo que él le dijo.

—Bueno, una vez estábamos remontando un barrilete, en un campito cerca de la carretera. Era un domingo a la mañana, temprano, y estábamos solos. Mamá no estaba. Él me iba a enseñar cómo remontarlo.

—¿Y no le enseñó?

—Sí, creo que sí. Pero eso no tenía importancia. Lo importante era estar con él.

—Papá, tengo que aprender a remontar el barrilete.

—Escuche ¿por qué no hacemos una cosa? Usted podría hablar como si fuese un padre, así yo aprendo. Yo escucharía como si fuera el hijo.

—No saldría bien.

—Oiga, yo no soy su padre.

—Ayúdeme, siga. Quiero oír las palabras.

—Ya le dije que no las recuerdo.

—Trate, por favor.

—Es imposible.

—Es que usted no me las quiere decir.

—No las recuerdo.

—¿Y la otra vez que estuvo con él?

—La otra vez estábamos jugando al béisbol frente a casa. Era la primera vez que jugaba a la pelota con él. La primera y única vez. Me acuerdo de lo mal que tiraba él la pelota, de lo torpe que era. Y de que mamá tenía mejor brazo, para el béisbol.

—Ella estaba presente, no estaba usted solo con su papá.

—No, ella no estaba. Pero me acuerdo de haber hecho la comparación. Papá no quiso jugar mucho rato, y yo le seguí rogando que se quedara, que jugara un poco más. Pero no me hizo caso, no le importó.

—¿Le siguió rogando?

—Varias veces se lo pedí.

—¿Con qué palabras?

—No me acuerdo.

—No me las quiere decir, eso es lo que pasa. Aunque el

dolor me mate, este dolor tan terrible que siento, usted no me las diría.

—¿Qué dolor?

—Sabe muy bien que me dan esos dolores bárbaros en el pecho.

—¿Y yo qué? No me divierte para nada acordarme y hablar de toda esa basura.

—No es basura. Dijo que estuvo muy a gusto ese día con su padre.

—Cierto.

—¿Qué es lo que le gustó tanto?

—Pasar un rato con él. Con mamá yo estaba siempre.

—¿Cuál era la diferencia?

—Yo era muy apegado a mi madre, pero tenía necesidad de estar un poco con él.

—¿Haciendo qué?

—¿Por qué no se mete en sus cosas, me hace el favor?

—Yo no me quiero meter en su vida, lo que quiero saber es qué le dice un padre a su hijo. Podría tratar de acordarse del padre de algún amigo suyo. Alguien que le caía bien. O que no, da lo mismo.

—A veces se ponía intratable y brutal. Se quedaba callado y no se quejaba de nada. Y de repente explotaba, y nos pegaba a nosotros los chicos. No me acuerdo de lo que decía exactamente, en esos momentos. Eran más como gruñidos.

—¿Por qué ustedes los chicos lo hacían explotar?

—Jugábamos, molestábamos, hacíamos algún destrozo.

—¿Llegaba a pegarles fuerte?

—Muy fuerte. Me acuerdo de haberlo oído una vez serruchar un tablón en el sótano. Estaba preparándose un palo bien manuable para pegarme, él era buen carpintero. Yo estaba arriba desafiante, esperándolo que viniera y me agarrase. Lo estaba esperando, leyendo una revista.

—¿Subió?

—Sí, vino y con ganas me empezó a dar la paliza. Dolía muchísimo, y yo chillaba como loco. Pareció estar pegándome horas, con ese tablón, pero yo estaba seguro de sobrevivir y de que por fuerte que él fuese y por fuerte que pegase, el tablón no me podía hacer nada, realmente. No me podía... deshacer.

—Ese era alguien a quien usted no quería, el padre de un amigo suyo.

—No, mi propio padre.

—Primero me habló de alguien, con el que estaba a gusto, el que le iba a enseñar cómo se remontaba el barrilete. Y ahora me habla de otro, malo, y me trata de confundir, diciendo que son la misma persona.

—Oiga, le agradecería cambiar de tema.

—A esta altura de las cosas no, es imposible que alguien le dé una terrible paliza y todavía usted siga buscándolo como compañía.

—Usted piense lo que quiera.

—...

—Él tenía una parte buena, mansa, y otra muy violenta, ciega. Tal vez porque ante mi madre agachaba la cabeza a cada rato.

—Espere un momento. No estoy seguro de que mi interpretación sea acertada. En general tengo la impresión de que querer es cuando no se desea romper algo. Y lo otro es cuando sí se desea romperlo. ¿Estoy en lo correcto?

—Sí, pero la cosa se vuelve más complicada.

—Si no le es molesto ¿me podría decir lo que le habría hecho a su papá, en esos momentos en que lo quería bien?

—La verdad es que sí, me molesta. Y ya que estamos ¿qué pasó con su dolor de pecho?

—Se me fue. ¿Le agradaría que me volviese?

—...

—Tal vez no le molestaría decirme otra cosa, lo que quería hacerle en los momentos en que lo odiaba.

—Destruirlo.

—¿Con sus propias manos? ¿con un arma? ¿con un tablón? ¿o más fácil todo si un rayo lo fulminaba?

—No estoy seguro.

—Papá, el pecho a veces me duele mucho.

—Vaya a joder a otro con eso, yo no soy su padre.

—Yo no lo estaba mirando a usted, miraba ese árbol

viejo tan hermoso. ¿Por qué iba a llamarlo padre a usted?

—. . .

—Papá, perdí mis anotaciones y las necesito. Sé que nunca las voy a recuperar, pero las echo de menos, y mucho.

—Genial ¿a semejante distancia y puede oír lo que el árbol contesta?

—No contesta nada, desgraciadamente.

—¿Qué le parece si pegamos la vuelta?

JUAN JOSÉ SAER

(Santa Fe, Argentina, 1936) inicia muy tempranamente su producción literaria, con un juvenil ensayo, *En la zona* (1959), al que siguen varios títulos, *Responso, Por la vuelta, Palo y hueso, La vuelta completa,* que permanecieron al margen de la vida intelectual argentina, cuya hipertrofiada concentración capitalista parecía carecer de atención para una producción que se desarrollaba en la provincia (novedad que también caracterizó el trabajo narrativo de Antonio Di Benedetto). Si esa situación no pudo ganarle un gran público, le granjeó en cambio la estimación de un narrador buen conocedor de toda la literatura sureña, Augusto Roa Bastos, quien llegó a afirmar que la mejor narrativa nueva del país se estaba produciendo fuera de Buenos Aires.

La publicación de los impecables cuentos de *Unidad de lugar* (1967), pero sobre todo la aparición de su novela *Cicatrices* (1969) dieron la plena medida del narrador adulto y, más que nada, la medida de uno de los proyectos narrativos más coherentes, estructurados y sistemáticos que hayan surgido en la novísima narrativa latinoamericana. La recortada precisión de una mirada escrutadora, aparentemente neutral, la fijación obsesiva sobre el instante y sus múltiples, polisémicas, significaciones, el diestro y constante montaje de tiempos y circunstancias, si por un lado parecían testimoniar la presencia de los objetalistas franceses y más aún de esa segunda pasión de Saer, el cine, por el otro disponían esos recursos al servicio de una investigación sutil y persistente acerca del significado de lo real.

Desde 1968 vive en Francia y allí ha escrito la serie de posteriores novelas que se enlazan con *Cicatrices* en una articulación extensa del proyecto narrativo: *El limonero real* (1976), *La mayor* (1976) y la última y más plena versión de *Nadie nada nunca* (1980) que es una obra maestra de intensidad y penetración.

Creón

Creón posee la característica principal del burócrata, que es la de ser tardío. Como es un monarca de recambio, sin la adversidad de los Labdacidas no hubiese reinado. Y, víctima de víctimas por el azar de la economía trágica, para probar la inocencia imposible de haber sobrevivido se vuelve victimario. Su proyecto es reinar de acuerdo con la ley, de un modo gris, sin catástrofes. La tragedia lo incomoda: "Ya lloraste bastante", le dice a Edipo, "entra a tu casa", como si se pudiese, por conveniencias y a voluntad, dejar de llorar. Tiene la escrupulosidad administrativa de un interventor. El doble suicidio de Eurídice y Hemón lo supera: "No sé qué hacer ni de cuál de los dos ocuparme primero." El coletazo trágico que lo ha sacudido no dejará huella en él: lo intuimos presa de la misma obstinación en favor de la ley y del estado, petrificado en lo objetivo. Es esa incapacidad de poner su vida entera en la función social que cumple, incapacidad de conjugar dialécticamente el hombre y el estadista, lo que hace de él un burócrata y un funcionario.

Edipo

Edipo representa el errabundeo: de Tebas a Corinto, de Corinto a la encrucijada, de la encrucijada otra vez a Tebas, de Tebas a Colona. La tragedia y la gracia alternan de modo rítmico en su vida. La voz del dios no siempre es severa con él. Su historia familiar es confusa: ¿es verdad que cometió su crimen por ignorancia? La insistencia con que lo repite parece desmentirlo. Perspicaz como era, ha de haberse pasado el tiempo, hasta la muerte, preguntándoselo. ¿Sabía o no lo que hacía? Y, sobre todo, ¿escarmentó? El que ha probado una vez ya no puede no querer, continuamente, por la fuerza de la nostalgia, volver a saborear. Desde este punto de vista su relación con Antígona es, desde luego, más turbia incluso que la de Electra y Agamenón. A pesar de sus delitos universalmente conocidos, Edipo goza de simpatía general, no solamente por su destino trágico, estímulo de compasión, y ni siquiera por haber cumplido el papel de chivo emisario. Edipo es respetado por razones freudianas: porque, del mismo modo que ha padecido el destino trágico que los hombres consideran con horror —matar al padre y acostarse con la madre— ha gozado del privilegio que ese destino supone; es decir que ha realizado el sueño imposible de todos los hombres, sueño del que el sentimiento de horror no es más que una simple "ideología".

Antígona

Lo que distingue a Antígona de Electra es su conciencia política. Antígona tiene una idea personal del estado y al decreto arbitrario, demagógico de Creón, opone una distinción precisa: las leyes no son las de la tiranía, sino las otras, más profundas, de los dioses: la piedad, la comprensión, la tolerancia, el amor. No debemos dejar de ver hasta qué punto esta idea es revolucionaria; ningún decreto promulgado por tal o cual facción debe violar las leyes que rigen la convivencia armónica de la sociedad entera. No es por casualidad que en Antígona se encuentra uno de los coros más perfectos y más políticos de Sófocles, el que comienza con los versos siguientes: "Hay muchas maravillas en este mundo, pero ninguna es más grande que el hombre." Antígona es probablemente frígida —de abajo, no de arriba. Su historia familiar admite fácilmente la conjetura. Una prueba suplementaria de frigidez es su interés por los muertos y por el sufrimiento. Sus trabajos prefieren aplicarse al dolor y no al placer. Es sabido que la frigidez puede ser una respuesta al temor de sufrir, física o moralmente. Por otra parte, Antígona es autoritaria, característica que acompaña a veces a la mujer frígida. Sin embargo, es de esa misma frigidez que Antígona saca fuerzas para oponerse a la tiranía, lo que equivale a decir: de su sensibilidad ante el dolor.

Hemón

Hemón está en las antípodas de Edipo. Es su contradictorio simétrico. En vez de matar a su padre, se suprime. *Pour le faire chier.*

Yocasta

Yocasta tiene por lo menos una razón para concederle sus favores a Edipo: la de haberla desembarazado de Layo. Es de hacer notar que en la rama de los Labdacidas —contrariamente a lo que pasa con los Atridas— el aspecto conyugal es desatendido. Es por eso que, siendo más concientes de la cuestión conyugal, los crímenes que cometen los Atridas son más atroces. Los Labdacidas presentan siempre el pretexto del error. De todos modos, el hecho de que haya encontrado la felicidad conyugal con un hombre mucho más joven que ella ("que podría ser su hijo", según la clásica objeción popular) muestra que es muy posible que en compañía de Layo Yocasta no se haya sentido enteramente satisfecha, ya que Layo no respondía a sus fijaciones sexuales. Abuela o amante de sus hijos: disyuntiva de la que el papel de madre está excluido. Cuestiones complejas: ¿Yocasta es la madre o la amante de Edipo?, ¿es la abuela o la madre de los hijos nacidos de su matrimonio con Edipo? Por el hecho mismo de haberse casado con Yocasta, es decir de haber elegido como objeto sexual una mujer mucho mayor que él, ¿no debemos inferir que Edipo padecía de un complejo de Edipo? Más que el tabú del incesto lo que está en juego entre estos dichosos Labdacidas es la cuestión de la identidad —de moda en estos últimos tiempos, más por razones sociológicas que metafísicas. ¿Layo es verdaderamente Layo en la encrucijada? ¿Edipo es verdaderamente Edipo en lo de Polibio? ¿Es Polibio o es Layo el padre de Edipo? Lo que empuja a Yocasta al suicidio no es el error, sino las convenciones. No hay error, en el sentido de un cuerpo extraño que interfiere una verdad unívoca y subyacente. Yocasta se suicida porque, al reconocer la identidad de Edipo, debe reconocer también que el papel de madre que se le había asignado desde el principio no era más que una simple convención. Después de esa comedia de errores, cuando todas las máscaras caen, la negrura es tan grande que hacerse humo es por lejos la mejor solución. Salvo para el filósofo, cuya tarea comienza en ese preciso momento.

El pastor

Un bien intencionado. Quiso evitar la muerte injusta de un niño. Eso provocó la muerte de: Layo y su comitiva, Yocasta, Eteocles, Polinices, Antígona, Hemón, Eurídice, sin contar la de los innumerables soldados (el *laos indistinto*, como dice Gabriel Germain) caídos a causa de la guerra fratricida. Eliminando la causa primera, la historia hubiese sido harto diferente. Y, sin embargo, la decisión de ese modesto pastor sigue siendo irreprochable. Ningún argumento filosófico, por sólido que sea, autoriza la masacre de un inocente.

Ismena

Ismena vegeta todavía —y vegetará eternamente, por obra de Sófocles— en la edad presocial. Se parece a Electra en que ambas actúan por razones familiares y no políticas. Tiene todavía la ilusión del hogar burgués y espera mucho del matrimonio. No sabe que la familia es el escenario en el que se representa el *Grand Guignol* del inconciente. Tiene también ciertos puntos de contacto con Ifigenia: de todo ese traqueteo mitad religioso, mitad bestial, ellas entienden poco y nada, salvo, confusamente, que tal vez no todo va a andar en el futuro como ellas esperaban.

Layo

A posteriori puede verse muy bien dónde conducen las tramoyas de Layo. El oráculo resiste a tales manipulaciones. Layo hubiese podido suprimir a Edipo, como fue su intención, sin sin embargo suprimir el oráculo. Borges resume una variante de su caso, extraída de "Las mil y una noches": un hombre se topa con la muerte en el mercado de una ciudad y huye a otra, por temor de que la muerte se apodere de él. Naturalmente, la muerte tenía previsto encontrarlo en la ciudad a la que el hombre ha huido —acero inquebrantable del destino. No hay duda de que el destino existe, pero son los hombres los que lo construyen. La serie de alternativas de Layo es infinita. Su primera elección, consultar el oráculo, supone ya una modificación del destino. La segunda —creer en el oráculo— introduce una nueva modificación. La decisión de suprimir a Edipo, una tercera. Si Layo no hubiese consultado el oráculo, ni creído en él, ni tratado de desviar sus predicciones, muy diferente hubiese sido su destino. El prestigio de los oráculos se alimenta de la credulidad de su clientela.

Polibio

Polibio y su esposa son la contraparte calma y transparente de un mar de inmensa sangre turbulenta. Su hijo adoptivo llega a ser rey en una ciudad vecina y ellos alcanzan una vejez sabia y soleada. La existencia de Polibio es oscura porque es extraña a la tragedia. A quien pueda envidiar su existencia apacible, podemos oponerle el argumento de Diderot que, a un interlocutor que pretendía denigrar la vida primitiva sosteniendo que un civilizado vive más tiempo que un salvaje, le contestó: "Que una máquina deje de funcionar antes que otra no significa que esté más gastada que la que marcha todavía."

La Esfinge

La Esfinge simula ocultar lo que el Oráculo simula traer a la luz del día. Verdad que se oculta y verdad que se revela: chantaje que paraliza ciudades enteras —como el aire inmóvil y ardiente las naves de los aqueos. La verdad es el opio del pueblo.

Los Atridas

Los Atridas son de armas tomar. Cuando oyen la palabra objeción llevan instintivamente la mano a la cartuchera. Entre los Labdacidas la atmósfera es más civil. Entre los Atridas, color, sonido y movimiento hacen pensar en un matadero. Áyax diezma, en su delirio, un ganado, y decapita un buey al que confunde con Agamenón. Racine concibe a Agamenón como un padre desgarrado por el conflicto que le impone el oráculo. Para Clitemnestra, para Filoctete es, sin apelación, un fascineroso. Áyax no ve las cosas de otro modo. Ulises lo tolera por simple oportunismo. Podemos incluso pensar que Oreste venga su muerte más por principio que por amor. Únicamente en Electra encontramos alguna adhesión a la memoria de Agamenón. En realidad, los móviles de Electra nos son desconocidos. No sabemos si actúa por amor, por salvajismo, porque sufre de un complejo de Electra, como se decía en los buenos viejos tiempos del psicoanálisis, o por temor de que su madre termine robándole sus pretendientes: Clitemnestra tiene en común con Yocasta la inclinación por la carne de ternero.

Oreste

He aquí a Oreste matricida: "solo, sin escudo, sin ejército, con astucia y disimulando". Su astucia es la siguiente: simulándose muerto, se identificará de ese modo con su padre y podrá golpear de igual a igual, mitigando el matricidio. Adoptará una nueva personalidad; dejará de ser Oreste. La astucia es pertinente, ya que se trata de una anticipación: de todos modos, después de eliminar a Clitemnestra se transformará. El matricida ya no tiene nombre y se convierte en su propia transgresión. Por haber desertado el dominio simbólico se convierte él mismo en símbolo. Ha vivido desde la infancia, como un toro de lidia, cebado para un final de confusión y de sangre. La venganza es una especie de esperanza negativa: el deseo que se cumple aniquila al sujeto en vez de elevarlo a exaltación. Oreste viene a carnear. Ha vivido afilando el cuchillo. Cuando corta, ya no es de sí sino de las Furias.

Egisto

Después de Agamenón, Egisto. Es evidente que a Clitemnestra le gusta llevar ella los pantalones. Egisto es el hombre objeto: bel italiano viviendo a expensas de una millonaria americana que le lleva veinte años. Va a los campos a inspeccionar el trabajo de los esclavos. Clitemnestra manda en la casa. No es quizás por casualidad que Oreste lo deja para el final. Sus últimos momentos son irrisorios. En la entonación con que Oreste le dirige la palabra se percibe el desprecio, no el odio. Electra exclama: "No lo dejes hablar." Y Oreste: "Hablas demasiado." Los débiles, dice Roland Barthes, viven en el lenguaje. Egisto, que ha eliminado a Agamenón por un buen pasar, y que tal vez acuesta alguna que otra esclava en los campos, a espaldas de Clitemnestra, en las parvas, al sol, no recibirá en sus entrañas el cuchillo sin lanzar una bravuconada discreta: "¿Tienes miedo de que me escape?" No, responde Oreste, de lo que tengo miedo es de darte una muerte que te agrade. Cuando estés bajo tierra, la canalla será un poco menos numerosa.

Electra

A Electra le sienta el luto, afirma O'Neill. Clitemnestra que, como Yocasta, se niega a envejecer, la mantiene a distancia, llorosa, virgen, escamoteándole alimento y vida. De no mediar la venida de Oreste, lo hubiese suprimido. Es muy posible que Electra misma quiera ser suprimida. Con sus acusaciones continuas, con su odio que se muestra a la luz del día, no hace más que provocar la represalia. Es tan intratable como su madre, y sus instigaciones a Oreste no difieren mucho de las de Clitemnestra a Egisto. Es cierto lo que dice Pavese: que las mujeres de los Atridas tratan a sus hombres como a caballos y que los Atridas se casan siempre con la misma mujer: una fiera. "Con la que me trajo al mundo, se lamenta Electra, mis lazos no son más que de odio." A todas luces, el problema de Electra consiste en no poder ser Clitemnestra. Ahí está siempre suspendida en su imperturbable virginidad. De la compulsión del tiempo detenido, únicamente la muerte de su madre puede sacarla. Suetonio cuenta que el emperador Tiberio, formado en la escuela retórica de Rodas, gustaba plantear a los filósofos de su corte problemas perfectamente inútiles e irresolubles, del tipo: "¿Qué canción cantaban las sirenas, qué nombre adoptó Aquiles cuando estuvo escondido entre las vírgenes?", etc. Preguntarse por el destino de Electra si su madre hubiese sido una esposa fiel, es tal vez ocioso, pero no por eso menos inquietante.

Las Furias

Las Furias nos son siempre contemporáneas: zumban continuas. Están a nuestro alrededor de la mañana a la noche, es decir del nacimiento a la muerte. Creer que nos asaltan únicamente después del crimen es pura ilusión. El ruido de una vida posible llena nuestras horas y deja en segundo plano —sin disminuir su poder corrosivo— el bordoneo. Así hasta el momento del crimen, que nos arrebata la esperanza. Creemos que las Furias aparecen después pero lo que en realidad sucede es que las oímos zumbar un poco más fuerte, hasta ensordecernos, debido al silencio que el crimen deja en nosotros.

El error

La de los Labdacidas es sobre todo una comedia de errores. El error es una verdad supuesta interpuesta entre dos manchas negras, lo que equivale a decir que el error es tan construido y voluntario como la verdad. La expresión "cometí un error" muestra bien la intencionalidad del acto, porque la noción de envío forma parte de la etimología del verbo *cometer*. El psicoanálisis es de algún modo la ciencia del error y es por medio del error —del acto fallido— que Freud demuestra la existencia del inconciente en su "Introducción al psicoanálisis". No es que la tragedia tenga lugar a causa del error. No: porque la tragedia misma es error. Hay tragedia en la medida en que existe la creencia en una verdad preexistente y universal transgredida lo cual, entre todos, es el error capital.

El poder

Para ser Padre o Padrillo o Rey, Edipo, Oreste o Creón vierten por falso error o deliberando férreos la sangre común. La danza de la muerte tiene un centro invariable: el poder. Es el delito más grande. Y el más codiciado: desde él se pone, en el lugar del mundo, que es en sí inocente, como un calco del todo, la propia locura.

Homero

Dichoso Homero del que no se sabe si fue un solo hombre o varias generaciones de cantores. Pobló la edad de bronce de armas de hierro y escribió: "Los dioses han tejido la perdición de estos hombres para que a los que están por venir les quede el Canto." Siete ciudades se lo disputaron, y en Quíos los rapsodas se llamaban homéridas. Homero supuso que podían coexistir dignidad y barbarie y dio, de litigios sórdidos llenos de superstición, lujuria y codicia, una versión a la medida de una humanidad posible. Homero es el inventor de Occidente, y su invención se continúa en las obras de todos los grandes poetas que lo sucedieron. Occidente no existe más que en sus poetas y en sus filósofos; después de la guerra de Troya, ningún otro hecho histórico aconteció. Occidente continúa paralizado en ese pillaje inaudito, continuo, demencial, que es la cifra de toda su historia, y en la que el único accidente, la aniquilación de los débiles, se repite incansable, sin progreso ni variación. Hijo de Esmirna o Quíos, poeta ciego o generaciones de cantores, poco importa. Homero se justifica y justifica a la humanidad entera enseñándonos que, a pesar del pillaje y de la sangre derramada, la perennidad del canto es esencial, porque el canto y lo que está por venir son una y la misma cosa.

Sófocles

Poeta cortesano, amigo de Pericles, Sófocles vivió más de noventa años, alternando el ejercicio de la política con el de la poesía y el de la guerra. Uno de sus hijos, se dice, lo acusó de demencia senil, cargo del que se defendió leyendo los versos de "Edipo en Colona." En Antígona escribió: "Hay muchas maravillas en este mundo, pero ninguna es más grande que el hombre." Que la visión de un poeta puede no coincidir con la de sus contemporáneos lo prueba el hecho de que cuando presentó "Edipo rey" a la Olimpíada fue derrotado. Las obras de su vencedor, Filocles, un sobrino de Esquilo, se perdieron. De la obra inmensa de Sófocles llegaron hasta nosotros siete tragedias prácticamente intactas y algunos fragmentos. En fin, nada que un simple aficionado a la poesía griega pueda no conocer. Queda, sin embargo, un problema de envergadura. Un año después de su muerte, un poeta cómico evocaba su memoria en estos términos: "¡Feliz de Sófocles! Hombre de suerte y de talento, que murió después de una larga vida; compuso numerosas y bellas tragedias y conoció un hermoso fin, sin haber sufrido nunca ningún mal." Si se acepta la autenticidad de este juicio que destila tanta certidumbre, muchas reflexiones se imponen espontáneamente. En primer lugar, la de inducirnos a no confundir a un poeta con su propia obra ni a deducir de sus obras su biografía. En segundo lugar, la reflexión rigurosamente opuesta: la de que las formas exteriores de la tragedia no son más que la arquetipificación de pulsiones minúsculas que fosforecen en la mente de cada hombre, y que la vida real de un hombre está en contradicción con su propia biografía. En tercer lugar, que Sófocles estructuró, con imparcialidad de artesano, una serie de tragedias, género literario en boga al alcance de todos los ingenios, destinadas a alertar a la población de Atenas sobre las consecuencias que podría acarrear la violación de ciertas leyes elementales relativas al incesto, la autoridad, el parricidio, etc. Cuestiones complejas: si lográramos desentrañarlas podríamos resolver no solamente el enigma de Sófocles —más difícil que la adivinanza infantil de la Esfinge— sino quizás también el de la poesía. Vida y poesía, a pesar de la división enconada que proponen ciertas teorías, están en relación ardua y continua, y para desentrañar el problema de la poesía habría que desentrañar la vida entera de cada poeta que, como la de cualquier otro hombre, es inaccesible no solamente a sus biógrafos o a sus íntimos, sino también, y particularmente, al poeta mismo.

Agamenón

Agamenón es por excelencia el padre, es decir el Padrillo: hay, por lo tanto, que eliminarlo. No es por casualidad si padre y padrillo vienen de la misma raíz. Padrillo es un despectivo de padre, un padre que no sirve más que para procrear, que carece de autoridad y que no se pertenece a sí mismo sino a la especie. Todo padre es padrillo pero no todo padrillo es padre. Agamenón es lo bastante tarambana como para gritar en medio de sus tropas que la mujer que quiere es una de las cautivas troyanas y no Clitemnestra; impudores de militar. Espuma, esperma, sangre; así se entiende mejor que Áyax haya confundido a los Atridas con una manada de toros y caballos. El hacha, blandida ya no se sabe si por Egisto o Clitemnestra, le partió en dos la frente. Había vivido ensordecido por la cólera y lo arbitrario. A la simple mención de su nombre, Filoctete se enfurecía. Agamenón no fue un tirano: la estructura social de las pequeñas hordas que comandaba no toleraba todavía la autocracia; no tuvo más que un papel episódico de jefe militar, rodeado de hombres infinitamente superiores a él. Padre, padrillo, rey, jefe militar: por menos han rodado otras cabezas.

Clitemnestra

Clitemnestra, que no quiere envejecer, desea exterminar a su marido. Es la ley conyugal. Por medio de la viudez se recomienza. El matrimonio, túnel que desemboca en la muerte, transforma el tiempo en algo irreversible y lineal; el sujeto es puesto, definitivamente, fuera de sí, en la dimensión de la familia o de la especie. La exterminación del cónyuge es por lo tanto decisiva, si se quiere seguir viviendo. Clitemnestra blande un pretexto para refutar los reproches de Electra: Agamenón ha sacrificado a Ifigenia. Que el amor materno no es una de las cualidades descollantes de Clitemnestra, lo prueba su actitud para con Electra. Y, por otra parte, Eurípides nos dice que es Clitemnestra en persona quien conduce a Ifigenia a Aules para el sacrificio. No; el problema se encuentra en la relación del yo con el mundo. Yo recupero mi libertad aniquilando la coerción que la presencia del mundo presupone. Clitemnestra es idealista: para poder sumergirse en su fantasía, suprime lisa y llanamente el mundo. Su vida es aparentemente más corta, pero tiene la ventaja de ser también más incierta. De ese modo, el porvenir se multiplica.

Helena y Menelao

Es sabido que Paris no llevó consigo a Troya una mujer de carne y hueso, sino un fantasma. Que Menelao recuperó, mediante la destrucción de Troya, ese fantasma, y erró en su compañía por las costas mediterráneas durante siete años. Mientras tanto, la verdadera Helena se marchitaba en Egipto. Esta historia es la cifra del amor conyugal. El matrimonio es la construcción de un fantasma común, un fantasma del que los cónyuges ignoran que es un fantasma, y que, por su anchura, deposita a cada uno en la orilla opuesta de un desierto, para deterioro solitario y ulterior desintegración.

Tiresias y Calchas

Tiresias es más filósofo que adivino; Calchas, más sacerdote que otra cosa. Ninguna profesión es más odiada que la de estos artesanos del porvenir. Tienen al mundo entero en un puño. Calchas es más temido que respetado: eclesiástico que exige el cumplimiento del oráculo porque de ello depende su seguridad personal. La profesión de adivino tiene sus riesgos; la ciencia de la ansiedad puede llegar a ser desbordada por la impaciencia y la obstinación de la clientela. De este modo, más de un adivino cayó de las rocas al mar de la antigüedad, empujado por la mano de algún reyezuelo intratable. Mansilla cuenta que un cacique ranquel hizo corregir muchas veces la predicción de sus adivinas profesionales, hasta que coincidiera con sus propósitos. El principal objetivo de Calchas es, por lo tanto, el de preservar su autoridad. Riesgo desmedido, sin duda, porque, ¿puede imaginarse una situación más delicada que la suya si por casualidad el viento no se hubiese levantado después del sacrificio de Ifigenia? Como se ve, Calchas es esencialmente un jugador y, de todos los que viven en la dimensión trágica, el único prisionero en la selva inextricable del porvenir. Para todos los otros, el porvenir ya está hecho. La autoridad sin humor de que se inviste Calchas es el arma necesaria para imponer, si su predicción no se cumple, una interpretación de recambio. Es su autoridad lo que le concederá nuevo crédito.

Tiresias, en cambio, está por encima de esa gimnasia ansiosa, hasta tal punto que Edipo llega a dudar de su condición de adivino. Yo no estoy a tu servicio, responde Tiresias, sino al del Oblicuo —el dios que habla por boca del oráculo. Y cuando Edipo le reprocha sus respuestas enigmáticas, Tiresias lanza un sarcasmo: ¿acaso no te has hecho célebre como descubridor de enigmas? Tiresias ha visto con mayor profundidad que los otros; por debajo de los hombres, del oráculo, del dios, ha entrevisto el destino. ¿Qué puede cambiar el hecho de conocerlo por anticipado? A diferencia de Calchas, prefiere no mencionar lo que ha visto. De todos modos, nada lo ha de modificar. Tiresias es un filósofo pesimista y su poder adivinatorio no es más que una actividad subalterna de la filosofía; lo importante, para Tiresias, es verificar la naturaleza de las cosas que son, según él, inmutables. La desgracia vendrá sola, dice Tiresias, poco importa que yo me calle o trate de ocultársela. Tiresias es ciego porque ya no le queda nada por ver. No le hace falta adivinar. Es la certidumbre en persona.

Lévi-Strauss

Según Lévi-Strauss toda interpretación del mito de Edipo pasa a formar parte de él. Para el sabio positivista, el mito de Edipo es insondable, no por razones intrínsecas, sino porque el *Collège de France* no es lo suficientemente amplio como para yuxtaponer en él todo el fichero relativo a la cuestión y proceder a su estudio comparativo. En mi modesta opinión, Lévi-Strauss pretende encerrar el mito en la cárcel de los hechos, tentativa cuyo obstáculo insalvable reside en la circunstancia de que un mito es precisamente lo que es por hallarse por encima de los hechos. Es imposible comparar dos versiones de un mito, del mismo modo que es imposible comparar dos metáforas. "Labios de clavel" y "labios de sangre" (que se me perdone el ejemplo) no se caracterizan por lo que tienen de común, el color rojo, sino por la totalidad inalienable y concreta de cada expresión. La fantasía estructural puede muy bien imaginar la concepción freudiana del complejo de Edipo como una nueva versión del mito de los Labdacidas para extraer de esa nueva versión el diamantito subyacente y universal de la estructura; eso no impedirá la persistencia de diferencias fundamentales que saltan a la vista. El estructuralismo es verificable al día siguiente del Juicio Final y en el Paraíso, es decir en un lugar lo bastante amplio como para poder extender en él el minucioso fichero que Lévi-Strauss nos propone. La ciencia positivista es cuantitativa. Hay mitologías comparadas: el mito es solitario. El mito que nace es la contradicción flagrante de los hechos, no su resumen o su sustitución. Descubierta su supuesta estructura, tendremos noticias, no de su esencia inequívoca, sino de la ciencia del mitólogo.

Tántalo

Tántalo, el antepasado mítico de los Labdacidas representa, según Paul Diel, el mito de la soberbia ascética. Esclavo de sus deseos, cuando se arrepiente es perdonado y celebrado por los dioses, que lo invitan a su mesa. Para devolver el agasajo, Tántalo mata a su propio hijo y se lo sirve como alimento. Por esta razón, los dioses lo condenan al suplicio que sabemos. Según Diel, el hijo representa los deseos corporales, y el acto de servirlo como alimento a los dioses una metáfora del ascetismo. Los dioses, en efecto, condenan el ascetismo. De todas las conductas posibles, el ascetismo es la más subversiva. Todo él hecho de libertad, si se lo excluye de la costra terrestre no quedan más que el automatismo bestial de los Atridas y su torva chicana sado-masoquista con los dioses.

El narrador

Para el narrador, la verdadera selva es lo *dado*, que intimida, desborda, paraliza. La narración misma forma parte de lo dado —la narración, que es una abstracción previa al acto de narrar, el cual carece en sí de forma y nombre. El narrador ha de vaciarse, entonces, desnudarse, para que de la selva mineral de lo dado algo, imprevisible, vivo, se actualice. El acto de narrar se pondrá, de ese modo, en movimiento, sin fin preciso, hacia lo dado otra vez, hacia el recinto pétreo del pasado. Edipo, Electra, Agamenón, nombres de otras tantas incertidumbres, que el narrador baraja como naipes —el narrador, de todos los que giran, como insectos efímeros, en la luz turbia del poder, el más herido y el más ciego.

1974

FILOCLES

Es, en efecto, la escuela de Esquilo, mi tío, la mejor. Escuela de la que, como lo muestra el clamor que subía desde las galerías soleadas en respuesta entusiasta a mis versos, soy a partir de esta tarde el principal representante. Yo diría más: gracias a mis propias especulaciones, la tragedia según el gusto de Esquilo es superada, y podemos hablar de un arte específico de Filocles. La tragedia supone leyes rigurosas que son transmitidas, a unos pocos, por el dios. El público se limita, reproduciendo, en la orquesta del corazón, la trama, a reconocer nuestro común origen divino y a recogerse en una exaltación única. Y la obra escrita queda después, intacta, mostrando, a generaciones futuras, la intervención divina que golpea, con su rayo, al que infringe la ley. Obediencia a los dioses, obediencia a la ley: y no poner, sobre todo, el dedo en la llaga, ni ir más allá de lo verosímil. El público es juez severo; tenerlo numeroso es prueba de exactitud. Claridad y sencillez son recomendables, para que nadie permanezca ajeno a este arte excelso. He aquí el simple código que me dispongo a legar. No es la pasión lo que crea las obras, sino la retórica —el dios complejo que se instala, con designios precisos, en la lengua de un hombre predestinado. El texto que nace de ese modo, persistiendo a través de las generaciones, es por lo tanto inmortal. Ah, dioses, tan férreamente instalados estaban ustedes en mi corazón, esa tarde, cuando se me coronaba, que mi gloria no fue ajena a la humildad: viendo, entre los vencidos, a Sófocles, marchar, con la cola entre las piernas, hacia el olvido —con su imposible Edipo bajo el brazo—, me dije que era un azar después de todo que ustedes hubiesen hecho nido en mí y no en él, dándome la ocasión de transmitir a la posteridad las formas divinas, en lugar de su efectismo tartajeante. Con todas sus relaciones en el gobierno no será, dentro de mil años, más que el nombre oscuro de uno que se atrevió a competir con Filocles, una tarde, en la Olimpíada.

1974

MARIO SZICHMAN

(Buenos Aires, 1945) ha repartido su vida intelectual entre Argentina y Venezuela y también entre ambos países su obra de periodista y de crítico lietrario. A la primera pertenecen las cuatro novelas que ha escrito hasta el presente y que de hecho son una sola obra ("me gustaría ser acusado de balzaciano por hacer una especie de comedia humana con cuatro generaciones de judíos en la Argentina") en que cuenta el imposible abandono de la condición de "inmigrante" en Argentina por parte de los polacos Pechof: *Crónica falsa* (1969, mención del concurso de Casa de las Américas), *Los judíos del Mar Dulce* (1971), *La verdadera crónica falsa* (1972) y por último *A las 20:25, la señora entró en la inmortalidad* que obtuviera el primer premio de Ediciones Norte con un jurado integrado por James Irby, David Viñas, Jean Franco, José María Valverde y Fernando Alegría. A Venezuela pertenecen dos libros de ácida requisitoria literaria, *Miguel Otero Silva: mitología de una generación frustrada* (1975) y *Uslar: cultura y dependencia* (1975), a los que se suma una incesante tarea crítica en diarios y semanarios (sobre todo *El Universal* y *Últimas noticias*) sobre las literaturas universales contemporáneas de las que tiene amplio conocimiento y una campaña casi terrorista sobre las letras venezolanas del momento. También, en su ocasional tarea docente, ha llevado a cabo estudios sobre narradores venezolanos (Julio Garmendia, José Balza, etc.).

Heredero confeso de Roberto Arlt, como él, propone una literatura de fuerza, distorsionando la escritura realista hasta trasmutarla en grotesco, y procurando situar la significación en un febril sistema de montaje. Una frase de Albert Memmi, que ha repetido, define su posición: "Yo era un mestizo de la colonización, que comprendía a todos, porque no era totalmente de nadie."

A LAS 20:25, LA SEÑORA ENTRÓ EN LA INMORTALIDAD

génesis

El velorio de la señora convirtió a Buenos Aires en una ciudad de desarrollo detenido, enlazando dos épocas mediante el deterioro de algunos edificios y el añadido de obras en construcción que no pasaban de la etapa del encofrado.

Los troleys y los tranvías fueron saliendo de circulación, lámparas de mercurio reemplazaron a las luces amarillas y el macadam cubrió el empedrado.

A partir de esa muerte, Buenos Aires fue nocturna. La oscuridad concluía de un lado en la General Paz y del otro en el Riachuelo. Al pasar a la provincia, la gente levantaba la cabeza y veía el corte a bisel que separaba los dos cielos.

Desde la Costanera se percibían las siluetas de los barcos, señalando sus posiciones con esas lamparitas tenues que iluminan las canchas de bochas y las estaciones de ferrocarril.

El sol, siempre en el centro del cielo, se opacaba en una cortina de gasa que seguía el contorno de la playa.

La vida cotidiana quedó atrofiada en el primer día de velorio y los Pechof, que aún no habían sepultado a Rifque, se enteraron afligidos de la prohibición de firmar certificados de defunción.

—No nos pueden hacer eso —había gritado Jaime en la puerta de Fundación.

—Son órdenes. Hasta nuevo aviso —le informó el portero y le dió un bidón de formol para conservar el cadáver en la bañera.

Así, los Pechof entraron en un círculo vicioso. Se levantaban a las ocho de la mañana, rezaban por el alma de Rifque, acumulaban en su casa el ritual del desayuno, el viaje al trabajo, las ocho horas en la oficina o detrás de un mostrador, el retorno, y, a eso de las siete de la tarde, repasaban los rumores sobre la salud deteriorada de la señora. Una hora más tarde, oían la cuenta regresiva de los partes médicos y cambiaban datos macabros con sus vecinos. A partir de las ocho y veinticinco, cuando la señora entraba en la inmortalidad, se cancelaban hasta nuevo aviso los certificados de defunción, y cundía el silencio uniformado, los murmullos fúnebres, y una lluvia fina y fría.

De ahí en adelante, todos se ponían a meditar. Se programaban las caras de las diez de la mañana, la forma de anudarse las manos y el modo en que evocarían los momentos previos a esa tragedia para asignar a cualquier detalle apariencia de presagio.

Al girar sobre sí misma, la historia ahondó tendencias larvadas, resumió la vida de los Pechof y les hizo saltar hacia un futuro que, en épocas plácidas, hubiera tardado décadas en aflorar.

Salmen, frustrado en su despegue económico por una embrionaria inflación, pasó a ser una sombra del próspero amarrete que levantó un imperio inmobiliario en la década del cuarenta. Urgido por los nuevos precios del cemento, se consiguió un hijo pintón llamado Roni y lo ofreció como jusn a millonarios interesados en casar a sus hijas narigonas.

Como rémora de su etapa artesanal le quedaba un taller de joyería en el cual empleaba a Jaime, Natalio e Itzik.

Tres años demoró en alejarlos del cascarón familiar sin ningún tipo de indemnización, usando el sistema telegráfico de transmisión de culpa sin hilos.

El primero en irse fue Jaime, cansado del estilo viejo Hucha de su hermano mayor. Salmen estuvo un mes sin afeitarse y con el pelo embadurnado de ceniza. En ese lapso instituyó la primera de sus bíblicas sentencias, luego calcada en platitos de porcelana: "A los diez años, los jujem dicen: 'mi hermano Salmen es un genio'. A los quince años, ya empiezan: 'Salmen tiene razón en algunas cosas, pero . . .' A los veinte años, Salmen les parece anticuado. A los treinta años quieren vivir su vida, 'Salmen está equivocado', y a los cuarenta: 'Salmen, volvé que te necesito' ".

Pero ya no voy a estag para protegerlos, advertía Salmen. *¿Quién va a preguntarles por el mugn? Claro, Jaime puede mostrarles goim y darles pitza con fainá. Y yo no. ¿Y saben por qué? Porque entonces van a jugarse el sueldo a los burros y hacer cosas en Plaza Italia.*

Jaime se hizo comparsa de un caudillo de Lobos a base de decir 'sí, sí, enseguidita', cada vez que le daban una orden y de buscarle pelusitas en la solapa.

Una vez, lo fue a visitar Dora y se quejó de los caprichos de Itzik.

—Arma un berrinche si no le dan pan con toddy —protestó Dora.

—¿Y qué te cuesta conformarlo? —preguntó Jaime.

—Y dos por tres se enferma. Le dan náuseas —insistió Dora.

Jaime desvió la cara para ocultar las lágrimas.

—Eso pasa con los hijos indeseados —dijo por fin—. Pobre Itzik, siempre schvaigeit.

—Pero a Salmen no le importa —dijo Dora—. Soy la única que se preocupa por el kleinchique. De noche hay que dejarle el velador prendido. *Para que no me szeve el lobo,* dice. La luz se paga de mi bolsillo.

—Puedo aportar —ofreció Jaime, sacando la billetera.

—No es eso, es que no aguanto más. Quiero irme.

—¿Y qué va a ser de Itzik?

—Yo no soy la esclava de nadie —se sulfuró Dora—. Además, queda Natalio.

—Sí, justo él. Cuando está leyendo se olvida del mundo.

—No me importa. Pensá una solución porque yo, a lo de Salmen no vuelvo —informó Dora.

Itzik fue llevado de pupilo a la casa de la señora Scheindele, una maestra de música estancada en Paraelisa y Jaime hizo gancho entre Dora y el caudillo. Convertido en el cuñadito, viajó con ellos a París y tiró manteca al techo.

Detrás de Jaime y Dora se fue Natalio. Le llegó el turno una vez que quiso fumar a escondidas. Una ráfaga de aire parecida a Salmen lo persiguió por la casa crepitando maldiciones y soltando un llanto finito y le hizo jurar que antes de volver a intentarlo, se iba a cortar las manos. Esa misma noche, hizo su valija y Salmen, libre de parientes, pudo planificar la primera de sus ofensivas con el millonario Tajmer, propietario de una hija casadera y de un terreno en La Paternal súbitamente encarecido por el entubamiento del arroyo Cildáñez.

Llevando a su hijo Roni del brazo derecho, y en el izquierdo un plano multiuso que permitía diseñar desde un chalet hasta un hospital con salida de emergencia para médicos ineptos, Salmen fue a la casa de Tajmer y hacia un futuro donde los cimientos fundarían el noviazgo de su hijo, el encofrado asentaría la fecha de casamiento; la llegada de los plomeros concordaría con la selección de testigos del civil; la aparición de vidrios pintados con eses de cal decidiría el canje de alianzas y el aumento en las pérdidas financieras del padre de la novia; y el cartel de *Se venden departamentos, dos y tres ambientes, balcón a la calle*, causaría el suicidio de Roni, su resurrección luego de un tiempo prudencial y el reinicio del ciclo inmobiliario de Salmen.

En tanto los Pechof incubaban nuevas vidas, la prohibición de firmar los certificados de defunción los ataba a un cadáver insepulto que atrasaba el despegue.

La búsqueda del médico que autorizara la muerte de Rifque, y el hallazgo de uno con prejuicios antisemitas, fue la solución propuesta por Jaime y el anticipo de otro cambio irreversible signado por la anulación del apellido.

jueces

Jaime fue a la casa del manager para recibir la primera lección.

—Hoy nos toca buenos modales —dijo el manager—. Ante todo, necesita un criado. Negro o filipino. Calzones cortos de seda, y zapatos con hebilla. Peluca blanca o espolvoreada con talco. Si trabajó antes en el Congreso, mejor. . .

—Lo tenemos a Pinie —dijo Jaime—, se da maña para todo.

—También hace falta un militar retirado.

—Conozco a un sargento ayudante —recordó Jaime.

—Por lo menos tiene que ser coronel y manco. Perdone, no quería ofenderlo... Ese militar, ¿es distinguido? ¿Canoso en las sienes?, ¿flaco?

—Es chaqueño.

—¿Heridas?

—Sé que una vez le cosieron la cabeza.

—Puede pasar por herida de guerra. Un sablazo.

—Lo que sí —admitió Jaime—, sabe mucho de la segunda guerra mundial.

—También le vendrían bien dos hermanas solteronas. Que hagan canastillas para la beneficencia.

—Hay dos que pasan todos los días por la puerta. Visten de negro y parecen hermanas solteronas. Pero creo que son madre-hija. La vieja usa polvos de arroz. La hija es gorda y creo que no anda muy bien de la cabeza...

—... Y entre sus parientes, precisa alguien como esa chica. Para que le digan niño o niña —señaló el manager.

—¿Qué, es distinguido?

—Le conviene por el árbol genealógico. Todos los nobles tienen algún pariente tocado. Y un cuarto en el altillo para guardarlo cuando no hay visitas.

—Lo tenemos a Itzik...

—Va a tener que sacarlo de la cama. Siempre luce en una cena.

—Con tal de que no se ponga a preguntar...

—Que use pecheras de camisa con tres botones de brillantes. Unidos con cadenita de plata. Detrás ponen un ama de compañía. Para atarle la servilleta y pelarle los duraznos... Cuando llegue el médico, usted comenta: *Este palangana. Así calladito y guarda las onzas en botija de barro.*

—Este palangana, así calladito —recitó Jaime mientras transcribía en la libreta.

—Deje que se la sostengo —ofreció el manager, porque el muñón resbalaba en el papel—. ...Las onzas con zeta.

Onzas en botija de barro. Eso siempre da prestigio.

—Y niño: ¿cuándo le decimos?

—Nunca. Eso le concierne al ama de compañía.

—Niño —anotó Jaime—. Bueno, Itzik siempre fue el mimado de la casa. Por lo debilucho. ¿Con eso será suficiente?

—Lo ideal sería un hemofílico —recomendó el manager.

—¿Como venéreas?

—No, de esos que se cortan un dedo y no pueden parar la sangre. La enfermedad se llama hemofilia. Y los enfermos, hemofílicos. Es dolencia de yentlemens. No se escribe así. Parece que tiene medio olvidado el inglés —Jaime se puso colorado—. Recapitulando: en lo que falla es en los vecinos.

—Dora fue la que eligió el barrio —se disculpó Jaime.

—Va a tener que traer al médico cuando estén todos durmiendo. Improvise vecinos de categoría. Frente a casa, le dice al médico, vive Mesié Fasquel, joyero que trabaja para Ricciardi. Al lado están las Solano, nietas de un guerrero del Paraguay. Siempre de luto riguroso. Muy serviciales. Una de ellas es Misia Eduardita. Me convida a los sobrinos con bizcochos Canale...

—¿Está seguro? —preguntó Jaime intrigado—, creí que eran bizcochos comunes.

—Son finos con oporto de Aranjuez. Pero los de lata. Esos envueltos en celofán, no sirven. Usted sigue: en la esquina viven los Petrarca. De niño los confundía con el famoso bardo. Es lo mismo que poeta. Una de las niñas toca el arpa... Si hay algún español, que sea de Navarra. Si es italiano, que sea de Florencia. La patria de Maquiavelo. Ah, Maquiavelo, dice, qué gran patriota. Y cómo distorsionaron su pensamiento. No se olvide del militar retirado. Lo mejor sería alemán o austriaco... Cuando es la hora de comer, se anuncia con campanilla de alambre, de esas que van del comedor a la cocina. El almuerzo es a las nueve de la mañana y la cena a las cuatro y media. Entre medio, alguna colación o tentempié. Nada de escarbadientes, aunque se tape la boca con la otra mano. Disculpe. Eso es para sus hermanos. Nada de engancharse la servilleta en el cuello.

—Únicamente el palangana.

—Veo que aprende rápido. Si necesita aliviarse, diga: Disculpen un momento, tengo una conferencia telefónica. Teófilo, lleve el auricular a mi despacho... Deben suministrar pocas viandas, aunque asaz variadas. Pican un poco de cada cosa y dejan siempre algo en el plato. Incluyen en el menú fariña o quibebe de ordenanza, carne fiambre o chatasca, quesos franceses o suizos, carne de mulita, becacinas, un suculento locro, que los antepasados son rurales, huevos escalfados, molleja asada, el plato favorito de don Juan Manuel, algunas patitas de cordero, porque le gustaban a la abuela Agustina y ustedes mantienen la tradición. De postre, frutas de estación, queso con suero y fritos de papa con huevos y harina, rociados de azúcar canden. Mate, siempre, pero amargo y servido en calabaza de plata, con trípode.

—Vamos a comer sin hambre —dijo Jaime—. Aquí almorzamos a la una y cenamos a las nueve. Aparte de picar.

—Cambien el horario. Van a tener que usar velas de sebo y un quinqué. Eso da poca luz. Por eso conviene comer de día. En invierno pongan calientapiés debajo de cada comensal. En verano el helado lo hacen con granizo. Mezclan leche, huevo, canela y vainilla. Se turnan para mover el cilindro. Como vino común de mesa, usen priorato. Para las grandes ocasiones: vino del Rin. Hay que enterrarlo en alguna parte del patio que esté sin enladrillar. Creo que por hoy es suficiente. Lo espero mañana a la misma hora.

éxodo

Jaime sabía que los Pechof sólo podían trocarse en Gutiérrez Anselmi desandando una tradición afincada en lámparas de pie, camas, platitos de porcelana, sillas, armarios, bibelots, vasos de té, remedios, alfombras y viajes.

A los goim les resultaba fácil ir hacia un pasado católico porque provenían de él. Pero Jaime Pechof tenía que encerrarse en un cuarto y recrear la Argentina desde el año mil ochocientos cuarenta, intuyendo los momentos vacíos que debían rellenarse con leyendas de otros países, desechando distintas clases de futuro, y haciendo habituales situaciones y ambientes que no habían presenciado sus abuelos; para conservar la familia agavillada y evitar un destino similar al de esos negros extraviados en el hielo durante la expedición al Sur y recogidos esporádicamente en el recuerdo de los porteños cada vez que los censores de los diarios ordenaban silenciar la oposición.

Jaime quería tramar el futuro de los Gutiérrez Anselmi para articularlo con los pasos que darían los Pechof a partir de mil novecientos dieciocho. Si había elegido como punto de partida el año mil ochocientos cuarenta, era porque podía tomar tres generaciones de ventaja sobre su familia.

El más intrigado por la evolución apócrifa de la familia Pechof era el propio Jaime, asomado a sus peripecias como un padre vigilando a su hijo en un corralito.

La historia progresaba armoniosamente en las grandes ocasiones, pero se desmantelaba al interponer a los Gutiérrez Anselmi, pues seguían caminos que siempre eludían a los continuadores judíos.

Jaime pensó que la solución era hacer convivir a los Gutiérrez Anselmi con personajes históricos de segunda categoría y dejar cabos sueltos para trabarlos con episodios autónomos que derivarían en un viaje a Polonia en mil novecientos dieciocho, en la disolución de los Pechof, y en un retorno triunfal de los Gutiérrez Anselmi a Buenos Aires, en camarote de lujo y hablando francés.

Vamos a hacer una prueba, se dijo Jaime. *Hago de cuenta que estamos en mil ochocientos cuarenta y que soy Javier Gutiérrez Anselmi.*

Enseguida, sintió la precariedad de su situación. No podía justificar ni el muñón, porque la mano la perdería en un vehículo que sería inventado cincuenta años más tarde. *Ante todo, las ropas,* pensó, mientras navegaba en un ayer de sastrería teatral.

—"El pantalón es de corte derecho" —dijo Jaime leyendo en voz alta el almanaque ilustrado Laffont— "angosto abajo, cerrado, alzapón ancho a veces y otros con portañuela. Colores rayados. Para medio tiempo, de tonos oscuros. En verano, brin blanco o aplomado". *¿Sabe, doctor?* —le diría el médico antisemita para deslumbrarlo—, *el chaleco de mi bisabuelo* (¿no sonará mejor tatarabuelo?), *era de cuello doblado formando con la orilla externa más bien un óvalo que una ve.* —La levita —prosiguió Jaime en voz alta— era siempre muy corta, de poco vuelo. En verano se usaba de paño de seda y lana y tatita decía: "Nadie lo posee más rico que Míster Coyle."

Jaime miró sus zapatos. Estaban de moda los tacones altos y las hebillas con cadenita. *¿Y la corbata?* Revisó el almanaque y descubrió que se estilaba el moño ancho, con tres lazos. *Y recién estamos en las ropas,* pensó afligido. Todavía faltaban los muebles y la asimilación de artefactos para que no discreparan con el ambiente piadoso de mil ochocientos cuarenta.

—Las piezas principales —prosiguió Jaime en voz alta paseándose por la habitación mientras sostenía las hojas del almanaque abiertas con el pulgar—, estaban alfombradas con tripe rizado. Aclaro doctor, que era tripe, no triple, como arguyó una vez un advenedizo; y se vendía en las tiendas de Iturriaga. En verano levantábamos las alfombras, que eran oreadas en la azotea, y en su lugar poníamos esteras de las Indias. ¿Me pregunta usted por los muebles? Me anticipo a su intención. En su mayor parte, de ascendencia inglesa y norteamericana. Mucha caoba maciza y mucha esterilla de crin. El tálamo de nuestros antepasados, de puro bronce. Enorme. En la sala abundaban los bibelots. El piano era de la marca Collard y Collard, fabricado por mellizos. Jajajá. No, era un chiste. También teníamos algunos cuadros, entre ellos un retrato al óleo de bisabuelo pintado por Goulu, que donamos al museo Pueyrredón. Al retrato de bisabuelo le hacía pendant otro, el de bisabuela. Para corregir esa fantasía de artista manco, entre nos, doctor, ese cuadro era una perfecta birria, había en la antesala una acuarela de cierto mérito: Le marechal Moncey a la barrière de Clichy. Yace también en el museo Pueyrredón. Pero, me estoy adelantando a los hechos. Retornemos por un momento al dormitorio. A la cabecera de la cama matrimonial había un crucifijo de oro macizo. Al lado, un cristo en la cruz llamaba la atención por lo artístico y el aire de tristeza infinita. Del otro, se veía, iluminada, a Nuestra Señora del Rosario, patrona de las devociones de madre. Sobre el marco de la chimenea había un reloj Empire, con bomba. Linda pieza. En un armario de caoba norteamericano estaba la ropa blanca de padre. En él guardaba dinero, pistolas, el agua de lavándula (otro perfume nunca usó), la libreta del Banco de la Provincia, una cartera con forro de pergamino y otras chucherías. También tenía la biblioteca. No había muchos libros, lo reconozco, pero eso sí, todos venían en francés. Un mueble especial completaba el ajuar: era una mesa de chaquet, de caoba, con casillas de maderas preciosas incrustadas prolijamente. Cada cosa tiene su lugar en un museo. Hemos desparramado nuestra intimidad por el tout Buenos Aires. Y es que no tenemos nada que ocultar. Le diré que hay marcadísima diferencia entre nosotros y esos advenedizos que compraron blasones después de Caseros. Un arribista usa modales altaneros al tratar a inferiores, para marcar distancias con sus aliados de ayer. Pero nosotros podemos ser bonachones, y hasta palmear en el hombro a un plebeyo. ¿Quién puede privarnos de esos mayorazgos habidos en tiempos del virrey? Si alguna vez quiere divertirse, lo invito al museo Pueyrredón. Verá los tamaños ojos que ponen estos parvenús al tropezarse con nuestra herencia familiar... Bueno, ahora pasemos a la ventana. —¿Qué se veía por la ventana? No ese reloj de las ocho y veinticinco. En esa época había sol y cerca del Saladero de los Bunge, debía estar repleto de aves de rapiña y otras bestias heráldicas. El olor del Saladero es fácil de acordarse, porque está cerca la curtiembre de Tajmer. "Los restos de carne del Saladero", leyó en el almanaque Laffont, "quedan desparramados por el suelo y en el verano la molestia sería intolerable, si no fuera por las aves de rapiña que lo devoran todo". Ahora, ¿cómo son las aves de rapiña? ¿Cómo el sastre Popoff? Eso está bueno para practicar un poco de antisemitismo. ¿Son como las palomas? Y si pienso en palomas y pongo cara de miedo, puede creer que hablo de aves de rapiña. —El olor de Rifque agusanándose en la bañera, lo trasladó al presente—. Pero lo tapo con el tufo de las velas. Hay que olvidarse del baño y el olor de Rifque. Volvamos a mil ochocientos cuarenta. Si me lo aprendo de memoria, puedo acordarme de cosas que nunca pasaron. Estamos en mil ocho cuarenta y los pájaros comen carroña. Además, el tufo de las velas. *¿Sabe, doctor?: abuelo usaba palmatorias*—. El tufo de las velas. Había que convocarlo por simpatía con otros olores de esa época patricia, en vez de remozarlos con la fetidez de la curtiembre o el baño. —Pero ahí tenés otro problema —reconoció Jaime al pensar que desde la llama de una vela era imposible predecir la electricidad—: ¿por qué los Gutiérrez Anselmi van a ser antepasados de los Pechof? El tufo de las velas. Y recién empezamos—. Imaginó que más allá de la casa, los pájaros giraban en el cielo, como barriletes sin cola. El velorio de la señora podía servir para hablar del velorio de doña Encarnación. Pero el olor a carne podrida no era del saladero. Venía de la bañera y dependía de Rifque—. Imposible. El olor viene del saladero —se obstinó Jaime—. Estamos en mil ocho cuarenta y los pájaros comen carroña del saladero. Mi pantalón es de corte derecho, y me molesta en las entrepiernas. Ese es un buen truco. Voy a acordarme de cada cosa por los dolores. Cuando me disfrazo, recito: Los zapatitos me aprietan, y me acuerdo que me aprietan porque tienen hebillas con cadenita. Bueno, hagamos otra prueba—. Dio una ojeada al cuarto intentando meterse en la piel de sus antepasados católicos. Lo principal era omitir la decadencia de los muebles y su destino final en un montepío—. "Los pájaros que comían carroña" —prosiguió Jaime volviendo al estudio del almanaque Laffont—, "levantaban el vuelo al paso de los viajeros, y volvían a posarse apenas se alejaban los intrusos"—. ¿Y si el médico preguntaba cómo hacían para comer carroña? Al médico no lo podía engañar así nomás—. *¿Sabe, doctor?* —le diría Jaime—, *agarraban un pedazo de carne con el pico y le daban tironcitos hasta dejar el hueso limpio*. Debían mover la cabeza como Pinie cuando tenía el tic en el hombro. *Olvidáte de Pinie* —se ordenó—, *usá otra gente. Yo la uso, pero no tiene tics* —le explicó a su otro yo—. *Fuera del schil, nadie tiene tics... ¿Qué faltaría?*— Revisó el almanaque Laffont y descubrió que, con mucha frecuencia, los goim caían en trances místicos y se iban a predicar al desierto. Otros se mortificaban con cilicios o armaban una cruzada. Así era fácil tener recuerdos de jofainas, espuelas abandonadas en un rincón, y parientes canonizados—. *Pero yo no me puedo pasar la vida como anacoreta* —pensó Jaime—. *Necesitamos al médico ya.*

Para que sus antepasados se ligaran a gente de abolengo, era forzoso vivir cerca de Plaza de Mayo, porque hacia allí confluía la historia y los edificios estaban destinados a albergar epopeyas.

En ese sector de la ciudad casi no hacían falta retoques. Únicamente había que poner adoquinado o barro en las calles, agrandar el Cabildo, y el número de ventanas como en las estampas de la escuela primaria, desarmar la actual pirámide de Mayo, porque era la funda que tapaba a la pirámide levantada después de la revolución, ubicar en el río a lavanderas negras y en el horizonte a la escuadra francesa.

—Me sentí en camisa de once varas —reconoció Jaime, porque en la historia todo pasaba al mismo tiempo y él ignoraba la mayoría de los datos. Si la escuadra francesa estaba en el horizonte, era para voltear a Rosas. ¿Qué sabía de Rosas? Que se le había muerto la mujer. ¿Todavía se hablaba del velorio? Podía pasar diez minutos hablando del velorio. ¿Y después qué? ¿Sería cierto que Rosas colocó cadenas de costa a costa en el río Paraná? ¿Y para qué? Para frenar el bloqueo. Entonces, ¿otros veinte minutos hablando del bloqueo? ¿Cómo contar el bloqueo? —*¿Sabe, doctor?, abuelo luchó junto al general Mansilla cuando el bloqueo. Fue artillero en la vuelta de Obligado. Al decir abuelo le estoy hablando de tatarabuelo, por supuesto*—. Pero de ahí no podría avanzar porque al describir la playa se le entreveraba la Costanera de mil novecientos cincuenta y dos, con su cortina de gasa negra difuminando la silueta de los barcos. Fin de la historia. Podía proponer un piscolabis, y retomar el hilo describiendo a una mujer de antaño.

—"Nuestras damas" —leyó en el almanaque Laffont—, "poseen un corazón asaz impresionable y gustan de los idilios interrumpidos. Cuando disminuye el tamaño de las velas, sus ojos se encienden"—. *El tufo de las velas*— pensó Jaime. Cada noche, sus antepasados volvían al tufo de las velas y ese era otro tema interesante para prolongar la sobremesa—. *¿Sabe, doctor?, en el tiempo de ñaupa, no había dos noches iguales*—. La bujía de una noche era distinta a la de otra noche, porque se cambiaban las mechas. En torno a las velas se organizaba la vida familiar. La luz reseñaba a cada habitante de la casa y la sombra decidía su retirada. El oído se tendía hacia la oscuridad, como un ciego tanteando obstáculos. A medida que transcurrían las horas dentro de un reloj de arena (¿ya existirían los relojes de pie?) los asistentes a una tertulia conocían el tamaño de sus conversaciones comparando, en los varios niveles de sombra, el repliegue de las velas dentro de las palmatorias. Y esos datos eran una parte ínfima del total requerido para engañar al médico. *Todo es importante, dice el manager,* pensó Jaime. *Entonces, ¿contaban chistes verdes? ¿Qué papel usaban para limpiarse? ¿Tenían cepillo de dientes? El zeide se frotaba los dientes con jabón amarillo, pero no creo que ese dato sirva. ¿Dirían pardiez?*

A Jaime lo deslumbraba que ya en esa época comiesen helados. Le parecía un invento tan reciente como la televisión. *¿Qué había antes de la lotería de cartones? Sé lo de las sangrías y las jofainas, pero ¿qué hacían cuando andaban con arte mugn? Me parece que me estoy bandeando. Los goim sólo piensan con el alma.* En esa época, si se moría un pariente, resultaba de buen tono perder el interés en la vida. La naturaleza era tormentosa. Los poetas, heridos en duelo, agonizaban bajo la lluvia, porque los médicos no se atrevían a desafiar la furia de los elementos. *Mejor tener ese tipo de remembranzas,* pensó Jaime. *Si me pongo en detallista, el médico va a sospechar.* Había quc tomar de los recuerdos lo más evidente y matizarlos con rasgos inesperados. Si hablaba de su familia, además del linaje debía señalar que a los chicos los vestían siempre de personas mayores y un resabio de esa costumbre persistía en los disfraces de marinerito; si elogiaba el tiempo, después de citar los cirrus, cúmulus y nimbus, precisaba destacar que el cielo de su tatarabuelo se veía más nítido pues no había humo de chimeneas. Si pensaba en la ciudad de antaño, bastaba con abstraer pocas manzanas y sorprenderse de que *Tatita iba a veranear a Flores*. Pero, a ese dato al alcance de cualquiera, le sumaría: *Nunca usó volanta. Prefería forrar las ruedas con cuero fresco y cruzar el bañado en carreta. Así acortaba camino*. Pensó que tampoco podía abusar de esos detalles. *Un detalle sí, un detalle no, porque si no va a desconfiar.*

No me importa el olor, se dijo con amargura, porque alguien había entrado al baño y el olor de Rifque cubrió la casa. *El olor es a carroña porque estamos en mil ocho cuarenta y los pájaros comen carroña.* —"Los pájaros que comían carroña"— leyó en el almanaque Laffont—, "levantaban vuelo al paso de los viajeros"—. *No hay nada que hacer, es más fácil vivir en una época donde las cosas pasan de verdad. Podés elegir lo que querés acordarte*—. Pero ese pasado al que intentaba incorporarse, ya había sido escogido por hombres que hacían un arte de la exclusión y las evidencias probadas. Para aumentar el agobio, pensó que le faltaban muchos elementos. Ignoraba la jerarquía de ropas que embozaban todos los niveles de la escala social, la música más frecuente o las preocupaciones prestigiosas. *Olvidáte del olor. No es el olor de Rifque. Es el olor de la carne del saladero. Inaguantable.* Por suerte, las aves de rapiña dejaban los huesos completamente limpios. *Hay que averiguar cómo son las aves de rapiña. Y como ésos, miles de datos. Si no fuera por la familia, te juro que tiro la toalla*, se aseguró Jaime a sí mismo. *Jaime no: Javier. Javier Gutiérrez Anselmi, aunque tenga que morir en el intento.*

pues no había lugar de quimeras. Si pensaba en la ciudad de antaño, bastaba con exaltar poéticas mañanas y sorprenderse de que *Petrina iba a escarramar flores*. Pero ya no dejó al alcance de cualquiera la sinrazón: Nada, y esto podría. *Prefería jugar la partida con cartas frescas y cruzar el trazado en carrera. Así acortaba caminos.* Pensó que tampoco podía abusar de esos detalles. *Un detalle sí, un detalle no. Porque si no va a descartarse.*

No me importa el olor, se dijo con amargura, porque alguien había entrado al baño y el olor de Rifque cubrió la casa. *El olor es a carroña porque estamos en mal lecho queremos y los pájaros comen carroña.* —"Los pájaros que comían carroña" —leyó en el almanaque Lafont— "llevaban vuelo al paso de los pájaros". —*No hay nada que hacer, es inútil buscar una época donde las cosas pasen de verdad. Podía decir lo que quieras acordarte.* —Pero se pasaba al que intentaba incorporarse ya había sido escogido por hombres que hacían un arte de la exclusión y las evidencias probadas. Para aumentar el agobio, pensó que le faltaban muchos elementos. Ignoraba la jerarquía de ropa que embrollaban todos los niveles de la escala social, la música más frecuente o las preocupaciones minuciosas. *Olvídate del olor. No es el olor de Rifque. Es el olor de la carne del salario, es inaguantable.* Por suerte las aves de rapiña dejaban los huesos completamente limpios. *Hay que arreglarse como son las cosas de rapiña. Y como [illegible] malos hábitos. Si no fuera por la familia, se jura que tiene la familia*, se aseguró Jaime a sí mismo, *Jaime no, Javier. Javier Galicia. Anselmi, aunque tenga que hacer el intento.*

OSVALDO SORIANO

(Mar del Plata, Argentina, 1943) se formó en el periodismo, primero en las provincias, después en la capital donde trabajó en *Panorama* y *La Opinión* y luego de ser echado de este último "cuando Timmerman se lanzó a la defensa de López Rega" escribió varios guiones de cine, hizo aún algún periodismo ocasional y por último se trasladó a Europa en 1976, viviendo actualmente en París. Escribe artículos, colabora en las publicaciones que luchan contra la dictadura en su país, y se ha entregado de lleno a su pasión de escritor.

Su obra literaria comenzó con *Triste, solitario y final* (1973) que mezclaba su devoción por la policial (Chandler) con la fascinación del cine y discurría en un Hollywood de utilería, destruyendo al malo (Wayne), restaurando al bueno (Stan Laurel) como un ángel vengador. Ha sido traducida a una docena de lenguas europeas. Su segunda novela, *No habrá más penas ni olvido* (1980 en español, pero antes en polaco, italiano y francés) es una rencorosa venganza contra las estructuras del partido peronista, utilizando un pueblecito de la provincia de Buenos Aires como el escenario de una guerra a muerte, farsesca, disparatada y jocunda aunque concluye en una real carnicería. Su último trabajo, aún inédito, es *Cuarteles de invierno*, un ajuste de cuentas con el ejército argentino.

El cine y el periodismo han proporcionado las estructuras narrativas intensas y dislocadas con que elabora sus requisitorias. Dice de sus gustos literarios: "Chandler, claro; Hemingway, Nathanael West, Scott Fitzgerald, Borges, Cortázar, Onetti, Arlt, Bulgakov, Rulfo, Hammet, Calvino, García Márquez y una docena más. Y sobre todo, los gatos, el futbol, el boxeo. Clay tenía razón al decir que era el más grande. Y Carlos Gardel: dios me dé coraje y talento para dedicarle la novela que sueño hace tiempo."

CUARTELES DE INVIERNO

Cuando tiraron la puerta abajo eran las tres de la tarde. Estaba cerrada con doble llave y no se molestaron en pedirle un duplicado a la vieja. Me senté de un salto y vi a los cuatro tipos que nos apuntaban. El gordo y Gary Cooper estaban en primera línea. Los otros eran morochazos, macizos y no parecían simpáticos. El gordo me cruzó la cara con un revés de derecha y me arrancó de la cama limpito. Rocha se paró con aire de no saber si soñaba o empezaba a despertarse. Uno de los morochos le apoyó el cañón de la ametralladora sobre el pecho y lo sentó al borde de la cama.

El golpe no me dolió demasiado pero veía la escena cubierta de puntos blancos, como una fotografía manchada.

—Levantate, manager —dijo el gordo.

Empecé a ponerme de pie.

—¿Así que sos chistoso?

No le contesté. El tipo parecía nervioso y se movía como si le hicieran cosquillas en un momento inoportuno. Dejó la ametralladora sobre la silla, donde estaba la ropa de Rocha, y se me vino. Me apoyó una mano en el pecho y me empujó contra la pared.

—Te hacés el vivo, ¿eh?

No le interesaba mi opinión. Me tiró otro revés pero lo amortigué con los brazos. Eso lo disgustó y me puso una izquierda en la frente; golpeé la nuca contra la pared y resbalé hasta el piso. El tipo debía llevar un anillo porque la sangre me cubrió un ojo y goteó sobre una pierna. Quedé bastante mareado, pero el estruendo de maderas rotas me despertó. El morocho que había estado apuntando a Rocha rompió el espejo y la puerta del ropero con la espalda y quedó tendido con medio cuerpo adentro del mueble. Rocha se subió a mi cama y casi tocaba el techo con la cabeza. El gordo salió disparando a buscar la ametralladora, tropezó con Gary Cooper y gritó:

—¡No le tiren! ¡No le tiren!

Rocha saltó de la cama y avanzó. Gary Cooper levantó la ametralladora y le apuntó, pero el grandote no debe haberlo visto. Lo agarró del pelo largo, lo zamarreó y de un empujón lo tiró afuera como antes a Romerito. El otro morocho se dio cuenta que le tocaba a él y se le adelantó: con la delgada culata del arma le pegó en el estómago y Rocha se dobló. Entonces le dio con la rodilla derecha y el grandote cayó sentado junto a la cama, abriendo la boca.

—Basta, basta —dijo el gordo—, tranquilos que éste tiene que pelear.

Yo me había quedado en el suelo, limpiándome la sangre con el borde de una sábana. El gordo se me paró adelante, me pateó un tobillo con cierta tolerancia y me escupió.

—¡Manager! —dijo—. Linda idea. Después de la pelea nos vamos a ver.

El morocho sacudió un poco a su compañero y lo ayudó a levantarse de entre los restos del ropero. El tipo no parecía enterado de lo que le había pasado. Gary Cooper apareció en la puerta, otra vez peinado y con ganas, pero el gordo lo tranquilizó:

—Después, Beto, después.

Beto levantó un zapato de taco alto que había perdido en el entrevero y se lo puso apoyándose en el marco de la puerta. Los dos morochos salieron adelante mientras Beto le apuntaba a Rocha. El gordo se echó la ametralladora al hombro, metió la otra mano en el bolsillo del saco y me tiró algo a la cara. Lo reconocí enseguida.

—Ya no le hace falta al pobre —dijo.

Se fueron. El sombrero de Mingo estaba en el suelo y tenía desprendida la cinta negra. Lo levanté: todavía seguía mojado y olía mal. Fui hasta el lavatorio, me lavé la herida y tomé un vaso de agua. Rocha se había sentado en la cama y se tocaba la mandíbula.

—No se la llevaron de arriba —dijo.

Estaba un poco aturdido todavía.

—Mataron a Mingo.

Levantó la cabeza y tardó un rato en entender.

—¿Cómo sabe?

Le alcancé el sombrero. Lo miró por dentro y por fuera y lo dejó sobre la cama.

—¿Está seguro? ¿Quién va a querer matar a un croto?

—¿Por qué cree que nos trajeron el sombrero? ¿De regalo?

Lo agarró otra vez, ahora con más interés, y lo estuvo desarrugando.

—¿Tenía familia?

—No.

—Entonces vamos a tener que velarlo nosotros.

Lo dijo con voz grave. De golpe se había conmovido. Apagó el cigarrillo y empezó a calzarse los zapatos.

—¿Para qué? —dije—. ¿De qué sirve?

Agarró su campera, buscó mi saco y me lo tiró por sobre la cama.

—Era su amigo, ¿no? —dijo—. Lo menos que puede hacer un amigo por otro amigo es prenderle una vela y echarle una palada de tierra encima cuando llega la hora.

El taxi nos dejó a tres cuadras porque la policía estaba cerrando las calles para el desfile. Rocha caminaba delante mío y furtivamente cortó dos rosas de un jardín. Se paró frente al baldío y no supo por dónde entrar, acobardado por el yuyal que llegaba hasta la vereda. Le enseñé el camino hacia el rancho y entró con el ramo de flores tendido para adelante como si llegara de visita. El cuerpo estaba colgando de la rama gruesa que sostenía el techo. Lo habían ahorcado con un cinturón y tenía la lengua larga y azul volcada sobre la barba. Lo que se veía de la cara era de un blanco intenso y los ojos miraban hacia abajo, todavía asustados.

—Carajo —dijo Rocha con voz respetuosa.

Yo me corrí a un costado para escapar de los ojos de Mingo, pero la mirada opaca me siguió hasta que me puse a la espalda del cadáver. Tenía el pantalón gris a rayas caído sobre los zapatos y el piloto recogido sobre la espalda debió haberle inmovilizado los brazos. El cajón donde ponía la yerba, el azúcar y el mate, estaba caído y tenía una tabla rota, como si alguien lo hubiera pateado. Entre las cosas desparramadas por el suelo había dos cabos de velas consumidos. Acomodé el cajón, le pedí a Rocha que sostuviera el cuerpo por la cintura y subí a desatar el cinturón. El cadáver cayó, rígido, sobre los hombros del grandote que lo depositó en el suelo cuidadosamente. El piloto se había abierto y dejaba ver las quemaduras en las piernas y en el sexo, donde el pelo estaba chamuscado. Lo cubrimos con una manta. Rocha encontró una vela consumida hasta la mitad y los dos cabos que estaban tirados. Los dispuso en el suelo, a la altura del pecho, y me pidió el encendedor. Prendió tres llamitas tenues, se hizo la señal de la cruz, y se quedó arrodillado. A los lejos se oía sonar una banda. Eran las cinco de la tarde cuando las campanas de la iglesia tocaron a pleno. Las velas se fueron apagando y sólo teníamos la luz del sol que entraba muy débil por el agujero de una bolsa. Corrí la cortina de arpilleras y salí al baldío. Respiré profundamente y me quedé un rato mirando el cielo donde flotaban algunas nubes blancas. Por la calle pasó un matrimonio con dos chicos que me miraron y luego hicieron algún comentario divertido. La banda interpretaba una marcha épica de guerra concluida. Rocha salió agachándose por la estrecha abertura, se me acercó con la cabeza baja y me puso una mano sobre un hombro.

—Mañana, con la plata de la pelea, compramos el cajón —dijo.

Estuvimos un rato en silencio paseándonos entre los yuyos. Recordé los grillos, el avión, la voz de Mingo, vagamente sus gestos.

La gente caminaba hacia el centro atraída por la música. Hice una seña a Rocha y nos fuimos alejando en dirección contraria. Dos cuadras más allá encontramos un barcito con mesas y sillas de hierro y pedimos dos cervezas. Rocha estaba triste y yo me quedé un rato mirando la gente que pasaba, tomando la cerveza a tragos cortos, tratando de sacarle algún gusto.

—¿Cómo es Sepúlveda? —pregunté por decir cualquier cosa.

Rocha frunció el morro.

—Un mocoso fanfarrón —dijo.

—¿Por qué?

—Todos fuimos así alguna vez, jetones.

Jugaba con la tapa de la botella y de vez en cuando picaba un maní del platito. Las otras mesas estaban vacías. Rocha acercó una silla y estiró una pierna sobre ella. Después, como haciéndose el distraído, dijo:

—¿Por qué quiere ser mi manager si no me tiene confianza? ¿Por interés, nomás?

—En una de esas usted gana y juntos llegamos al campeonato del mundo.

—Fuera de joda —sonrió—, ¿me tiene fe?

—¿Cómo está de la paliza?

—¿Qué paliza?

—La de recién.

—Ah, eso no fue nada —se golpeó la mandíbula—, esto es de fierro, toque, vea...

Tenía la barba bastante crecida.

—¿Cuántas veces lo voltearon?

—¿A mí? —dejó salir un silbido de suficiencia—. Dos, y cuando era pibe. Después nunca. Mire que una vez me agarró un auto y ni me desmayé. Me levanté y fui al hospital a pie, con dos costillas rotas. ¿Qué me dice?

—Que en una de esas...

Se rió con una carcajada franca, de conocedor del oficio.

—No se haga el gil —dijo—, usted sabe que voy a ganar fácil. ¿Sabe la biaba que nos van a dar después? Ganarle al candidato local es como ganarle al caballo del comisario.

—¿Entonces?

Sonrió y me mostró las palmas de las manos.

—Me gustaría ver a Marta.

—La va a ver.

Abrió los ojos como bochas.

—Deme un cigarrillo —dijo.

—Ahora no, se terminó.

—¿Cuándo la voy a ver?

—A las ocho. Vamos a ir a buscar su bolso a la casa del doctor y ella va a estar esperándolo. Yo le hablé esta mañana.

Me apretó el brazo de tal manera que me pregunté cómo estaría la flaca de las costillas.

—Usted es un amigo.

Estuvo mirándome un rato. La tristeza se le había pasado como una simple borrasca.

—Y usted... —empezó a decir.

Al fin juntó coraje:

—Aparte de cantar... aparte los discos y esas cosas...

Juntó los índices de las dos manos y me guiñó un ojo.

—No, a mí no me espera nadie, si es eso lo que quiere saber.

La respuesta lo dejó un poco incómodo.

—¿Nadie, pero nadie?

—Bueno, hay una morocha que cuando se emborracha se acuerda de mí.

Le pareció que había que indignarse. Movió la cabeza y me consoló:

—¡Hay cada una...!

Vació la copa de un trago. Empezaba a embalarse.

—Pero familia tiene... Digo hermanos y esas cosas...

Miré el reloj. A las seis el pueblo empezaba a quedarse sin sol.

—Ya vamos a hablar en el tren. El tirón es largo.

—Yo duermo todo el viaje. El ruido del tren me da modorra. ¿Tomamos otra?

—No. ¿No tiene hambre?

—Para un churrasquito, nomás. Lo que como antes de las peleas...

Pregunté al pibe que nos atendía y nos dijo que pasáramos adentro. Comimos costeletas con ensalada y después del café empecé a sentirme mejor. Rocha estaba de buen humor y me contó que cada vez que ganaba una pelea su abuelita le hacía empanadas santiagueñas. Dijo que cuando llegáramos a Buenos Aires le iba a hacer preparar tres docenas y nos iba a invitar a Marta y a mí. Después me preguntó si me parecía que tendría que pedir un minuto de silencio en el estadio por la muerte de Mingo.

A las ocho menos cinco Rocha se apoyó con entusiasmo en el timbre de la casa del doctor Ávila Gallo. Del balcón colgaba una bandera azul y blanca recién planchada y alguien había baldeado la vereda. Escuchamos unos pasos apurados que venían hacia la puerta. El grandote se estiró el pulóver con las dos manos y preparó su mejor sonrisa. Una gorda de pelo negro asomó sus anteojos por el vano de la puerta que había abierto veinte centímetros. Era una versión femenina del doctor. Los ojos de Rocha se apagaron de un soplido, como velas de cumpleaños.

—¿Está la señorita Marta? —alcanzó a decir.

—Se fue a la velada —dijo la mujer y dejó la boca abierta como si tuviere mucho más por decir.

Rocha tragó saliva y preguntó con voz desfallecida:

—¿Qué velada?

—La velada de gala.

—Ah —murmuró Rocha y se quedó mirando a la gorda. Después de un rato el silencio se hizo espeso y la mujer cerró un poco más la puerta, de manera que sólo podíamos verle un vidrio de los anteojos.

—Bueno... —dijo.

Apurado por la puerta que se cerraba en su nariz, Rocha lanzó un golpe desesperado:

—¿Dónde queda?

—¿Qué cosa? —preguntó la gorda desde la ranura.

—Eso... la velada.

—En el teatro. ¿De parte de quién?

—Rocha.

—¿Usted es Rocha? ¡Me hubiera dicho antes!

Una luz de esperanza cruzó por la cara del grandote.

—Espere un momento —dijo la mujer, que abrió la puerta lo suficiente para que la viéramos alejarse moviendo unas caderas anchas como una mesa.

Rocha me miró y empezó a maltratarse los dedos hasta volverlos blancos. Me dio la espalda un segundo y enseguida se volvió, algo molesto.

—No vaya a ofenderse —me dijo—, pero si pudiera darse una vuelta...

Se alejó hasta el cordón de la vereda para ocultar la vergüenza que le daba pedirme que me las tomara. Iba a caminar hasta la esquina, pero vi que la gorda volvía por el pasillo.

—El doctor dejó esto para usted —anunció con una sonrisa y mostró el bolso de Rocha. El grandote no hizo ningún gesto para tomarlo. Tuve que ir en auxilio de la mujer y lo dejé sobre la vereda.

—¿Y ella? —le costaba articular—. Marta, digo.

—Se fue a la velada con el doctor. ¿Así que usted es el boxeador?

Rocha asintió.

—¿En el teatro me dijo?

—Que tenga mucha suerte esta noche —dijo la gorda mostrando los dientes, de los que nos dedicó el último brillo antes de cerrar la puerta. El grandote se quedó mirando fijo un rato, retrocedió, tropezó con el bolso dejado en la vereda y estuvo a punto de irse al suelo. Pateó el bolso con furia, puteó y cuando levantó los ojos se encontró con los míos.

—¡Qué mira! ¡Qué carajo mira! —gritó.

No le contesté. Pegó tres o cuatro veces con el puño de la derecha contra la palma de la izquierda, dio un par de vueltas en redondo y por fin se sentó en el cordón de la vereda dándome la espalda.

—Es lógico —le dije—, tenía que acompañar a su padre, ¿no?

Encontró una ramita seca y estuvo haciendo dibujos en el polvo que se acumulaba sobre el pavimento.

—A las nueve tenemos que estar en el gimnasio —le recordé.

Se puso de pie con la agilidad de un peso pluma y el gesto, aunque fugaz, me transmitió la incierta esperanza de no haberme dado cuenta hasta entonces de lo que era capaz ese gigante cuando le tocaban el amor propio.

—Espéreme allá —dijo y empezó a cruzar la calle.

Levanté el bolso y corrí tras él.

—¿A dónde va? —le grité.

—A buscarla.

—¿Está loco?

No respondió. Caminábamos a paso redoblado por la vereda desierta. Cuando llegamos a la esquina lo tomé de un brazo lo más firmemente que pude. Me arrastró un par de metros pero al fin se paró.

—Le dijo que iba a esperarme, ¿no? ¿Por qué no me esperó entonces?

—Ya le dije. El doctor debe haberla llevado con él.

—Le voy a hablar —empezó a caminar a grandes zancadas otra vez.

—Está chiflado, cómo va a hablarle en una velada...

—La voy a pedir.

Volví a tomarlo de un brazo pero me empujó y se alejó un par de metros. Corrí y me le puse a la par.

—Cómo la va a pedir, Rocha, está loco... Después de la pelea...

—Ya mismo la voy a pedir. No me gustan las cosas a escondidas... le digo al doctor que somos novios y chau...

Se me acabó la paciencia y grité:

—¡Pedazo de boludo no se puede hacer un pedido de mano en una velada!

De un manotazo me tiró contra la pared. Trastabillé, perdí el cigarrillo, se me cruzaron las piernas y caí estirado a lo largo de la vereda. El bolso se me escapó de las manos y rodó hasta la calle. Me había golpeado una rodilla y la palma de la mano izquierda me ardía como una quemadura. Dos tipos que pasaban por la vereda de enfrente se pararon un instante pero enseguida siguieron caminando sin dejar de mirarnos. Me sentí ridículo y furioso. Rocha se paró tres metros más allá y con voz dura dijo:

—¿Qué carajo es una velada de gala?

Empecé a levantarme. La rodilla me dolía y apenas podía apoyar la pierna.

—¡Váyase a la puta que lo parió!

Se acercó y me miró con curiosidad, como si no entendiera que yo estuviese maltrecho por tan poca cosa.

—Vamos, no es nada. Lo agarré mal parado, nada más.

Había empezado a putearlo otra vez cuando se puso en cuclillas y empezó a sacudirme el pantalón.

—Ya está —dijo como tranquilizando a un chico—, no es nada, un rasponcito nomás.

Se puso de pie, recogió el cigarrillo, le dio una pitada y estuvo mirando cómo yo intentaba caminar otra vez.

—¿Qué es una velada de gala? —repitió.

—Puede ser un concierto, o algo así —dije.

Suspiró. Tendió la mano y me puso el cigarrillo entre los labios. Después fue a recoger el bolso y dijo, condescendiente:

—Está bien, si quiere venir conmigo, venga.

—¿Usted cree que estoy persiguiéndolo para que me deje ir con usted? ¿Se da cuenta de que usted es un estúpido? Estaba tratando de evitarle un papelón, de que se le rían en la cara.

—¿Quién va a reírse?

—La gente. Todos.

—Pero si yo soy sincero, yo la quiero...

—Eso no tiene nada que ver.

—Bueno, métale que no tenemos tiempo.

Lo seguí rengueando media cuadra pero cuando la caminata me calentó un poco la pierna el dolor se hizo llevadero. Pensé que a último momento, cuando viera lo que era una velada de gala, iba a cambiar de idea. Frente al teatro, sobre dos caballetes de madera, dos carteles anunciaban la actuación de Romerito y sus guitarristas. El hall estaba desierto y cuando empujamos las puertas de vidrio asomó el fragmento de una sinfonía que sonaba a Vivaldi. La música suavizó el ímpetu del grandote que empezó a caminar en puntas de pie. Se detuvo un instante y luego, con la cabeza, me hizo señas de que lo siguiera. Abrió la puerta de la sala en el momento que un violín se elevaba en busca del paraíso. Nos paramos hasta acostumbrar los ojos a la oscuridad. El teatro estaba repleto. Rocha miraba boquiabierto hacia el escenario. Había una docena de músicos y un director de orquesta pelado que agitaba la batuta y se movía con bastante agilidad. Cuando la orquesta entró en pleno, Rocha me miró e hizo un gesto indicándome que le parecía sublime. Después encaró por el pasillo en declive. Dio cinco pasos y la oscuridad lo borró por completo. Sus zancadas hacían crujir las maderas del piso a pesar de la alfombra. Yo podía ver la gente de las últimas filas moviendo las cabezas hacia el pasillo y adivinaba los gestos indignados. Vivaldi se fue con un quejido que quería ser de éxtasis y los músicos aflojaron los músculos. La gente aplaudió a reventar. El director de la orquesta saludaba agachando la cabeza hasta la cintura. El capitán Suárez apareció en el escenario con un uniforme militar de gala reluciente, se paró frente al director y le dio la mano mientras decía algo que el pelado agradeció con una inclinación de cabeza. Los aplausos llegaron al delirio y las luces se encendieron de golpe.

Al fondo del pasillo, Rocha repartía sus miradas entre el público que se había puesto de pie y el escenario. Parecía extraviado. Tomado entre dos fuegos, temeroso quizá de robar algún aplauso que no merecía, quiso remontar el corredor. Dio algunos pasos cuando debe haberse dado cuenta que los músicos podían tomarlo por un amargado que no aprobaba el sentimiento de entusiasmo general. Entonces se dio vuelta hacia el escenario y empezó a aplaudir. Caminaba de espaldas hacia donde estaba yo, intentando una retirada honrosa. Alguien gritó "bravo" y enseguida fueron muchos. Un señor de traje negro que estaba cerca mío reclamó un bis y su señora lo imitó arrastrando largamente las iii. El doctor Ezequiel Ávila Gallo subió al proscenio, saludó al director de la orquesta, después al capitán Suárez y se adelantó levantando las manos para pedir silencio. Vestido de frac era algo que valía la pena ver: esta vez el moño era negro, enorme, como si una gigantesca mosca se le hubiera parado sobre la camisa.

Aprovechando la expectativa provocada por la presencia del doctor en el escenario, Rocha dio los últimos pasos de espaldas y al tropezar con el bolso que yo había dejado en el suelo se dio cuenta que estaba a salvo.

—Un momento inoportuno —comentó, mientras seguía aplaudiendo. A pedido del doctor la gente se dispuso a escuchar y las manos de Rocha dieron las dos últimas, estridentes palmadas sobre el silencio inquieto que el doctor había aprovechado para decir:

—Me felicito. . .

Ávila Gallo tuvo que repetir.

—Me felicito —dijo con un tono casi femenino—, por ser el responsable de esta magnífica velada que las fuerzas armadas de la nación ofrecen hoy a Colonia Vela. Digo me felicito y no peco, señoras, señores, de inmodestia. Me felicito de haber descubierto en el teniente coronel Heindenberg Vargas además de un soldado ejemplar, un músico delicado y sensible. Un hombre que empuñó las armas en las horas más sombrías de la patria y hoy, cuando la paz y el respeto han sido restablecidos, empuña su simple batuta para regalarnos con estas maravillosas cuatro estaciones que el inmortal Vivaldi hubiera querido escuchar esta noche en la sublime interpretación de la orquesta de cámara del regimiento cinco de caballería aerotransportada.

Los aplausos resonaron otra vez. Yo miré el reloj y rogué que Rocha se hubiera olvidado de la pelea. Él aplaudía, pero esta vez vigilaba los movimientos de los otros para frenar a tiempo. Sobre el escenario iluminado, Ávila Gallo reclamaba un silencio que no quería. Por fin, la gente le dejó lugar.

—Pero es el capitán Augusto Suárez el artífice de esta velada de gala reservada a las fuerzas vivas de la ciudad, como también de los otros espectáculos que han sido organizados para la gente sencilla y laboriosa —sonrió y abrió los brazos—; porque como ustedes saben hay quien prefiere la rudeza de los puños a la sensibilidad del oído, así que Colonia Vela tendrá hoy boxeo y muy pronto su propio campeón mundial, surgido al amparo de la disciplina y el rigor de los caballeros del ejército argentino. Creo, señoras y señores, que aunque no podamos estar luego junto a él, el teniente primero Marcial Sepúlveda, que se bate esta noche frente a un hombre de la Capital, merece nuestro aplauso.

Empezaron a aplaudir. Sepúlveda, de uniforme, subió al escenario. Rocha se quedó duro.

—Ese pelea conmigo, che —murmuró.

Asentí. Se quedó mirando al escenario, sorprendido.

—¿Y a mí no me nombra? —dijo para sí mismo.

—Parece que no.

—Se acostumbra a presentar a los dos boxeadores, ¿no?

—Eso es en el ring. Parece que va a pelear contra todo el ejército, compañero.

Me miró. En sus ojos chiquitos estaba el asombro, pero también el brillo de la razón. Creo que por primera vez tuvo conciencia de lo que pasaría esa noche. La gente terminó de aplaudir. El capitán Suárez estrechó la diestra del teniente primero Sepúlveda mientras Ávila Gallo, con un tono que quería mantener la compostura, gritaba:

—¡Suerte, campeón!

Sepúlveda era un poco más bajo que Rocha: andaría en el metro noventa y tenía un cuerpo más estilizado y seguramente más ágil que el del grandote. Era rubio, su pelo estaba bien cortado y el uniforme le quedaba como a un galán del cine. Se adelantó ganando un discreto primer plano y dijo:

—Mi capitán, señores oficiales de las fuerzas armadas, señoras y señores: la ciudadanía y el ejército al que pertenezco con honra, me han otorgado una misión en un frente que por distintas causas ha estado siempre en manos de civiles. El frente deportivo. Allí estoy combatiendo y conmigo combaten todos mis camaradas. Como ayer en la guerra, donde vencimos con tantos sacrificios, hoy venceremos también en la paz. Pueden confiar en mí como siempre han confiado en los soldados de la patria. Pronto traeré a Colonia Vela la corona argentina y después la del mundo. Yo seré campeón y conmigo el verdadero país será campeón.

La gente empezaba a aplaudir otra vez cuando Rocha gritó:

—¡Campeón de las pelotas!

El encanto se rompió. Se hizo un silencio espeso y las caras de todo el teatro se volvieron hacia Rocha. En las primeras filas, donde estaban los acólitos del capitán, la curiosidad era más sigilosa, como si cada cual esperara la orden que le indicara cómo comportarse. En el escenario, el capitán seguía inmutable, esperando que Sepúlveda continuara su discurso. Rocha avanzó cinco metros por el pasillo y se plantó.

Miró cómo el público se revolvía en sus asientos, levantó un brazo y señaló al teniente primero.

—¿Vos y cuántos más son los que me van a ganar, pimpollito?

Ahora sí, con esa delicada palabra que había mantenido oculta de su repertorio habitual, se había ganado la audiencia. Creo que todos se olvidaron de Sepúlveda para interesarse definitivamente en Rocha. Menos el capitán, que seguía allí parado, guardando una estoica posición militar que quería ignorar la grosera invasión. Su voz sonó como un rayo:

—¡Continúe con sus palabras, teniente!

Sepúlveda, que tenía los ojos clavados en el grandote, casi pega un salto. Se acomodó, volvió a mirar de reojo a Rocha y dijo:

—Sí, mi capitán. —Después tartamudeó—: Un ejército que... que... quiere...

—¡Dale, alcahuete! —dijo Rocha, y su voz lograba tonos de ironía—, ¡chupale el culo al cabo, dale...!

La penosa degradación a la que Rocha sometió al capitán Suárez despertó la indignación general; alguien gritó "que lo echen", otro pidió "llamen a la guardia" y una mujer se atrevió con un "está borracho". El capitán Suárez se dio vuelta y lo miró por primera vez. No pude ver sus ojos, pero se tomó casi un minuto para reconocer a Rocha y murmurar algo a los músicos que, vestidos de riguroso negro, empezaban a dejar los instrumentos en el suelo para buscar otra cosa entre el saco y la camisa.

El doctor Ávila Gallo tomó la palabra.

—Amigos —dijo—, todos conocemos muy bien los escándalos que se preparan y se llevan a cabo antes de cada gran combate y leemos a menudo en la prensa las desagradables ocurrencias de hombres como Cassius Clay. Temo que el púgil capitalino, que tan correctamente se había comportado hasta hoy en Colonia Vela, quiera repetir aquí la degradante costumbre de la injuria y el insulto gratuitos a fin de colocar al teniente primero Sepúlveda en situación anímica desventajosa para el combate de esta noche. Todos estamos dispuestos a poner una cuota de humor para justificar su desatinada empresa, pero lo que no podemos permitirle es que sus injurias alcancen a las propias fuerzas armadas de la nación. . . .

—¡Me cago en las fuerzas armadas y en este pueblo de mierda! —gritó Rocha, y pocos percibieron que su voz ronca se desgarraba. Giró sobre sus pies y nos miró a todos. Al público, al escenario, al capitán y a mí. Tenía los ojos un poco mojados, pero yo hubiera jurado que no lloraba. Por primera vez quise que peleara, que fuera al ring y demoliera al presuntuoso teniente, que lo cortara en rodajas e hiciera pedazos la serenidad del capitán y los veleidosos sueños del doctor y los ciudadanos de Colonia Vela. Quizá lo haya percibido, porque me miró un rato largo, mientras por el otro pasillo llegaban una docena de soldados armados y corrían hasta el escenario. El público estaba ocupado en observar los desplazamientos militares: los colimbas se ubicaron en las esquinas de la sala con las armas en posición de alerta, rutinariamente. Pero todos sabían que el grandote estaba solo. Tres conscriptos vinieron a buscarlo.

No se resistió, pero tampoco los ayudó. Se dejó arrastrar, tironear, apuntar. Hasta que se paró, se sacudió los soldados como si fueran moscas y llamó con toda la fuerza de que era capaz:

—¡Marta!

Y otra vez:

—¡Marta!

Todas las Martas que había entre el público deben haberse inquietado, pero ninguna atendió al llamado de Rocha.

—¡Marta! ¡Te quiero, Martita!

Sobre el escenario, el director y los músicos guardaron sus pistolas de servicio y a gran velocidad retomaron sus instrumentos. El doctor Ávila Gallo pidió disculpas a la ciudadanía en nombre del ejército. En su voz había sorpresa y quizá también pena. En todo caso no por Rocha, porque miraba a la primera fila donde empezó a escucharse el llanto de una mujer.

PLINIO APULEYO MENDOZA

(Tunja, Colombia, 1932) hizo una larga y exitosa carrera en el periodismo, tanto en Colombia como en Venezuela y en Francia. En su patria dirigió *Acción liberal* y *Encuentro liberal*, y en Venezuela las revistas *Élite* y *Momento*, aparte de escribir para muchas publicaciones y de trabajar en información internacional (Prensa Latina). En Francia tuvo a cargo la revista literaria *Libre*.

Buena parte de esta carrera la hizo conjuntamente con Gabriel García Márquez y en estrecha asociación con el grupo de escritores y periodistas barranquilleros entre quienes este tunjano encontró su adecuada visión del mundo. Aunque la literatura fue una segura devoción desde muy joven, llegó tarde a la publicación. Su primer título, *El desertor* apareció en 1974, incluyendo un impecable relato sobre el universo escéptico y perdido que siguió a la derrota popular en las luchas internas colombianas y un conjunto de cuentos de una impetuosa escritura que recorrían las vías del hedonismo. Pero correspondería a su segundo título, *Años de fuga*, que obtuvo en 1979 el premio del concurso Plaza Janés para novela colombiana, constituirse en la "Educación erótica" de un cachaco en Europa, a manos de una más joven generación de "hijas del fuego", aunque también se ofrecería como un manual del escepticismo político que las derrotas de los setenta y la evolución del socialismo real inspirarían.

Viene trabajando en París, donde reside y ocupa un cargo diplomático, en una colección de estampas literarias sobre las personalidades que conoció e incidieron en su vida, a la cual ha titulado provisoriamente *Aire de familia*.

RETRATO DE GARCÍA MÁRQUEZ
[FRAGMENTO]

¿Dónde nos conocimos? En un café, hace muchísimo tiempo, cuando Bogotá era todavía una ciudad de mañanas heladas, de tranvías lentos, de campanas profundas, de carrozas funerarias tiradas por caballos percherones y conducidas por cocheros de librea y sombrero de copa.

Él debía tener unos veinte años y yo dieciséis.

Fue un encuentro rápido y accidental, que no dejaba aún prever amistad alguna entre tipos tan distintos: un muchacho tímido, de lentes, todavía con cara de niño, criado entre tías y paños oscuros en casas siempre glaciales, y un costeño cimarrón, que había crecido, vivido y pecado en el aire ardiente de las ciénagas y de las plantaciones de banano, a más de treinta grados a la sombra.

Veo el café aquel: un antro lúgubre de neón y humo, crepitante de voces, a toda hora lleno de estudiantes y empleados que matan el tiempo bebiendo café y hablando de política.

Estoy sentado con un amigo, Luis Villar Borda, entonces estudiante de primer año de Derecho, cuando alguien lo saluda estrepitosamente desde lejos:

—Ajá, doctor Villar Borda, ¿cómo está usted?

Y en seguida, abriéndose paso entre las mesas atestadas, vibrando sobre el funerario enjambre de abrigos y sombreros, nos sorprende el relámpago de un traje tropical, traje increíble, por cierto, color crema, de saco ancho de hombros, muy largo y ajustado en las caderas, que habría requerido un fondo de palmeras y quizás un par de maracas en manos de quien lo lleva con tanto desenfado, un muchacho flaco, alegre, rápido como un pelotero de beisbol o un cantante de rumbas.

Sin pedirle permiso a nadie, el tipo toma asiento en nuestra mesa. Su aspecto es descuidado. Una nuez inquieta le baila en la garganta al hablar. Tiene una tez palúdica, un lunar bruco en alguna parte de la cara y un bigote lineal. El traje de cantante de rumbas parece flotarle sobre los huesos.

Costeño, pienso. Uno de tantos estudiantes que vienen de la costa atlántica, cuya vida discurre en pensiones, cantinas y casas de empeño.

Villar me presenta.

Lanzando las palabras con un ímpetu vigoroso, como si fueran pelotas de beisbol, el tipo me sorprende con un inesperado:

—Ajá, doctor Mendoza, ¿cómo van esas prosas líricas?

Yo me siento enrojecer hasta la raíz del pelo. Las prosas líricas de que habla, escritas sigilosa y avergonzadamente como se escriben los sonetos de amor del bachillerato, han sido publicadas con atropellada ligereza por mi padre en "Sábado", un semanario de gran tiraje fundado por él años atrás. Inspiradas en temas tales como la melancolía de un domingo o los atardeceres de la sabana, prefiero creer que han pasado desapercibidas para todo el mundo.

Pero el tipo aquel parece haberlas leído.

No sé qué contestarle. Por fortuna, la atención del otro se ha desviado hacia la camarera, una muchacha desgreñada y con los labios intensamente pintados de rojo, que acaba de aproximarse a la mesa preguntándole qué desea tomar.

El otro la envuelve apreciativamente en una mirada húmeda y lenta, procaz, una mirada que va tomando nota del busto y las caderas.

—Tráeme un tinto —dice, sin quitarle los ojos de encima.

Luego, bajando la voz hasta convertirla en un susurro cómplice, apremiante:

—¿Esta noche?

La muchacha, que está recogiendo botellas en nuestra mesa, hace un gesto de fastidio.

—¿Te aguardo esta noche? —insiste el tipo, siempre con voz de susurro, a tiempo que su mano, al descuido, suave como una paloma, se posa en el trasero de ella.

—Suelte —protesta la mujer, esquivándolo malhumorada, y se va.

El recién llegado la sigue con la mirada, una mirada lánguida, salpicada de malos pensamientos, apreciando sus pantorrillas y el balanceo de las caderas. Inquietas cavilaciones le nublan la frente, cuando se vuelve hacia nosotros:

—Debe tener la regla —suspira al fin.

Luis Villar lo examina con agudas pupilas de risa. Bogotano, la manera de ser de los costeños lo divierte sobremanera.

Yo, en cambio, empiezo a ver el tipo con una especie horror.

He oído decir que los estudiantes costeños atrapan enfermedades venéreas como uno atrapa resfríos, y que en su tierra hacen el amor con las burras (y en caso de apuro con las gallinas).

Por mi parte, soy un puritano de 16 años, con una libido profundamente sublimada, que me hace propenso a los amores tristes y sin esperanza por mujeres tales como Ingrid Bergman o Vivien Leigh, que veo reír, temblar, llorar y besar a otros hombres en la pantalla del cine Metro.

Jamás se me ha ocurrido pasarle la mano por el trasero a una camarera.

Advierto que el tipo es un condiscípulo de Villar.

Cuando desaparece, tan inesperada, rápida y alegremente como ha venido, Villar me explica quién es.

—Ulises le ha publicado un par de cuentos en "El Espectador". ¿No los has leído? Se llama García Márquez, pero le dicen Gabito. Todo un caso. Un masoquista.

Yo no he oído bien.

—¿Comunista?

—No, hombre: masoquista.

—¿Qué es esa vaina?

—Masoquista, un hombre que se complace sufriendo.

—Pues a mí me pareció un tipo más bien alegrón.

—No, es un masoquista típico. Un día aparece por la universidad diciendo que tiene sífilis. Otro día resulta con que lo que tiene es tuberculosis. Se emborracha, amanece en los burdeles.

Villar se queda contemplando el humo del cigarrillo, que acaba de encender. Su tono es irremediable:

—Lástima, tiene talento. Pero es un caso absolutamente perdido.

Muchos años después, siendo amigo irrevocable del caso perdido, habría de conocer las circunstancias duras de su vida de estudiante y de su llegada a Bogotá.

Puedo ahora imaginar al muchachito asustado que años antes de nuestro primer encuentro se bajó del tren, verde de frío y envuelto en lanas prudentes, llevando todavía en la cabeza las impresiones de aquel primer viaje suyo a la capital: el zumbido del viejo barco de rueda que lo trajo río arriba desde la costa; la fulgurante reverberación de las aguas extendiéndose hacia las tórridas riberas donde a veces se escuchan algarabías de micos (su mundo, todavía); el tren que ha subido resoplando con fatiga por el flanco de una cordillera de brumas, para depositarlo de pronto en el crepúsculo de una ciudad yerta y gris, con sus tranvías llenos de hombres tristes, y sus esquinas, también de hombres tristes, con ruanas unos, con trajes oscuros, sombreros y paragüas los otros, mientras suenan las campanas del rosario y luces amarillas y como ateridas en el primer frío de la noche se van encendiendo en las calles.

Llevado por su acudiente en un taxi, el caso perdido, niño aún, se echó a llorar. Nunca había visto nada tan lúgubre.

Puedo imaginar el pueblo triste adonde fue conducido luego, Zipaquirá, y el liceo aquel, una especie de convento, el olor sepulcral de los claustros, las campanas dando la hora en el aire muerto de las tierras altas, durante tantos domingos en que, incapaz de afrontar la tristeza de aquel pueblo, tan lejos de su mundo ardiente y luminoso del Caribe, se quedaba solo en el liceo leyéndose una novela de Salgari o Julio Verne.

Puedo imaginar también sus tardes de domingo en Bogotá, años después, cuando, estudiante de Derecho y viviendo en una pensión de la antigua calle Florián, leía libro tras libro sentado en un tranvía que recorría la ciudad de sur a norte, luego de norte a sur.

Mientras el tranvía aquel avanzaba lento en la soleada tarde de domingo, por calles que las multitudes aglomeradas en el estadio de fútbol o en la plaza de toros habían dejado vacías, el caso perdido (me lo contaría mucha veces), con sus dieciocho años maltratados por ansiedades y frustraciones ardientes, tenía la impresión de ser el único en aquella ciudad sin mujer con quien acostarse, el único sin dinero para ir al fútbol o a los toros, el único que no podía beberse una cerveza, el único allí sin amigos, sin familia.

Era lo que pensaba; era lo que sentía entonces. Para defenderse de aquel aislamiento, de aquella marginalidad aguda, escribía.

(Escribo para que me quieran más mis amigos, diría mucho tiempo después. En el punto de partida, se escribe para ser amado, ser estimado, ser comprendido.)

También para defenderse de aquel mundo de cachacos sombríos, de modales almidonados, que lo miraban como a un ave de otro planeta, el caso perdido afirmaba su desenvoltura y su "sans façon" de costeño. Entraba en los cafés, saludaba con voz fuerte, se sentaba sin pedirle permiso a nadie, le echaba mano a la camarera y, si podía, amanecía con ella en algún cuarto.

Pero era un tímido, en el fondo; un solitario, que prefería Kafka a los tratados de Derecho Civil, y escribía cuentos sigilosos en su cuarto de pensión, cuentos que hablaban de su pueblo bananero, de alcaravanes y trenes amarillos.

En suma, el costeño aquel con traje de cantante de rumbas y zapatos color guayaba, era un hermano. Pero yo no lo sabía entonces.

Tampoco lo sabría años más tarde cuando, viviendo en París, volví a encontrarlo, no personalmente, sino fotografiado en un periódico colombiano con motivo de la aparición de "La Hojarasca", su primera novela.

Había abandonado, al parecer, los trajes tropicales, pero no el bigote, que seguía siendo fino e inspirado como el de un romántico cantante de boleros. Ahora vestía de negro, de un negro férreo y modesto, y usaba una corbata de nudo ancho y triangular, y al cruzar la pierna, como lo hacía en la foto, dejaba ver un par de calcetines breves.

Tenía la meritoria corrección de un empleado de banco, de un secretario de juzgado o del reportero que era entonces. (Uno adivinaba en la foto la caspa, los dedos manchados de nicotina y el barato paquete de cigarrillos negros al lado de su máquina de escribir, en la sala de redacción.)

Su aspecto y el título del libro me hicieron pensar que era un mal novelista.

Pensé en uno de esos novelistas llegados de la costa, que escribían entonces libros llenos de mulatas y botellas de ron, de atarrayas y canoas, con diálogos imposibles, tal era el colorido empeño que mostraban en transcribir las palabras como las pronunciaban los protagonistas.

(Algo así como: "Ejtaj caliente, mulata. Me gu'ta ve'te bailá.")

Desde luego, aquel idioma se parecía fonéticamente más al griego que al castellano.

Cambié de opinión cuando leí "La Hojarasca", que me fue enviada desde Bogotá por Luis Villar. "Naturalmente con las exageraciones propias del país, aquí están hablando ya de un Proust colombiano", decía Luis.

"No, no es un pichón de Proust, pensé después de leer el libro, sino un pichón de Faulkner."

Muy poco después de haber leído yo "La Hojarasca", su autor apareció en París.

Nos encontramos en un café del barrio latino. Era una brumosa tarde de invierno, a fines de 1955, y la impresión que me produjo no fue buena.

Poco parecido tenía con el muchacho vivo y ligero que había conocido años atrás. Ahora se daba importancia. Enfundado en un abrigo color camello con tirabuzones de cuero, bebiéndose una cerveza que le dejaba en el bigote huellas de espuma, tenía un aire distante. Su mirada era fría: se fijaba en el vaso de cerveza o en el humo del cigarrillo, ajena por completo a los estudiantes colombianos sentados alrededor suyo.

Me pareció un tipo lleno de suficiencia.

Hablaba de su viaje a Ginebra, como enviado especial del diario colombiano "El Espectador" a una conferencia en la cumbre entre soviéticos y norteamericanos. Parecía más orgulloso de esta misión que del éxito obtenido por su primera novela.

Yo estaba con dos amigos, Arturo Laguado y Carlos Obregón, que como yo habían leído "La Hojarasca" y querían hablar de ella con su autor.

Hombre profundamente distraído, acostumbrado a seguir el hilo de sus propias reflexiones, Obregón resultó hablando del libro sin que el tema viniese a cuento.

"La hojarasca", dijo, quitándose su eterna pipa de los labios, había sido excesivamente influida por Faulkner. La técnica de los monólogos alternativos era la misma de "Mientras yo agonizo".

Yo, por mi parte, observé simplemente que había un capítulo de más en el libro. Era bueno, pero marginal en relación al resto.

Sentí que la mirada de García Márquez se volvía hacia mí, sorprendida.

—¿Cuál? —preguntó.

—El de los tres muchachos que van al río.

Parpadeó ligeramente. No dijo nada de inmediato, observaba su vaso de cerveza con una cara que parecía de piedra. ¿Lo había pensado ya? Me pareció que sí: el capítulo en cuestión era un injerto, diestramente adherido al monólogo de un personaje. Que alguien haya visto las puntadas de sutura de aquel injerto literario debía sorprenderlo.

—Nadie me ha dicho esto en Colombia, dijo al fin.

No era un reproche, sino una especie de reconocimiento.

Desde entonces, creo, aún antes de ser amigos, estaba predestinado a ser uno de los primeros lectores de sus manuscritos.

Era la noche de navidad, recuerdo. La navidad de 1955.

Él estaba recién llegado; estaba solo; estaba perdido en aquel París lleno de bruma, de frío, de luces.

Así que pese a sus humos, lo llevamos a casa de Hernán Vieco y de Juana, su mujer, en la rue Guenegaud.

Exactamente en el 17 de la rue Guenegaud.

Es un lugar al cual quedó asociada para siempre nuestra vida de estudiantes en París.

Hoy, tantos años después, algo me sucede por dentro cuando paso por allí, por la estrecha calle de galerías y almacenes que venden tótems y collares africanos, y me detengo ante el número 17.

Basta empujar la pesada puerta que gime al abrirse sobre un vestíbulo húmedo y oscuro como una cripta, donde siempre hay un coche de niños abandonado; basta sentir el olor aquel, intenso y rancio, olor a desván, a cosas guardadas durante mucho tiempo, que uno respira mientras sube por una escalera de peldaños crujientes y decrépitos pasamanos de hierro, para recobrar, temblando, con una emoción absurda que apresura los latidos del corazón y trastorna como vino bebido de prisa, el recuerdo de aquellos años, cuando París era también para nosotros una fiesta.

Si un hada pudiese devolvernos todo lo de entonces, tendríamos de nuevo la estufa de hierro ronroneando apaciblemente en un rincón de la pieza como un gato, y despidiendo un calor que nos saca de los huesos el frío y la humedad de las calles.

Tendríamos de nuevo los estantes hechos con ladrillos y tablas, lámparas que siembran aquí y allá luces tibias, iluminando de pronto una viga o un afiche de Leger, la ventana abierta sobre la ciudad quieta y brumosa en la noche de invierno (buhardillas, tejados, una cúpula iluminada), y Hernán, una chaqueta de pana, dos cejas espesas sobre ojos amarillos a veces fosforescentes de risa, que se levanta para recibirnos, qué tal, hombre.

Juana, entonces su esposa, volvería a ser la adorable muchacha norteamericana que fue, de pelo muy corto, nariz delicada y unos ojos como de porcelana azul, incapaces de admitir una mentira.

Juana Teresa, la hija de los dos, hoy enfermera en algún lugar de California, volvería a su cuna de bebé (una caja de madera, de esas que en París sirven para transportar manzanas), y habría gran riesgo de que en un momento de la noche se despertara asombrada viendo tanta gente, gente joven en todos los rincones de la pieza, hablando y riendo.

En un rincón, sentado en un sillón tapizado de rojo, estaría de nuevo Arturo Laguado, el doctor Laguado, de ojos pálidos y alarmados sobre una barba negra cortada con infinito esmero, pobre como nadie, pero llevando con la arrogancia de un antiguo caballero español su pobreza de desván de sexto piso.

Más lejos, siempre distraído, Carlos Obregón (que poco después moriría para convertirse en un fantasma de un pueblo de las Islas Baleares donde yo viví) estaría enredado en imposibles discusiones metafísicas con una muchacha pálida, francesa, marchita como una flor que no ha recibido aire y luz, mientras la fiesta hierve y chisporrotea en torno suyo.

Si el hada pudiese hacer el milagro, tendríamos sobre la mesa, servido en un gran plato de madera, el pernil de cerdo con dientes de ajo que ha estado horneando largo tiempo, una ensalada fresca, pan caliente y crujiente y un gran porrón de vino de Burdeos que va llenando vasos.

Había también los quesos en su punto comprados en la rue de Buci y las uvas y peras dulces recogidas en aquel otoño, y luego, con los cigarrillos y el coñac, pasando de mano en mano, una guitarra.

Escucharíamos otra vez canciones de sierras y arrieros tristes de Atahualpa Yupanqui, cantadas por Vallecilla, y más tarde, en la dormida madrugada que ahí afuera es frío, niebla, tejados y silencio, los vallenatos de Rafael Escalona ("oye morenita me voy a quedar muy solo"), cantados por quien ya entonces habrá dejado de ser García Márquez, el reportero lleno de humos recién llegado a París, para convertirse simplemente en Gabo, el Gabo pobre y fraternal de aquellos tiempos.

¿Cuándo se produjo el milagro? No fue todavía aquella noche de navidad, en casa de los Viecos, sino tres días después, cuando cayó en París la primera nevada del invierno. Aquella noche García Márquez siguió siendo el glorioso enviado especial, que había estado en Ginebra, en Polonia y en Roma.

—¿Por qué trajiste a ese tipo tan horrible? —me preguntó Juana en voz baja cuando nos disponíamos a salir.

Juana tenía un peligroso rigor para juzgar a la gente.

—¿Te parece horrible, realmente?

—Se da importancia —dijo ella. Por sus ojos azules pasó una expresión de disgusto—. Además, apaga los cigarrillos en la suela del zapato.

Tres días después, la nieve borraría para siempre aquellas impresiones.

La primera nieve del invierno.

Seguramente empezó a caer mientras comíamos en un restaurante próximo a la plazuela de Luxemburgo. Pero no la vimos. No la vimos por la ventana, sino en la puerta, al salir, y era deslumbrante y silenciosa, cayendo en copos espesos que brillaban a la luz de los faroles y cubrían de blanco los árboles, los automóviles, el bulevar, la plazuela y la fuente de piedra que hay en el medio; el aire de la noche era limpio y glacial; olía de pronto a pinos de montaña; lavada de humores, rumores y colores, la ciudad se envolvía suave y lujosamente en aquella nieve como una bella mujer en una estola de armiño.

García Márquez quedó de pronto extático, fascinado por aquel espectáculo de sueño.

Nunca había visto la nieve; nunca. ¿Dónde habría podido verla antes?

Para un muchacho nacido en un pueblo de la zona bananera, donde el calor zumba como un insecto y cualquier objeto metálico dejado al sol quema como una brasa, la nieve, vista tan solo en los grabados de los cuentos de Grimm, pertenecía al mismo mundo de las hadas, de los elfos y de los gnomos, y los castillos de azúcar en medio del bosque.

Voilà por qué el glorioso reportero y prometedor novelista recién llegado, viendo la nieve, la nieve cayendo, brillando, cubriéndolo todo de blanco, salpicándole el abrigo, tocándole el bigote y el pelo y besándole la cara, se estremeció igual que una hoja a punto de ser arrebatada por una ráfaga de viento. Le tembló un músculo en la cara.

"Mierda", exclamó; y echó a correr.

Corría y saltaba de un lado a otro, por el andén, bajo la nieve, levantando los brazos como los jugadores de fútbol cuando acaban de anotar un gol.

Parecía un niño.

"La nieve, carajo, la nieve", decía, y los ojos le brillaban como si fuese a llorar. De júbilo.

Volvía a ser de pronto el muchacho alegre y rápido que había visto años atrás, el pelotero de beisbol, el cantante de rumbas, el costeño cumbanchero. Gabo y no García Márquez.

Todo lo que Bogotá había querido poner encima de su personalidad (la compostura, la distancia, la importancia insufrible), se lo llevaba la nieve.

El más prometedor de nuestros jóvenes autores, heredero de Proust, de Kafka y William Faulkner, con un profundo anclaje en la angustia contemporánea según nuestros críticos; el hombre que ellos, impenitentes cachacos llenos de retórica, veían buscando una dimensión cósmica de la soledad y planteándose los profundos interrogantes de la condición humana, corría y brincaba como un mico por el bulevar Saint Michel.

"Menos mal que es un loco del carajo", pensé con alivio.

Desde aquel preciso instante somos amigos.

Muchas cosas nos han ocurrido desde entonces. Hemos visto nacer y morir sueños. Hemos visto pasar y desaparecer amigos. Nos han salido canas. Hemos vivido en muchas partes. Nos hemos casado, hemos tenido hijos. Él se ha vuelto rico y célebre. Yo me he vuelto pobre. Juntos, hemos recorrido muchas partes del mundo. Hemos perseguido jóvenes alemanas por las calles sombrías de Leipzig. Hemos atravesado toda Europa en tren, de pie, en un vagón atestado, muertos de hambre y de fatiga. Hemos viajado por la Unión Soviética como falsos integrantes de un grupo de danzas folclóricas. Hemos vivido en Caracas tormentosas jornadas de reporteros cuando cayó Pérez Jiménez. Hemos pasado toda una noche sentados a los pies de un hombre que en la madrugada sería sentenciado a muerte, en La Habana. Hemos trabajado juntos en Bogotá, por largo tiempo, como representantes de una agencia de noticias. Hemos bebido tequila oyendo a los mariachis de plaza Garibaldi, en México. Hemos pasado todo un verano en las rocas volcánicas de la isla de Pantelería, con sus dos hijos, que son mis ahijados, y Mercedes, su mujer, que es mi comadre, bebiendo áspero vino siciliano y oyendo música de Brahms frente a un mar con siete tonalidades de azul. Hemos recorrido muchas veces las calles del barrio gótico de Barcelona, y hablado y hablado, y discutido acerca de todo, y siempre soy uno de los primeros en recibir sus manuscritos, y en este terreno sagrado, que es la literatura, donde no caben las mentiras, siempre le he dicho la verdad como él me ha dicho la suya.

Todo ello desde aquella noche, cuando vio la nieve por primera vez y sin importarle ser tomado como un loco se puso a saltar.

A saltar y a correr.

[De: *Aire de familia,* libro en preparación.]

RAFAEL HUMBERTO MORENO-DURÁN

(Tunja, Colombia, 1946) ha tenido una estricta formación universitaria, tanto por su graduación en Derecho y Ciencias Políticas por la Universidad Nacional (Bogotá) aunque nunca ejerciera la carrera, como por su actividad de docente y conferencista en diversas instituciones educativas, ocupaciones que apuntan a su alerta curiosidad intelectual en muy diversos campos de la cultura.

Su exclusiva concentración en las letras se inició tempranamente y se consolidó desde su instalación en Barcelona en 1972, trabajando en la órbita de revistas y editoriales (*Camp de l'Arpa, El viejo Topo*) y desarrollando un profesional plan de escritor, del que hasta la fecha han procedido tres libros y una importante cantidad de ensayos y crítica.

En 1976 apareció simultáneamente su libro de ensayos *De la barbarie a la imaginación* que es una libre interpretación de las letras hispanoamericanas desde la perspectiva de un escritor presente, y una novela, *Juego de damas.* En 1980 ha agregado la segunda novela, *El toque de Diana,* de la trilogía que proyecta en torno a la mujer y cuyo tercer título ya tiene adelantado: *Finale capriccioso con Madonna.* "Prefiero que me definan más por mi estilo que por el contenido aparente de mi obra" ha dicho, agregando: "Creo que si hay algo sobre qué escribir es sobre el eterno tema de la condición humana y que si el enfoque es acertado lo que menos importa es el marco, siempre ineludiblemente social." Por esta desconfianza a la militancia ideológica del escritor, afirma: "Cuando a la literatura se le da un rótulo de índole político, social o cultural, se bastardean *in nucleo* sus posibilidades ecuménicas y todo degenera en alegato partidista, sea la causa la revolución, el feminismo, la ecología o cualquier otra preocupación social."

EL TOQUE DE DIANA

Cuando usted y yo hacíamos el amor, la Muerte le ganaba una partida de ajedrez al Caballero del Séptimo Sello. Fiel a la verdad, he de reconocer que muchas cosas fueron posibles entre..., el Mayor detiene su lectura, se rasca la cabeza y —No me creas tan ingenuo, dice— rompe la carta ante el desmesurado asombro de la mujer, hasta ahora firme y buen cuadro a su lado, aunque todo se precipita pues el rotundo gesto que acaba de golpear su vanidad no le deja otra salida que la que durante estos últimos meses se ha visto obligada a tramitar a solas. Agravios y recuerdos, dudas, proyectos abandonados, ¿qué era todo eso sino una mínima cuota en el vasto testimonio de su descalabro? Augusto Jota se da mediavuelta, se palpa, extiende el brazo y con el índice tenso hace suya en el silencioso espacio de su alcoba la vieja certeza del gran hombre, pues también él ha llegado a creer sólo en los relatos de los testigos que han muerto en la batalla. La mano abandona su rigidez, el brazo se relaja, cae y él intenta erguirse una vez más pero una secreta voluntad de entrega le exige, como ayer, amplio tributo. El credo diario se repite y el Mayor se ve perseguido, atrapado, hundido en los médanos de su memoria: ¿cuántas veces al día —y cuántos días— ha sopesado los móviles de su desgracia? Coloca las manos debajo de la nuca y se deja ir mientras observa los arabescos ligeramente iridiscentes de la lámpara, los cromos del calendario, las miniaturas entrelazadas en un juego de nervios y piensa en un reciente pasado de gobelinos y tapices, en largos corredores y amplios gabinetes y, cómo no, piensa también en los motivos de su postración presente. A la izquierda, separado apenas algunos metros de su cama, el inmenso armario aparece pletórico de recuerdos agresivos, lleno de guiños y vestidos, atento siempre al orden del día como si fuera un avieso argumento de lo irremediable. De igual forma a como cierto incisivo filósofo guardaba un abrigo agujereado por un navajazo para recordar que el pensamiento no siempre es amado por los hombres, Augusto Jota conservaba la totalidad de sus uniformes a fin de no olvidar que la dignidad debe ser mantenida y defendida a como dé lugar así pesen en su contra las más oprobiosas circunstancias. Jamás creyó, fuerza es decirlo, que esa dignidad apolillada, deshilachada y con olor a trapo viejo pudiera menguar el supremo valor destinado a sustentar la fidelidad a la causa y, antes bien, cifraba en esta vocación de nostálgico trapero las razones de su más empecinado y edificante orgullo. Los trajes de gala, en consecuencia, todavía cargados de insignias y condecoraciones, permanecían impávidos y pulcros con todos los arreos propios del rango, firmemente asidos a la acariciada y nunca del todo rechazada idea del reingreso al Cuerpo. Al principio, y en atención a una hermosa prueba de solidaridad, Catalina ajustaba y daba lustre a los alamares del dormán, como decía con voz reminiscente, aireaba, cepillaba, planchaba casi semanalmente los uniformes y otra vez los colocaba en su lugar mientras aguardaba esa oportunidad que, ella más que el Mayor, con los pies sobre la tierra y la mirada al frente, había alimentado en secreto y que, para ser sinceros, constituía el único acuerdo en esta relación tan desvencijada y extrema, pues a nuestro matrimonio no lo salva ya ni el que sabemos. Mientras tanto, y hasta que no ocurra algo que pueda alterar el espléndido desbarajuste de la casa, los trajes han de continuar ahí, bajo el constante asedio de las polillas y los olores de claustro, aunque es preciso reconocer que tras el abusivo gesto del yacente la paciencia de la mujer ha llegado por fin al límite y, bien vistas las cosas, transcurridos estos siete inexplicables meses, las insignias y todo lo demás han terminado por importarle lo que se dice un bledo. El lapso ha sido demasiado largo y la vela de armas tan intensa que ella, gracias al genio de su prócer, incluso llegó a perder en el trayecto hasta su propio nombre. ¿En qué momento fue que a este desgraciado se le ocurrió apodarla Bagre? Así la situación, opta por las maletas y observa con postrera curiosidad a Augusto Jota, tal vez atrapado por el mal sutil, extraviado en quién sabe qué inaccesibles esferas. ¿Cómo pude verme enredado en ese asunto tan feo?, se arranca los pelos el Mayor. Lo cierto es que no cabía suponer siquiera que fue, como llegó a insinuarse, sacrificado, pues ese cuento de víctima propiciatoria a lo Dreyfus no se lo creía ni él mismo así hubiera sido una de las piezas más zarandeadas del preclaro escándalo. No sólo el Departamento de Presupuesto y Finanzas había sido declarado en entredicho, sino también las fichas claves del Ministerio, incluidos el factótum Traslaviña y la División de Administración, Intendencia y Servicios varios, conjuntamente con el Teniente General Gonzaga, ánade real de la Compañía Acorazada Número Tres, y demás superiores jerárquicos del castrense. Cerca de ciento treinta millones se habían esfumado como por arte de magia y nadie sabía ni mú ni cómo ni a partir de cuándo, qué lío tan madre: enjuiciamiento público, convocatoria urgente en la comisión respectiva del Congreso, histeria democrática del Presidente, automática cesación en los cargos hasta que se instruyera el sumario y todo lo demás, incluyendo una rápida limpieza administrativa, pero de los millones nada. Y, como si fuera poco, ahí está ahora esa gente de la izquierda escarbando y echándole vinagre y sal a la sensible herida, pues a la sustracción de los caudales públicos hay que agregar también la cadena de jugosísimos sobornos en la compra de un sofisticado escuadrón de cazas del tipo interceptor todo tiempo, así como de la fraudulenta facturación de equipos que se hicieron pasar como implementos para aparatos de la denominación estatorreactor e incluso, como si los tiempos no cambiaran en este país, repuestos para los modelos de propulsión a chorro —los peritos de la División Técnica del Estado Mayor del Aire juran no saber nada del asunto—, cuando en realidad se trataba de material para los ya clásicos aunque todavía en activo trastos de turbohélice: bien se ve que los altos jerarcas decidieron esta vez untarse hasta la mitad del cuello. El Mayor sabía que por asuntos menos importantes sus colegas se volaban la tapa de los sesos pero en este enredo parece que todo el mundo se hace el de que la cosa no es conmigo y es mejor que digan quién o quiénes son los responsables del peculado o aténganse a las consecuencias. La enorme cifra aparecía en un rojo impresionante en la columnita dedicada a los haberes pasados a mejor vida, embrollo tan complicado que no lo resolvía ni Mandrake el mago. El asunto es que, tras el descubrimiento del ilícito, como decía la prensa, se montó un consejo de guerra con cocktail de apertura y todo y al que sólo por cumplir con la manía adánica de sus compatriotas de darle nombre a las cosas llamaron Consejo del Siglo, pero qué va, se lamentaban los de platea, eso no es más que una treta para quitarle importancia al chanchullo mucho más grave del tráfico de influencias y cohecho, sí, cosas propias de la más cara tradición patria: demasiado ruido, como siempre, y después nada. Y a propósito de la patria, Augusto Jota —diestro conocedor de los pormenores de la geopolítica en relación con la estrategia— descubrió un día, en medio de una soporífera clase en la Academia, que este país a causa de los nombres altisonantes de sus villas y de sus poco modestos gentilicios, parecía un apretado episodio registrado en una página cualquiera de la Biblia o incluso un mapa a escala, denso y prolífico, de las zonas más diversas del oriente medio, del Asia menor o de la historia clásica. Enfrentado a una vasta cartografía de aldeas infelices, bautizadas y educadas tan presuntuosamente —a lomo de mula y a través de la cordillera un intelectual transportaba un piano para difundir los arpegios de los valses de Strauss entre las doce tribus—, el Mayor atrapó la verdadera imagen de lo que a ojos de las naciones de la gentilidad encarna la más alta expresión del Estado Teocrático —prelados, castrenses y seglares del feble sexo constituyen, en efecto, una aleccionadora, incuestionable y casi mística jerarquía—, aunque tal definición no logra disimular la dignidad que nos hace superiores a los demás gracias a hábitos tan afortunados como cuando nuestros políticos se mientan la madre en inglés con acento de la city o cuando las reinas de belleza menosprecian a las feas en latín: la mediocridad hecha sublime canto, se desliza el Mayor, la hez summa cum laude, concluye mientras intenta acomodarse, pero es entonces cuando descubre los trozos de papel, la vieja carta de batalla que hace apenas un rato, después de haber regresado de su enigmático periplo por la calle, decidió romper, incapaz de releer siquiera. Ciertamente, tras la prolongada postración amaneció hoy con un humor de lo más raro, cariñoso e inquieto, y ante el fino estupor de su mujer saltó de la cama, se arregló de civil como si fuera a tomar posesión de un alto cargo, tengo que hacer una consulta, perfumado y sonriente comprobó la pulcritud de su pinta, la elegancia de un oficial de carrera aunque esté retirado no es moco de pavo, vuelvo a la hora del almuerzo, dijo mientras ordenaba unos papeles que, casi a escondidas, procedió a guardar en el portafolios de los grandes proyectos, hasta luego. Catalina, virgo fidelis hasta que no se demuestre lo contrario, suspiró profundamente, pues la verdad es que estaba decidida a no soportar un minuto más la conducta de su marido y aún contrariando al jesuita —En tiempos de tribulación no hacer mudanza— ya se disponía a largarse definitivamente de esta casa, decisión que aplaza al ver salir a su hombre de perfil y altivo, como pocos. Su alegría no dura mucho y a punto está de caer fulminada cuando a los pocos minutos el soldado regresa radiante de su empresa, dice un par de cosas sin sentido, desafiante y artero, y vuelve a meterse en la cama dispuesto a iniciar una nueva temporada de quién sabe cuántos meses. Al asombro sucede la furia —¿A dónde te largaste, desgraciado, y me dejaste con gemido?— y luego la convicción de que esto no hay quien lo entienda, así que la mujer opta por la salida más digna, y entre más pronto mejor. Pobre Catalina, las cosas que ha tenido que soportar, pero en el fondo se las merece, piensa el Mayor, pues ¿quién le ha mandado ser tan insolente, tan sobrada del lote, tan jodida conmigo? Augusto Jota recuerda que, años atrás, un jueves santo y a falta de mejores recreos decidió sofaldar como Dios manda a su señora aunque de aquella jornada su memoria sólo puede recuperar con énfasis un par de cosas: a) que al principio Catalina se mostró un poco reacia y desapacible, actitud que depuso luego de arrancarle una cualquiera de las siguientes promesas: dos semanas en Flandes, el aval de un empréstito mayor para ampliar la boutique, o una suscripción vitalicia a Harper's Bazaar con su correspondiente cena de celebración en el Elsinor, por ejemplo, y b) que mientras galopaban alcanzó a vislumbrar con pasmo y dolor cómo su mujer se deleitaba con las secuencias de una de esas películas que abusan de la espada y la cruz que en esos mismos momentos, con todo lujo de detalles, despliegue y mise en scène, emitían por televisión. Después de la breve pero violenta ruptura la primera frase de la carta que le envió fue altamente memorable, como memorable sigue siendo el escándalo del Ministerio. La verdad es que durante cuatro sucesivas vigencias fiscales —bramaba el Contralor— gruesas sumas eludieron la malicia de los peritos del inventario anual y pasaron a atiborrar quién sabe qué faltriqueras verde oliva. Del inquisitivo, exhaustivo, capcioso interrogatorio no se salvó nadie, ni Manrique ni Andrade ni los de Logística y hasta el último de los empleados supernumerarios del Departamento cayó bajo las garras de los investigadores oficiales, pero nada, la sagacidad de los sabuesos también se volvió humo. Y como las grandes crisis precisan grandes soluciones los expedientes engordaban día a día con declaraciones y coartadas —los de la Cuarta Región Aérea y el mando táctico respectivo, acusados de embolsillarse primas y bonificaciones nada claras, insisten en ignorar la identidad del benefactor y el monto del presunto obsequio— pero del escándalo no se consignaba ni una pista, la mierda que sí supo tapar el gato. Periódicamente desaparecían instructores y aparecían otros, como si la investigación fuera una carrera de relevos o algo parecido. Amigo, su cara no me gusta nada, adiós; a ver, venga usted y encárguese de esto y mucho cuidado con hacer declaraciones alarmistas a los gorilas de la prensa. Y al final, claro, como ya había ocurrido con el Plan Simpático, nadie tenía idea de lo que pasaba en el Ministerio y hasta llegaron a decir que los políticos de la oposición querían desacreditar a las Fuerzas Armadas, siempre fieles a la tradición jurídica e institucional del Estado. Así, pues, la cuestión no ofrecía vuelta de hoja: o le echan tierra de una vez a ese asunto o qué tal les parece un buen cuartelazo, ya que, vista nuestra indolencia ante el deterioro del principio de autoridad, cualquiera es capaz de creer que los militares de este país somos los más tarados del hemisferio. Y aquí los núcleos más susceptibles y exaltados estuvieron a punto de transgredir la deontología solemne entronizada por el menos resabiado de los comandantes de las fuerzas de tierra, mar y aire que, para salir al paso de especies e infundios tendenciosos, declaró en su día ante el altar de la patria en el Campo de Marte que un golpe de Estado en nuestro país constituía no sólo una metedura de pata de imprevisibles consecuencias sino lo que con extraña convicción llamó un Imposible Ético. Lo que ocurre es que los extremistas juegan con fuego y aprovechan la tolerancia de nuestro talante democrático para difundir calumnias desestabilizadoras cuya procedencia todo el mundo conoce, pues lo cierto es que aquí no se le quiebran las piernas a nadie ni se conoce la picana ni se obliga a hablar a quien no quiere ni se detiene a la gente por discrepancias de opinión —En este país el único preso político soy yo, dijo el Presidente— ni se coarta el libre albedrío ni existe discriminación por juicios de conciencia ni se le jode la fiesta a nadie ni nada de nada. Ciertamente, de aquí a la eternidad sólo hay un paso y el desorden y la sedición son vocablos expulsados de nuestros diccionarios y si alguien lo pone en duda basta con que se remita a los incidentes de ese tímido pronunciamiento que durante algunas horas promovió el General Escalante en la guarnición de Tolemaida y que, como se dice en la jerga castrense, fue rápidamente abortado. Cuando Catalina oyó la noticia por Radio Cadena Nacional, la voz ecuánime del día, se la comunicó a Augusto Jota tan pronto salió éste de la ducha, matizando de paso algunos de los episodios de la frustrada insurrección. Los cabecillas de la aventura han sido derrotados, dijo, aunque quizás sea más lícito agregar que lo hizo con uno de esos habituales e impecables latinajos que tanto celebraba su marido, al menos cuando lo sorprendía de buen humor, Capita coniurationis percussi sunt. En efecto, los conocimientos que del latín tenía Catalina —señora extraordinariamente inteligente, de actitudes y razonamientos tan contundentes y certeros que allí donde se sentaba jamás volvía a crecer la hierba— eran tales que incluso se decía por ahí que a menudo encontraba errores de sintaxis en la Rerum Novarum, pésimas declinaciones en la Mater et Magistra y hasta un infame uso del ablativo en la Populorum Progressio. No está de más agregar aquí que, según la versión oficial, entre las afinidades por las cuales Augusto Jota y Catalina se enamoraron estaba el hecho de haber descubierto un día que ambos eran devotos practicantes de la lengua de los césares, ella por su largo cautiverio entre los preceptores y monjitas del Sacre Coeur, él por su periódica consulta a Tito Livio o por su obligada recapitulación de las hazañas de otro Tito (Flavio Vaspasiano), narradas por otro Flavio, también conocido por Josefo, aunque lo cierto es que en estas cuestiones de la lengua —entre Titos y Flavios se nos quiere ir la tarde— nunca se sabe a dónde va a parar la cosa. De todas formas, y hablando sólo para los de entera confianza, la verdad es que la inclinación del Mayor por el latín comenzó cuando —aun corriendo el riesgo de atraer sobre sí la mirada admonitoria y cargada de sospechas de sus superiores para quienes darse en entender a través de lenguas difuntas era tanto o más reprobable que la deserción— descubrió que la vieja sentencia Semen retentus venenum est (vulgo: si no fornicas te pudres) encerraba una razón tan convincente que lo obligó a matricularse en secreto en un curso sobre la dulce y ágil lengua a la que tanto partido le sacaron Bruto y Escipión. Catalina, por su parte, al socaire de maitines y vísperas, del Pater Noster y De Profundis, de cilicios y bodas místicas con el Cordero, optó también por hacerse socia del idioma de Popea y Mesalina cuando, con sospechosa frecuencia, sorprendía a las madres, a espaldas del confesor, celebrando con picardía algún certero epigrama de Catulo o Juvenal o cuando recitaban verdades como la que dice que Non est peccatum mortale,/modo vir ejaculetur in vas naturale, frase tan expresiva que hasta las niñas de primera comunión entienden. Lo cierto es que, al comienzo de sus relaciones y por más empeño que ponían no lograban entenderse a satisfacción cuando garlaban, pero en cambio descubrieron que, poco a poco, al tenor de nuevos esfuerzos de aproximación a través de esa adorada lengua que pronto hicieron común, se excitaban como micos en celo, y hay que ver las orgías que organizaban los amantes, primero a nombre de las Condicionales (si, nisi, sin —Si te tiendes de espalda, vida mía), luego las Concesivas (quam-quam, etsi, licet —arroparé tu cuerpo con mis ansias) y por último, y como está mandado, de las Copulativas (et, atque, ac —hasta que el goce te haga clamor hinchado con mi esfuerzo). Visto así el panorama, Augusto Jota y su insigne coniux decidieron perseverar en el amor mientras, como apunta el filólogo, exista la gramática. Pero hasta lo más hermoso tiene los días contados y así ocurrió con la felicidad de nuestra pareja, ya que si bien es cierto que al buscar una cosa (el entendimiento como cópula) se encontraron con otra (la cópula como divertimiento), también lo es que a estas alturas la lengua les jugó una extraña pasada. Sucedió que, precisamente en el momento en que merced a una cada vez más renovada práctica comenzaban a entenderse, las cosas de improviso adquirieron un giro casi aberrante, pues mientras ella, diligente e infatigable, conjugaba, él, en forma por demás lastimosa y literal, declinaba... Los trueques orales del soldado —ahora apenas armado a la ligera, miles levis armaturae— con su dama se limitaban precisamente a eso, a un simple aunque reiterado comercio a base de obsecuentes lengüetazos. Y eso fue todo lo que quedó de las brillantes paradas de los primeros días, saliva, pasión y un cierto cansancio en la epiglotis, aunque Catalina siempre reconoció que su marido era un diestro manipulador de la sin hueso, frase con la que, ante los invitados que como ella habían ido más allá del bachillerato, hacía referencia a lo que se esconde tras el eufemismo de una excelente facundia, satis eloquentiae habebat. Superada esta necesaria digresión, y una vez de vuelta a los tejemanejes castrenses, es preciso decir que el escándalo del Ministerio adquirió de pronto la misma placidez del sedimento puesto al descubierto con el aluvión, de forma tal que, aunque las cosas no quedaron como estaban, el sosiego volvió a este país al amparo de algo parecido a lo que, como dicen los civilistas y demás exégetas del código de Napoleón, ocurre tras el lento e imperceptible retiro de las aguas. ¿Para qué agitar más esa cuestión?

Y razón no les faltaba a quienes así pensaban, pues ¿qué son al fin y al cabo ciento treinta devaluados millones? ¿Acaso no sabían los gentiles que muchas grandes naciones de la antigüedad consideraban el robo como una excelsa virtud guerrera? De todas formas y para que las cosas se hicieran como mandan los cánones fue preciso elegir unas cuantas víctimas de diferente tamaño por si algún día los intelectuales destapaban la olla y aquí fue cuando el Mayor comprobó los gajes de la inmunidad: Traslaviña, Gonzaga y, quién lo creyera, el Coronel Peñafiel, mi propio yerno, se cubrieron a salvo con sus inmundicias, ajenos de toda sospecha, bien erguidos frente al Ministerio y a las altas jerarquías, mientras que a los demás y a mí podía partirnos rotundamente un rayo. ¿Pero por qué yo? Ni idea. Concedo que les pude caer gordo por lo de la Academia, pero ¿cómo se atreven a ignorar en cambio esos servicios por los que incluso me postularon para un nuevo ascenso? Ciertamente, como instructor del grupo de Acción Militar tuve mucho que ver con la planificación de una brigada de operaciones insulares, proyecto hojeado, subestimado y archivado, como ocurre siempre con los informes de los teóricos, aunque al final fue desempolvado cuando el servicio de inteligencia descubrió que los tipos de la potencia vecina preparaban un rápido y simultáneo desembarco en Los Monjes y Providencia. Garante de la seguridad, como lo llamó en su día su adusto superior, ¿por qué le hacían ahora esta fea jugarreta? Vea usted, le dijeron mientras carraspeaban a coro los guerreros, ¿quiere un traslado, digamos por ejemplo, al Carare? Qué hijos de puta más solemnes, ¿qué diablos mandaban hacer a Augusto Jota, el número dos de su difícil promoción, a la zona del Carare? Fiebres, comunistas alzados en armas y muchas otras calamidades cubrían el necesario orden del día en el caso de aceptar el desplazamiento: ni pensarlo, pero como el Mayor sabía que eso de pensar no entraba en la fuerza rigurosa de las costumbres castrenses tuvo que decir claramente que no, pues si no decía algo los otros eran capaces de endilgarle aquello que por extensión también se aplica a las mujeres: quien calla, otorga. El día que él, todo dignidad, pidió la baja, tuvo que echarse colirio en los ojos y ponerse gafas oscuras no le fueran a ver la nostalgia en los bordes enrojecidos de los párpados, que incluso parecían orzuelos. Y qué cara puso su mujer —de dama estaba a punto de convertirse en virago— cuando lo vio llegar, sin escolta ni nada, hecho una física caca, deprimido y todo, Augusto Jota. He tenido problemas con los gerifaltes, dijo, y la mirada de Catalina le llegó hasta el tuétano: si es así me temo una cosa. ¿Qué? Que te van a llamar a calificar servicio. Entonces él desenredó la madeja y confesó la verdad y ella lo lamentó muy profundamente y así se la pasaron, de frase en frase, de pregunta a respuesta, de requiebro a evasiva, hasta que el discurso se completó con la fuerza de que no había más remedio que —la vida es un auténtico asco— buscar algún medio honroso para salir del paso. No había que lamentar nada en el fondo, pues la disciplina es la disciplina y él estaba seguro de haber sido pulcro, íntegro —¿qué otra palabrita era la que le gustaba?— e intachable. Nadie podría quejarse de él y él, a su vez, no recriminaba a nadie. Así es la vida. Catalina querida, qué le vamos a hacer. Aunque para serte franco no sé por qué la emprendieron conmigo casi a contragolpe, pues sólo salí a relucir en los preliminares del consejo de guerra y en cambio el yerno, que dirigía una sección en Presupuesto y que estaba más untado que un bebé, si me perdonas la expresión, salió incólume de semejante embrollo. Por otra parte, no tengo ninguna necesidad de recordarte la estudiada escenita de condolencia que me hizo el malnacido cuando se acercó para decirme que por qué renunciaba, que por qué no lo pensaba mejor, que por qué no colaboraba una vez más con ellos y me iba de nuevo por un tiempo al Carare, imagínate la desvergüenza, como si yo fuera idiota. ¿Irme al frente para que me maten así no más los insurrectos? Espérame un ratito que ya vuelvo, yerno, le dije, y aquí me tienes. ¿A qué se refería Peñafiel cuando le pidió colaborar una vez más con ellos? ¿Confirmaba esta sugerencia la difundida sospecha que apuntaba hacia Augusto Jota como una de las cabezas responsables de las operaciones en Marquetalia y sus alrededores? ¿Tuvo algo que ver entonces con el Plan Lazo y demás golpes contra la sedición en la década anterior, tal como, entre otros, lo indica el informe Fenoy, publicado en el Mediodía y reproducido en Campacta? Augusto Jota aseguró siempre que todo eso no era más que una sarta de infundios pero el mencionado estudio lo señala como uno de los cerebros de la operación de limpieza. Le Plan Lazo —dice el informe Fenoy— préparé par les experts du Pentagone avec la collaboration du Commando Général de Opérations et le Chef instructeur du Groupe d'Action Militaire, Major Aranda, avait pour but de réduire la région de Marquetalia; il fut exécuté en trois étapes: a) action psychologique pour gagner des sympaties parmi les paysans et encourager les délateurs; b) blocus économique et militaire ensuite; c) enfin, le 17 juin, seize mille Lanciers, corps d'élite specialisé, donnèrent l'assaut. Cinq jours plus tard, la zone était complètement occupée... Después de Marquetalia la acción se extendió a otros focos y así pronto cayeron también Armero, Líbano, Melgar y la plaza fuerte de Flandes, pero el Mayor se limpia las manos pues insiste que no intervino para nada en esa operación, ya que si bien es cierto que supervisó en detalle el Plan Camelot —estrategia a la que incluso puso nombre— nada tuvo que ver en cambio con el tan meneado Plan Lazo. Ahora, ante la cara de desamparo que pone su mujer, Augusto Jota dice que lo importante es no dejarse apabullar por las circunstancias y aunque sé que el chequecito del retiro no alcanza para muchas cosas ya veré qué puedo hacer mientras tanto para no aburrirme y de paso cubrir parte de los gastos de la casa y cuestiones así. A propósito, querida, dile a los Almonacid que ya es tiempo de que nos cancelen la deuda, que dejen de ser tan descarados pues lo que les sobra es plata. Y de buena ley.

con el Plan Lazo y dando golpes contra la sección en la década en curso. Tal como entre otros lo indica el informe Lenoy, publicado en el Mediodía y reproducido en Compañía [illegible] Alemán [illegible] siempre que todo eso no era más que una sarta de infundios, pero el mencionado estudio lo señala como uno de los cerebros de la operación de Marquetalia. "Le Plan Laso — dice el informe Lenoy — préparé par les experts du Pentagone avec la collaboration du Commandant Général des Opérations et le Chef instructeur du Groupe d'Action Militaire, Major Aranda, avait pour but de réduire la région de Marquetalia. Il fut exécuté en trois années: action psychologique pour gagner des sympathies parmi les paysans, encerclement des délateurs, blocus économique et, en fin quarante-cinq (?) enfin le 17 juin, seize mille lanciers, corps d'élite spécialisé, commencent l'assaut. Cinq jours plus tard, la zone était complètement occupée." Después de Marquetalia la acción se extendió a otros focos. Así pronto cayeron también Armero, Líbano, Melgar y la plaza fuerte de Flandes, pero el Mayor se limpia las manos pues insiste que no intervino para nada en esa operación, y antes si bien es cierto que supervisó en detalle el Plan Cameliet — extranjero a la que incluso puso nombre — nada tuvo que ver en cambio con el tan mencionado Plan Laso. Ahora, ante la cara de desamparo que pone mi mujer, Augusto Ema dice que lo importante es no dejarse apabullar por las circunstancias y aunque sé que el cheque del retiro no alcanza para muchas cosas, ya verá que puede hacer mientras tanto para no aburrirme y de paso cubrir parte de los gastos de la casa y cuestiones así. A propósito, querida, dile a los Almonacid que ya es tiempo de que nos cancelen la deuda, que dejen de ser tan descarados más lo que les sobra es plata y de buena ley.

REINALDO ARENAS

(Holguín, Cuba, 1943) es un ejemplo del escritor autodidacto absorbido desde la adolescencia por la creación literaria con sostenido furor. En 1961, a los 17 años, el vórtice revolucionario cubano lo atrae a La Habana donde un cuento para niños —"Los zapatos vacíos"— lo pone en comunicación con los intelectuales del grupo de *Orígenes* que trabajaban en la Biblioteca Nacional. Uno de ellos, el poeta Eliseo Diego, ha de presentar encomiásticamente su primer novela, *Celestino antes del alba* (1967). A través de ellos conoce a Lezama Lima que influirá en su formación artística: "Fue una amistad fundamental para mí, no solamente en el plano literario, sino hasta humano, o sea, para mí, hablar con Lezama era ponerme en contacto con toda la cultura occidental, así, en la forma más viva y más radiante y más crítica que pueda concebirse."

Para 1969 tiene escrita ya una segunda novela, cuyo personaje central es el famoso Fray Servando Teresa de Mier según el testimonio que éste ofreciera en su *Apologético*, a la que titula *El mundo alucinante*, la cual se publica en México ese año con inmediato éxito de crítica y traducciones al francés, alemán, inglés. Un libro de relatos, *Con los ojos cerrados*, aparecerá en Montevideo en 1970.

Su tercera novela, *El palacio de las blanquísimas mofetas* aparece primeramente en francés y alemán (desde 1972) para ver tardíamente su edición en lengua original en Barcelona en 1980. Es una continuación de *Celestino*, con una maduración del protagonista, su traslado del campo a la ciudad, su integración en una pluralidad de personajes e informaciones de época, con lo cual "abarca la historia de toda la familia de Celestino desde antes que él naciera". En Caracas es donde aparece en 1980 su noveleta *La vieja Rosa*, perteneciente a *Con los ojos cerrados*, ahora en edición independiente.

Desde 1980 vive en los Estados Unidos.

ADIÓS A MAMÁ

1

—Mamá ha muerto —dice Onelia, entrando en la sala donde nosotros, desesperados, aguardábamos nuestro turno para atender a la enferma. *Ha muerto,* repite ahora con voz remota y lenta. Todos la miramos asombrados, sin poder aún concebir tal hecho, con un estupor silencioso y reciente. Lentamente, en fila, nos encaminamos a la gran habitación donde está ella

2

tendida, bocarriba; el largo cuerpo cubierto hasta el cuello por la monumental sobrecama que todos nosotros, bajo sus indicaciones precisas y su mirada orientadora, tejimos y le ofrecimos entusiasmados en su último cumpleaños... Está ahí, rígida, por primera vez inmóvil, sin mirarnos, sin hacernos la menor señal. Tiesa y pálida. Despacio nos acercamos los cuatro hasta la cama y nos quedamos de pie, contemplándola. Ofelia se inclina hasta su rostro. Odilia y Otilia, de rodillas, abrazan sus pies. Finalmente, Onelia, llegando hasta la ventana, se abandona al delirio. Yo me acerco aún más para contemplar su rostro absolutamente petrificado, sus labios apretados y extendidos; voy a pasar la mano por su cara, pero temo que su nariz, de tan afilada, me hiera. —Mamá, mamá —gritan ahora Otilia, Odilia, Onelia y Ofelia. Y entre alaridos y sollozos giran a su alrededor en incesante círculo, a la vez que se golpean el pecho y la cara, se tiran de los cabellos, se persignan, se arrodillan, vertiginosamente, sin detener la ronda a la cual yo, sin poder detenerme, también aullando y flagelándome, me incorporo. Plenamente desesperados pasamos la tarde y la noche gimiendo alrededor de mamá, y ahora que ya amanece, que ya es de mañana, continuamos con nuestros estertores. En cada vuelta que le doy contemplo su rostro y me parece aún más largo y extraño. Así, cuando llega nuevamente la noche (y no hemos cesado de girar a su alrededor, lamentándonos), casi no la reconozco. Algo, como una mueca aterrorizada, adolorida y temible (horrible), se ha ido apoderando de toda su cara. Miro a mis hermanas. Pero todas, imperturbables, continúan llorando y dando vueltas alrededor del cadáver, sin haber percibido el cambio y sin la menor señal de cansancio. Mamá, mamá, repiten infatigables, poseídas, como en otro mundo. Yo, mientras giro detrás de ellas —y anochece nuevamente— miro ahora para el rostro ennegrecido... Mamá en el deshoje del maíz, ordenando los distintos trabajos, inundando la noche con el olor del café, repartiendo turrones de coco, prometiéndonos, para la semana próxima, un viaje al pueblo: ¿es esto ahora? Mamá abrigándonos antes de apagar el quinqué, orinando de pie bajo la arboleda, entrando a caballo bajo el aguacero con un racimo de plátanos recién cortados, ¿es esto? Mamá, desde el corredor, alta y almidonada, olorosa a yerbas, llamándonos para comer, ¿es esto? Mamá congregándonos para anunciarnos la llegada de la Navidad, ¿esto? Mamá cortando el lechón, repartiendo las carnes, el vino, los dulces... ¿esto? Mamá haciendo descender, desde la cumbrera del techo, la exclusa (todos mirando embelesados), y, ya, desplegando ante nosotros nueces, alicantes, yemas y dátiles... ¿Es esto?, ¿es esto? ¿Es ella eso que ahí, sobre la cama, en el centro (y ya amanece de nuevo) comienza a inflamarse, lanzando un vaho insoportable?

4

Y sin dejar de girar a su alrededor pienso que es hora ya de que resolvamos enterrarla. Salgo del círculo y, sentándome contra la ventana cerrada, le hago una señal a mis hermanas. Ellas, sin dejar de gemir, me rodean. "Sabemos cómo tienes que sentirte", me dice Ofelia. "Pero hay que seguir adelante. No puedes dejar que el dolor te domine. Ella no te perdonaría esa debilidad..." "Vamos", me dice Odilia, tomándome una mano, "ven con nosotras". Otilia me toma de la otra mano: "ahora más que nunca tenemos que estar junto a ella". Y ya estoy de nuevo en el círculo, gimiendo, golpeándome, como ellas, el pecho con las dos manos y tapándome, de vez en cuando, la nariz... Así continuamos (y oscurece de nuevo). Ellas, imperturbables, se detienen de tarde en tarde para posar sus labios sobre el rostro desfigurado de mamá, tomarle una de sus manos inflamadas o arreglarle el cabello, estirarle aún más el vestido, pulirle los zapatos y volverla a cubrir con la sobrecama monumental, sobre la cual, ya incesante, planea un enjambre de moscas.

Aprovechando, precisamente, la ceremonia del acicalamiento de mamá, me detengo junto a mis hermanas que, ensimismadas, la peinan nuevamente, le atan el cordón de un zapato que la hinchazón había desabrochado, tratan de abotonarle la blusa que el pecho, ahora gigantesco, desabotona. Creo, les digo en voz baja, mientras me inclino, que

5

ya es hora de enterrarla.

6

—¡Enterrar a mamá! —me grita Ofelia, mientras Otilia, Odilia y Onelia me miran también indignadas—, pero, ¡cómo es posible que hayas podido concebir semejante atrocidad! ¡Enterrar a su madre!... —Las cuatro me miran con tal furia que por momentos temo que se me abalancen—. Ahora que está más cerca que nunca de nosotros. Ahora que podemos permanecer día y noche junto a ella. Ahora que está más bella que nunca.

—Pero, ¿es que no sienten esa peste, y esas moscas?...

—¡Cállate, maldito! —me dice ahora Onelia acercándose, escoltada por Otilia y Odilia.

—¿Peste? —dice Ofelia— ¿Cómo puedes decir que mamá, nuestra madre, apesta?

—¿Qué cosa es la peste? —me interroga Ofelia— ¿Sabes tú acaso qué cosa es la peste?

No respondo.

—Ven —grita nuevamente Ofelia—: no es más que un traidor. Ella, a quien se lo debemos todo. Gracias a la cual existimos. ¡Criminal!...

—Nunca olió tan bien como ahora —dice Onelia, aspirando profundamente.

—¡Qué perfume, qué perfume! —agregan Otilia y Odilia extasiadas—. ¡Es maravilloso!

Todas aspiran profundamente mientras me miran amenazantes.

Me acerco al cuerpo de mamá; espanto, por un momento, el enfurecido enjambre de moscas que zumban furiosas, y aspiro también profundamente.

7

Somos las moscas,
las pulcras y deliciosas moscas.
Venid y adoradnos.
Nuestro cuerpo admirable posee las dimensiones precisas
para podernos deslizar por cualquier sitio y tiempo.
Funeral o coronación
pastel matrimonial o corazón sangrante recién extirpado;
allí estamos nosotras,
rápidas y familiares, ronroneando, disfrutando del gran
banquete.
Ningún estruendo nos es ajeno.
Ningún clima nos es inhóspito.

Ningún manjar nos desagrada.
Mírennos, miren cómo graciosamente nos elevamos por sobre plantaciones y jardines
condenados a desaparecer.
Y nosotras inmutables
posándonos
ya en el culo de una reina,
ya en la nariz de un dictador
ya en el pecho abierto de un héroe, ya en la cabeza reventada de un suicida.
Oh, venid y adoradnos,
mírennos cómo simpáticamente danzamos, escrutamos, fornicamos sobre el túmulo de los más antiguos dioses,
sobre las tribunas de los más recientes,
por encima de los airados discursos que retumban,
por sobre las aterrorizadas cabezas que se inclinan, por entre las engarrotadas manos que aterrorizadas aplauden las sentencias que las aniquilan.
Miradnos a nosotras trazar caprichosos giros, despreocupados revoloteos
entre los mares de esqueletos que blanquean el páramo,
sobre la morada y larga lengua del ahorcado más reciente —usted.
Miradnos, miradnos zumbar en los oídos del que espera su turno,
—¿usted?
Bebemos la sangre fresca del recién crucificado y de un solo giro caemos acá
para saborear los tiernos sesos del adolescente fusilado.
Terremotos,
Explosiones,
Hielos y deshielos,
Eras que desaparecen, infamias que
gloriosamente se instauran y sucumben.
Y nosotras impasible, triunfalmente revoloteando.
Citadme un degollamiento, un fusilamiento, un funeral, una catástrofe, una hecatombe, en fin, algo digno de ser recordado,

en lo cual no hayamos nosotras participado.
Sobre el excremento y la rosa, mírenme posarme.
Sobre la frente imperial o el feto abandonado en el bosque, mírennos.
En los sangrados recintos de los dioses bebo y me pavoneo a mis anchas, reino;
al igual que en la pocilga de la puta más desharrapada.
Oh, citadme una flor que pueda competir en grandeza (en belleza) con nosotras.
Mírennos pues, habiendo saboreado a los héroes de la patria, a los sabios y a los delincuentes —todos deliciosos—, investidas de pureza, parsimoniosas y regias, elevarnos por los aires y ennegrecer el sol con nuestra gloria.
Yo os reto:
Nombradme una flor, una sola, que pueda competir en esplendor,
en grandeza —en belleza— con nosotras.

8

El enjambre de moscas se cierne ahora sobre la boca de mamá. Boca que el cabo de una semana de muerta se abre ya desmesuradamente, al igual que sus ojos y las ventanas de la nariz —que sueltan un líquido gris. La lengua, que también ha adquirido proporciones descomunales, se asoma detenida por entre esa boca (las moscas, caprichosamente, han alzado el vuelo). La frente y el cuello también se han inflamado considerablemene, de manera que el pelo parece que se encabritase sobre ese territorio tenso que sigue expandiéndose.

Odilia se acerca y la contempla.

—¡Qué hermosa!

—Sí —digo.

Todos, mientras la rodeamos, comenzamos a admirarla.

9

Ha estallado. Su cara había seguido creciendo hasta ser una maravillosa bola, y ha reventado. Su vientre, que de tan alto hacía que el cubrecama rodase constantemente, también se ha abierto. Todo el pus acumulado en su cuerpo nos inunda, embriagándonos. El excremento contenido también salta a borbotones. Los cinco respiramos extasiados. Cogidos de la mano giramos nuevamente a su alrededor y vemos cómo hilillos de humor y pus brotan de su nariz desmesuradamente abierta, de la boca que se ha rajado en dos mitades. Y ahora el vientre, que al abrirse se ha convertido en un charco oscuro que no cesa de bullir lanza también un vaho delicioso. Fascinados, nos acercamos todos para contemplar el espectáculo de mamá. Las tripas que siguen reventando provocan una incesante pululación; el excremento que baña sus piernas que ahora también se estremecen por sucesivos estallidos se mezcla con el perfume que exhala el líquido negruzco, anaranjado, verde, que sale a raudales por toda su piel. Sus pies, convertidos también en esferas tersas, revientan, inundando nuestros labios que ávidamente los besaban. Mamá, mamá, gritamos girando a su alrededor embriagados por las exhalaciones que brotan de su cuerpo en plena ebullición. En medio de esta apoteosis, Ofelia se detiene resplandeciente, contempla a mamá por unos instantes, sale de la habitación y

10

ya regresa, empuñando el enorme cuchillo de mesa que sólo mamá sabía (y podía) manipular. "Ya sé", nos dice, deteniendo nuestra ceremonia. "Ya sé, finalmente pude descifrar su mensaje... Mamá", dice ahora dándonos la espalda y avanzando, "aquí estoy, aquí estamos, firmes, fieles, dispuestos para lo que tú digas. Felices por habernos dedicado y poder seguir dedicándonos únicamente a ti, ahora y siempre..." Odilia, Otilia y Onelia también se acercan y caen de rodillas junto a la cama, gimiendo muy bajo. Yo, de pie, me quedo junto a la ventana. Ofelia termina su discurso y avanza hasta quedar junto a mamá. Empuñando con las dos manos el enorme cuchillo de mesa se lo entierra hasta el cabo dentro del vientre y cae, entre un torbellino de contracciones y pataleos, sobre el inmenso charco pululante que es ahora mamá. Los gemidos de Otilia, Odilia y Onelia se alzan rítmicamente hasta hacerse intolerables.

11

(para mí, que soy el único que los escucho).

12

El maravilloso olor de los cuerpos podridos de mamá y de Ofelia nos embriagan. Relucientes gusanos se agitan sobre ambas, por lo que constantemente permanecemos a su alrededor para ver los cambios que van disfrutando. Veo cómo el cuerpo de Ofelia, ya completamente carcomido, se confunde con el de mamá, formando una sola masa purulenta y oscura que perfuma todo el ambiente. También veo las miradas codiciosas que Odilia y Otilia le dirigen al promontorio... Algunas cucarachas se pasean por los huecos de ambos cadáveres. Ahora mismo, un ratón, tirando con fuerzas del promontorio maravilloso ha cargado con un pedazo (¿de mamá?, ¿de Ofelia?)... Como alertadas por un mismo aviso, por una misma orden, Otilia y Odilia se lanzan sobre los restos, y se apoderan —las dos al mismo tiempo— del cuchillo de mesa. Encima de mamá y Ofelia se desata una breve pero violenta batalla que espanta a los hermosísimos ratones y hace que las cucarachas se refugien en la parte más intrincada del promontorio. Con un rápido tirón, Odilia se apodera totalmente del cuchillo y, con ambas manos, comienza a introducírselo en el pecho. Pero, Otilia, liberada, le arrebata violentamente el arma. "Desgraciada", le grita a Odilia poniéndose de pie sobre el promontorio, "así que querías irte con ella antes que yo... Le demostraré que yo le soy mucho más fiel que todos ustedes". Antes de que Odilia pueda impedírselo, se hunde el cuchillo en el pecho, cayendo sobre el promontorio... Pero Odilia, encolerizada, saca el arma del pecho de Otilia. "Egoísta, siempre fuiste una egoísta", increpa a la moribunda. Y se entierra el cuchillo sobre el corazón, muriendo (o fingiendo que ha muerto) primero que Otilia, quien aún patalea. Finalmente, las dos, unidas en un furioso abrazo de muerte, quedan exánimes sobre el promontorio.

13

Somos los ratones y las cucarachas.
Oíd bien claro:
Los ratones y las cucarachas.
por lo tanto, venid y adoradnos.
Venid, y, como reales, únicos, verdaderos dioses
del mundo, respetuosamente reverenciadnos.
Alabad mi cuerpo de cucaracha,
cuerpo que resiste indiferente las temperaturas más abominables.
Cuerpo que se alimenta, en última instancia, de su mismo cuerpo.
Lo oscuro, lo claro, lo húmedo o lo seco o lo ríspido, son para nosotras caminos semejantes.
Me arrastro, pero si es necesario alzo el vuelo.
Fácilmente sabemos reponer el pedazo que se nos arranca.
Me autoabastezco y me autoengendro.
Siendo la escoria nuestro alimento, a qué temer, el futuro siempre será nuestro.
Siendo lo oscuro, lo sórdido, lo sinuoso nuestra morada predilecta, quién podrá expulsarnos del universo si, precisamente, está hecho a nuestra medida.
En cuanto a nosotros, los ratones,
qué elogio no nos cabe,
qué loa no es digna de ser cantada en nuestro honor.
Nuestros ojos destellan en las tinieblas:
el futuro es nuestro.

Habitamos todo tipo de paraje,
somos testigos de todos los infiernos.
No hay texto sagrado que nos excluya ni apocalipsis que nos elimine.
Habitamos iglesia y prostíbulo, cementerio y teatro,
la populosa ciudad o la efímera choza.
Raudos, navegamos,
inadvertidos, volamos.
El mundo es nuestro de polo a polo.
Somos el alma del castillo,
la magia del cementerio,
el prestigio de las altas techumbres
el transeúnte del túnel y el compañero del proscripto.
Acompañamos al condenado a muerte antes y después del suplicio.
(Habitamos junto a la víctima, comemos junto con ella, y después nos la comemos.)
Nuestra actividad es incesante. En lujosos baúles, en cajas de cartón, encima de un madero o de un cadáver cruzamos la tierra.
Somos el símbolo de lo universal e imperecedero.
Así, pues, solicitamos no una corona, cosa en verdad efímera, no un estado o un continente, cosas prestas a desaparecer.
Queremos el universo entero, en esplendor o en ruinas, es decir la eternidad.
Yo os reto a que se me nombre una paloma o una rosa, un pez, un águila o un tigre que hayan podido realizar tales proezas, que sean dueños de tal periplo. Yo os reto a que se me nombre alguien, además de nosotros, que sea digno de esta apología.
Yo os reto.
En cuanto a mí, divina cucaracha, criatura alada que puede habitar bajo la tierra, en lo más profundo del urinario o en la inaccesible torre, os reto también
a que se me nombre una flor, una bestia, un árbol, un dios que pueda competir en grandeza y resistencia —en vitalidad— conmigo.
Nieve o fuego,

Diluvio o perpetuo desierto.
Soledad o torbellino.
Campañas antisépticas y bombardeos.
Montañas, estricto asfalto, cañerías incomunicadas, ruinas,
Palacios y sarcófagos,
Abismos donde jamás llegó el sol,
oh, citadme una rosa,
citadme una rosa
que pueda igualarse a mi gloria.
Citadme una, una sola,
una rosa.

14

El perfume de los cuerpos putrefactos de mamá, Ofelia, Odilia y Otilia se ha apoderado de toda la región que ahora es un páramo encantador, pues los asquerosos pájaros, las sucias mariposas, las hediondas flores, las pestíferas yerbas y demás arbustos, junto con los asquerosos árboles, han desaparecido, se han marchitado, se han ido avergonzados o han muerto, debido —con razón— a su inferioridad. Toda esa inutilidad endeble y efímera, todo ese horror. Todo ese paisaje inútil, indolente, criminal, ha sido derrotado. Y la región es una espléndida explanada recorrida por un rumor extraordinario: el incesante ir y venir de cucarachas y ratones, el trajinar de los gusanos, el zumbido infatigable de los luminosos enjambres de moscas. Al compás de esa música única, bajo el influjo de ese maravilloso perfume, Onelia y yo seguimos girando alrededor del gran promontorio, y cuando (raramente) levantamos la cabeza es para contemplar la llegada, el homenaje indetenible, voluntario, de las extraordinarias criaturas: ratas, ratones y más ratones, regias cucarachas de tamaño descomunal, lombrices de veloces y esplendentes figuras. Hemos abierto todas las puertas para que puedan entrar sin dificultad. Y siguen arribando. En grupos. En inmensos escuadrones. En acompasado y magnífico estrépito se agolpan ceremoniosas junto a nuestros pies, y continúan hasta el enorme cúmulo sobre el que se abaten, configurando una montaña en perpetuo frenesí. Sólida nube que se ensancha, se eleva, se explaya. Siempre en perenne movimiento, en cambiante, rítmico, inquieto, sordo y único delirio. La gran apoteosis. La gran apoteosis. En homenaje a mamá. Por y para mamá. La gran apoteosis. Y ella en el centro,

15

divina, recibiendo el homenaje. Aguardando por nosotros.

16

Y hacia Ti vamos, Onelia y yo; aún con energía suficiente (sin duda por ti insuflada) para llegarnos hasta su promontorio y, dichosos, ofrecernos. Con gran dificultad, Onelia logra abrirse paso por entre las maravillosas criaturas. Apartando ratas y ratones ensimismados en roer, provocando remolinos de moscas y cucarachas que inmediatamente se posan sobre el sitio, hundiendo las manos en la fuente tumultuosa que forman los gusanos, logra recuperar el cuchillo de mesa. Me mira, temerosa de que pueda arrebatárselo. Emite un pequeño alarido jubiloso y, sin mayores trámites, se desploma sobre el gran tumulto. Las nobles cucarachas, las bellísimas ratas, los perfumados y regios gusanos encabritándose y replegándose con giros magníficos la cubren al instante.

17

Somos los gusanos.
Venid e idolatradnos.
Venid, y, posternándoos sumisos ante nosotros, únicos dueños del universo, escuchad
con toda solemnidad, pompa y devoción nuestro breve, pero contundente, discurso:
Siglos y siglos de afán y todo para nosotros.
Un milenio, mil milenios y otros mil: y todo para nosotros.
Infamias y nuevas traiciones.
ambición sobre ambición, castillos, torres, divinas togas,

edificaciones aéreas, comitivas y
superbombardeos
explosiones,
estafadores van y estafadores vienen: todo para nosotros.
Experimentos, congresos,
infiltraciones,
esclavos y nuevas esclavizaciones, elecciones y
nuevas abominaciones,
coronaciones y autonominaciones,
revoluciones o involuciones:
flagelaciones, crucifixiones, depuraciones y expulsiones: Todo para nosotros.
Detened por un instante el cacareo o la genuflexión, el brindis o la sentencia, y rendidnos el homenaje que nos merecemos. Admirad
nuestras espléndidas figuras. Somos la filosofía, la lógica, la física y la metafísica. Poseemos además un antiguo y ejemplar sentido práctico: nos arrastramos.
¿Cómo podrán mutilarnos si no tenemos miembros?
¿Quién se atreverá a desterrarnos, si somos los dioses del subsuelo?
¿Querrán sacarnos los ojos cuando no los necesitamos?
Si nos destrozan, nos multiplicamos.
¿Quién podrá habilitarnos de una conciencia culpable si sabemos que en el pudridero del mundo todos los cuerpos tienen el mismo sabor y todos los corazones apestan?
¿Qué dios podrá condenarnos (mucho menos, aniquilarnos) si existimos precisamente porque hay condena, si
brotamos del aniquilamiento? De qué forma podrán devorarnos, si después de habernos devorado,
terminamos devorando al devorador.
Mosca, cucaracha, ratón: sus victorias, aunque poderosas terminan en el sitio donde yo reino taladrando.
¿Cómo destruirme si en la destrucción está mi victoria?
¿A dónde van a correr que mi cuerpo sin pies ni alas no los alcance,
que mi cuerpo sin brazos no los abrace?
¿que mi cuerpo sin boca no los devore?

Rendíos, definitivamente, rendíos.
He oído cómo se han traído a colación en esta asamblea a la rosa y a los dioses,
¿será necesario que para exaltar mi hermosura tenga que compararme con criaturas tan efímeras?
Francamente, detesto las comparaciones pueriles, el reto facilista,
la contienda donde el triunfo de antemano me pertenece.
Así pues, dispersaos hasta el momento del sacrificio,
girad, den unas cuantas vueltas, dos o tres saltos,
dancen, cuelguen a alguien, tírense de los pelos.
Inventen nuevas estafas o disfruten las concebidas,
mortificad al vecino, y, si pueden,
engorden
engorden
engorden.
Qué ironía: aunque de todas las criaturas del mundo, somos usted y yo, las únicas que, con toda certeza, nos volveremos a encontrar, no puedo decirle "literalmente" *hasta la vista.*

18

Ha llegado el momento. El gran momento en que debo unirme a mamá. ¿Debo?, ¿dije *debo*? Quiero, *quiero*, esa es la palabra. Finalmente puedo, hundiéndome en el torbellino de las alimañas... ¿*Alimañas*? Cómo puede haber salido de mi boca tal palabra. Mi madre, ¿mi adorada madre, eso que ahí se mueve, puede llamarse acaso *alimaña*? ¿Pueden ser alimañas esas criaturas maravillosas que me aguardan y a las cuales debo entregarme? Pero, ¿otra vez dije *debo*? Cómo puedo ser tan miserable, cómo puedo olvidar que no se trata de un deber, sino de un honor, de un acto voluntario, de un goce, de un privilegio... Con el enorme cuchillo entre las manos doy una vuelta alrededor del túmulo que se repliega, expande y estremece, tironeado por todas las alimañas... Pero, cómo, ¿otra vez he dicho *alimaña*? ¿Y no me arranco la lengua? Sin duda, la felicidad que me embriaga al saber de que pronto formaré parte de ese perfumado promontorio me hace decir sandeces. Rápido debo (¿debo?) apurarme. Un minuto más es una prueba de cobardía. Todas mis hermanas ya están ahí, junto a mamá, formando un solo conjunto maravilloso. Y tú, cobarde, sigues dándole vuelta al túmulo, con el cuchillo de mesa entre las manos, sin, de un valiente golpe, enterrártelo en el pecho. ¿Qué esperas? Me detengo junto a las sacrificadas. Pero, ¿cómo es posible que las llames *sacrificadas*? Me detengo, finalmente, junto al promontorio que forman mis dulces, hermosas y abnegadas hermanas inmoladas. Pero, ¿qué es eso de *inmoladas*, miserable? Me detengo frente al túmulo de mis cuatro hermanas consagradas. Con todas mis fuerzas aprieto el cuchillo, lo levanto contra mi pecho. Empujo. Pero no entra. Sin duda tantas semanas girando alrededor del túmulo, sin comer me han privado de todas las fuerzas. Pero debo lograrlo. Debo continuar. Debo terminar de una vez... Llego hasta la sala invadida también por el perfume de mamá y mis hermanas. Abro la puerta del corredor que el viento había cerrado. Coloco el cuchillo entre el marco y la puerta que ahora entrecierro de manera que el arma quede perfectamente firme y vertical, para poder lanzarme contra ella y que por sí misma se introduzca en mi cuerpo. Tal como una vez vi hacerle a un personaje, en una película que fui a ver al pueblo, sin que mamá se enterara... Recuerdo que era así: el personaje ponía el cuchillo entre el marco y la puerta. La cerraba. Y se abalanzaba, suicidándose. Sin dejar (naturalmente) huella alguna en el arma... ¿Cómo se llamaba esa película? ¿Y, sobre todo ella, la actriz?... Aquella mujer tan hermosa a quien se le achacaba el crimen... ¿Era su esposa?... Pero, cómo es posible que piense en esas tonterías, cuando ahí, en la habitación, está mamá, aguardándome. Esperando, esperándome, junto con todas mis hermanas. Ya es hora... ¡Ingrid Bergman! ¡Ingrid Bergman! Me acuerdo. Ese es el nombre de la actriz. ¿Pero, qué haces, qué sandeces estás diciendo? ¡Ingrid Bergman! ¡Ingrid Bergman! Pero, ¿qué palabras son esas, maldito?... Abro la puerta y el cuchillo cae al suelo. Más allá del inmenso arenal que antes era el patio y el potrero —la finca entera— se ven, en remota lejanía, las siluetas de algunos árboles, y el cielo. Por un momento me vuelvo. Escucho el furioso trajín de todas las alimañas que roen ahí adentro. Me acerco y contemplo el espectáculo.. ¡Ingrid Bergman! ¡Ingrid Bergman!, grito más alto, opacando el estruendo de las ratas y demás bestias. Ingrid Bergman, Ingrid Bergman, voy repitiendo mientras me lanzo contra el arenal, cruzo ya el potrero, la inmensa explanada, y llego hasta los primeros árboles... Me gusta la peste de estos árboles; me encanta la hediondez de la yerba en la cual me revuelco. ¡Ingrid Bergman! ¡Ingrid Bergman! Me fascina el olor putrefacto de las rosas. Soy un miserable. No puedo evitar que el campo abierto me contamine. ¡Ingrid Bergman! Me golpeo, me vuelvo a golpear. Pero sigo arrastrándome por el bosque, apoyándome en los troncos, aferrándome a las hojas, embriagándome con las fétidas emanaciones de los lirios... Llego hasta el mar, me despojo de todas mis ropas y, definitivamente cobarde, aspiro la brisa. Desnudo me lanzo a las olas que, sin duda, han de oler muy mal. Sigo avanzando sobre la espuma que ha de ser pestífera. ¡Ingrid Bergman! ¡Ingrid Bergman! Y salto; salto sobre la blanca, transparente —¿hedionda?— espuma... Soy un traidor. Decididamente soy un traidor. Feliz.

Primera versión (perdida), septiembre de 1973.
Segunda versión, noviembre de 1980.

[illegible] en remolinos [illegible] algunos inse-
tos [illegible]. Por un momento me vuelvo. [illegible]
[illegible] de todas las alimañas que viven allí adentro. Me
[illegible] y contemplo el espectáculo. ¡Ingrid Bergman! [illegible]
[illegible] grito más alto, [illegible]
[illegible] y demás, [illegible] ¡Ingrid Bergman! ¡Ingrid Bergman!, [illegible]
repitiendo mientras me lanzo contra el animal, [illegible] el
[illegible] y llego hasta los primeros
árboles. [illegible] Me gusta la [illegible]
la brillantez de la [illegible] ¡Ingrid
Bergman! ¡Ingrid Bergman! Me [illegible]
de mis [illegible]. No puedo evitar que el campo
abierto me [illegible] ¡Ingrid Bergman! Me golpeo, me
[illegible] Pero sigo [illegible] por el bosque
apoyándome en los troncos, aferrándome a las hojas, [illegible]
[illegible] con las [illegible] de las [illegible]
[illegible] el mar, me despojo de todas mis ropas y, [illegible]
[illegible] Cuando me [illegible] los días
que [illegible] han de [illegible] Sigo [illegible]
[illegible] ¡Ingrid Bergman! [illegible]
[illegible] Y [illegible] sobre [illegible]
[illegible] Soy un traidor. [illegible]
un [illegible]

Primera versión (perdida): septiembre de 1978.
Segunda versión: noviembre de 1980.

ANTONIO SKÁRMETA

(Antofagasta, Chile, 1940) viene de una cruza poco habitual, yugoeslavo-chilena y fue inicialmente un disciplinado estudiante de filosofía y letras en Chile y Estados Unidos, permitiéndole su conocimiento diestro del inglés, no solo conocer muy bien la narrativa norteamericana sino ser además el eficiente traductor de Mailer, Scott Fitzgerald, Kerouac, entre otros.

El año 1973, en que a la caída de Allende, en cuya causa había militado ardientemente haciéndose cargo de múltiples tareas culturales, se exilia en Berlín, señala un abrupto corte de su vida. Hasta ese momento era el exitoso autor de dos libros de cuentos, *El entusiasmo* (1967) y *Desnudo en el tejado* (1969, premio de Casa de las Américas) y había alcanzado la maduración en un tercer título, *Tiro libre* (1973), que tras el modelo de los narradores norteamericanos había recuperado de un modo vivificante el vivir popular chileno (la familia, el barrio, la escuela y ya el movimiento político espontáneo). De estas colecciones hay dos antologías diferentes: *El ciclista del San Cristóbal* (1973) y *Novios y solitarios* (1975).

Desde 1973, en Europa, su obra se ha difundido ampliamente y a la vez se ha concentrado en la trágica historia chilena, con una persistente militancia, procurando extenderse a otros géneros donde pueda captar más amplios públicos: el teatro, con *La búsqueda* (1976), *La mancha* (1978), *No pasó nada* (1977), *La composición* (1979) y más que nada el cine, en colaboración con el director Peter Lilienthal (*La victoria,* 1973, *Reina tranquilidad en el país,* 1975, *La insurrección,* 1980) y con otros (*Desde lejos veo este país,* 1978, *La huella del desaparecido,* 1980). Su tarea narrativa se concentró en *Soñé que la nieve ardía* (1975) traducida a media docena de lenguas europeas, *No pasó nada* aún inédita en español pero ya aparecida en alemán e inglés.

La insurrección fue primero el guión de un film, que se filmó en León, Nicaragua, en 1979: "narra las relaciones y conflictos de un grupo de vecinos entre ellos y con el poder militar somocista en los días previos, durante y después de la insurrección que culminó con la victoria del Frente Sandinista".

LA INSURRECCIÓN

Aunque era pleno día y el sol caía desde el cielo intachable, los vehículos militares entraron al barrio con sus luces encendidas. Mantuvieron la formación en hilera, hasta que el primero se abrió cuneteando la vereda y el espacioso coche del capitán Flores pasó a encabezar el conjunto. Los vecinos, turbulentamente anclados en sus casas, terminaron de cubrir las ventanas con las cortinas estampadas y echaron el cerrojo a las puertas. El capitán Flores frenó justo frente a la vivienda de Agustín, y giró el volante dejando el auto atravesado en el empedrado callejero. Asomando la cabeza por la ventanilla, quiso discernir los ruidos del vecindario. Sin descender, exigió con la llave del coche en alto que los jeeps apagaran los motores. Cuando tras un par de explosiones se produjo la calma, el capitán pudo jurar que se hallaba ante uno de los más raros silencios que había conocido, e intentó precisar su matiz y sus potenciales riesgos.

Al salir del coche, saltaron también sus soldados con las armas listas en una maniobra que pareció perfeccionada en laboriosos ensayos. Flores se frotó con el pañuelo el gris sudor de sus palmas, lo dobló con exceso de meticulosidad, lo puso en el bolsillo de la guerrera, alisó el bulto que la prenda le produjo en el pecho, como quien sacude una terca pelusa del uniforme, y levantando la enérgica barbilla ordenó:

—¡Agustín Menor!

Aunque no quitó la vista de la puerta, por toda respuesta sólo consiguió que el ya intenso silencio se perfeccionara. El árbol a su flanco izquierdo, le pareció pintado por un niño, tan quieto y arrebolado.

Extendiendo otra vez el pañuelo, se limpió en él las manos como si accionara una toalla.

—Agustín Menor —llamó, apenas subiendo el tono.

La puerta de la casa fue abierta desde el interior, pero nadie surgió en el umbral. Como convenido, los rifles de todos los soldados apuntaron en esa dirección. Segundos después apareció don Antonio enfundado en la flamante camisa que le trajera Agustín, acariciándose las solapas cual si temiera una prematura arruga en su apariencia. Por los costados de sus pies calzados con sandalias de cáñamo, surgieron dos gallinas que quedaron paralizadas en la vereda aturdidas por la luz. El capitán pudo advertir que sus manos comenzaban una vez más a mojarse. La caída de los hombros de don Antonio le pareció humilde, pero reconoció la altanería de los rebeldes en el riguroso mentón.

—¿Quién sos vos? —le dijo.

—Antonio. Antonio Menor.

—Antonio Menor, "señor".

—Antonio Menor, señor.

El capitán asintió ceremonioso. Hubo un movimiento indefinible en la vivienda vecina a la de Agustín, mas sin necesidad de darse vuelta, supo que sus reclutas vigilaban. Pudo percibir el caño de los Garrand en cada nervio de su espalda con la lucidez que sólo dan dos décadas en los cuarteles.

—Vengo a buscar a tu hijo, pues.

Ahora indicó a su tropa, aun sin mirarla, con el gesto informal con que los adolescentes presentan sus amistades.

—Aquí no está, señor.

—¿Y dónde, pues?

—No sé, señor. De estar en algún lado, estará en el cuartel.

El capitán fue hasta la muralla, junto a don Antonio. Sacó el revólver del cinto, y con la cacha picoteó el frágil adobe de la pared que se descascaró abundantemente.

—Paja, pura paja —comentó.

Puso de vuelta el arma en la cartuchera, bajó al padre del peldaño tendiéndole con mecánica gentileza la mano, y ya en la vereda lo tomó del codo iniciando un lento paseo hacia la esquina derecha.

Lo apretó suavemente del antebrazo.

—Tu hijo no se presentó el lunes al cuartel —y agregó en voz baja, casi con tristeza: "Anda la bola en el barrio de que desertó."

—No puede ser, señor.

Desde sus posiciones, los militares seguían el paseo inmutables, clavados bajo el sol como piezas de ajedrez. De vez en cuando, entrabados por los rifles, se pasaban la manga de sus guerreras sobre la frente para secar el sudor. Flores puso sus labios cerca de la oreja del padre, y le dijo con el esbozo de una sonrisa:

—Anda la bola en el barrio que vos andás con los sandinistas, cabrón.

El hombre opuso esta vez resistencia a la presión del capitán cuando lo conminó a seguir paseando. Terco en esa baldosa callejera, repuso:

—Eso no es cierto, señor.

—¿Vos decís que miento, viejo?

Don Antonio espió la calle a lo largo hasta perderse en la transparencia tropical del horizonte. Esta vez tenía que vigilar sus palabras como un andinista palpa las rocas antes de encumbrarse.

—Usted no, capitán. La gente.

Flores desprendió su mano del antebrazo del hombre. Pestañeó tupido a centímetros de la frente del padre, y como alertado por el ceño fruncido de éste, sus movimientos se aceleraron súbitamente puestos a presión. Con tal vigor condujo a don Antonio hasta el umbral de la vivienda, que pareció llevarlo en vilo.

—Andá y decíle al muchacho que ya se venga.

No se dilató en examinar la perplejidad del padre. Imantado, avanzó hasta el coche, introdujo el brazo por la ventanilla del volante, y apagó los focos. Luego fue hasta el jeep más cercano, y se sentó en el parachoques delantero apoyando la espalda en el motor. Desde allí le hizo señas al hombre alentándolo a entrar de una buena vez. Este asintió con la barbilla, y haciendo ostentación de su desconcierto, fue perdiéndose en el cuarto. El capitán alzó la vista hacia el sol y se le afirmó tan vertical como este proponía su caída. Sin dejar de contemplar la altura, extrajo el pañuelo, estrujó el sudor de sus manos amasando con la tela una bola, y lo introdujo arrugado al bolsillo del pecho.

—Hace sed de cerveza, carajo —dijo, mojando con la lengua su labio superior.

Y clavó la vista en la puerta.

Don Antonio había permanecido aquel lapso en el salón, como si esa repentina sombra fuera el exacto espejo de su confusión. Por más que contemplara los muebles familiares, las fotos desteñidas y las manchas en las murallas, no le venía ni la silueta de una inspiración.

Sintió el morbo de su inactividad, suspenso como un adicto a su droga.

"No sé qué pensar, no sé qué hacer, ni siquiera sé si podré, si sabré moverme cuando quiera." La saliva que derramó sobre su labio inferior creció en su conciencia como puesta bajo reflectores. "No sé cómo empezar a pensar. No sé por qué estoy aquí. Por qué me estoy quedando aquí. Sólo sé que me estoy quedando. Que no me muevo. Que tengo que hacer algo que no sé qué es. Me voy quedando aquí." La puerta hacia la cocina, el tránsito al patio, los saltarines muros que circundaban su casa, aun en su desconcierto le parecieron inviables.

—¿Qué te dilata ahí, viejo?

Como si el grito desde la calle reciclara sus movimientos, su capacidad de coordinar, fue hasta el armario, despreció las servilletas bordadas del primer cajón, y hundió las falanges hasta topar junto con la madera del fondo la cacha metálica del revólver familiar. Lo puso entre sus manos, y lo estudió largamente con la actitud incierta con que se observa un pájaro herido. Volvió a meterlo en el estante, derramó sobre él las banales servilletas, vino otra vez hasta el centro del salón y estuvo un minuto más allí, recogiendo como un moribundo con escandalosa ternura las fotos de sus familiares amados. Desde esos rostros de gala, hizo un último esfuerzo por pensar. Dotado de una súbita insensatez fue hasta la puerta y se puso agresivo bajo su marco, concluyente ante el ceño frucido del capitán.

—No lo he encontrado, señor —dijo.

—¿Viejo? —preguntó el capitán, inclinando el cuello y aconchando la oreja con la mano.

Don Antonio aclaró la garganta. De alguna manera, las palabras estaban aún allí, con la porfiada monotonía del surco que impide la progresión de la aguja en el disco.

—No le he encontrado, señor.

El militar se sacó el quepis, y paseó despacio el índice por su circunferencia interior. Durante algunos segundos estuvo echándose aire agitando la visera sobre la frente, hasta que depositó con formal gesto —asiendo con las yemas los extremos— el tocado de vuelta en la cabeza.

Giró sobre los talones con prestancia disciplinaria y avanzó directo hasta don Antonio, cerrando de un manotazo la puerta de su propio coche que le impedía el tránsito. Con un gesto apenas perceptible de su anular, hizo que el padre de Agustín descendiera la grada y se le uniese en la vía. Tomándolo del codo reinició el paseo, como sumido en una vaga cavilación. Cada vez que llegaban a la esquina, giraban y volvían hasta la vivienda. El viejo se dejaba conducir con el rostro tan inexpresivo como una valija.

Más como pensando en voz alta, que advirtiéndoselo, el capitán expuso lo que pareció ser el fin de su razonamiento:

—Yo contra vos no tengo nada. Yo aprecio a tu hijo, y como aprecio a tu hijo, te aprecio a vos. Al fin de cuentas, cabrón, vos sos el padre de tu hijo.

Se puso teatralmente un dedo en la sien, como quien se apuntara con el caño de un revólver, obligando con un tirón del codo a que el padre se detuviera en seco a considerar su coreografía: "Tu hijo tiene de esto. Es advertido. Y si es hijo tuyo, vos también tenés de esto" agregó, punzando ahora con su meñique la propia sien de don Antonio, como en un rápido juego de magos. "Y si tenés de esto, quiero que me lo probés." Lo levantó de vuelta a la grada y le dijo cortésmente, sonriéndole y guiñándole un ojo: "Traémelo."

El capitán avanzó hasta el jeep, apretó el interruptor del altoparlante, y emitió su comunicado:

—¡Atención! ¡Mucha atención! Se realizará una operación registro de inmediato. Todos los habitantes de la cuadra deben abandonar ya mismo sus casas.

En cuanto hubo bajado el magnetófono, las puertas comenzaron a abrirse con la coordinación de un abanico, la fluidez de un bandoneón. Sin prisa, como si primero surgieran los ojos y los cuerpos después, fueron saliendo ceremoniosamente niños, mujeres y algunos ancianos que ante la pedrada del sol dudaron entre cruzar los brazos sobre el pecho o enredarse los dedos a la altura del vientre. El capitán recorrió el conjunto dándose golpecitos insatisfechos en el muslo.

—Cabrones —fue diciendo en su recorrido— nos dejan a los viejos y a los chavales, y los hijos de puta se esfuman.

Fue justo al terminar esta frase que le atrajo la atención una robusta mujer de vestido floreado que mantenía rígida a su hijo en brazos. Flores pudo sentir exactamente el impacto que su mirada había causado en el cuerpo de la mujer. Como si de repente la hubiera electrizado, dado vuelta la piel y ella expusiera transparente su terror. Sus brazos apretaron con más fuerza el hijo. El capitán anduvo los pasos que la separaban de ella, y detrás del tranco del capitán avanzaron de reojo las miradas de todos los vecinos. El silencio le pesó a Flores como un cerro en la nuca.

—¿Qué hay comadre? —dijo—. ¿El chico no estará ya muy crecido para mimarlo tanto?

Extrañamente, la mujer fue ahuecándose, dejando una prodigiosa concavidad en su pecho y vientre como si quisiera devolver el muchachón a su entraña. Flores le señaló imperiosamente el pavimento: "Dejálo que se sostenga por sus propios medios."

—Tiene sólo doce años, capitán.

Sus ojos estaban arrodillados, suplicantes, tensos como puños, el labio inferior vibrante.

—Catorce o quince —dijo Flores, indicando impaciente el suelo con su índice—. Dejálo, pues.

La madre lo fue bajando y sus pupilas buscaron una remota complicidad, asistencia o intervención de los pobladores, cabizbajos en la encostradura de su mudez. Cuando lo depositó en el empedrado, con súbita vehemencia apretó la cabeza del niño contra su pecho, y sus brazos temblaron cuando el capitán quiso apartárselos tomándola de las muñecas. A la tácita plegaria, el militar repuso con una mirada firme y terapéutica, y trajo al niño hacia el muro blanco, tomándolo de la mano como un padre a un escolar el primer día de clases. Luego fue retirándose hasta el centro de la calle, y allí, entre medio de los jeeps y su tropa, se formó una imagen total de la escena como un estratega del campo de batalla, como un coreógrafo el telón que va a ser inflamado por la danza. Las miradas de los pobladores se repartían entre el niño, preciso en el muro bajo las consignas sandinistas que ahora parecían apuntar hacia él como el dedo de un delator, su propia altanería socarrona de maestro de ceremonias con el oído vigilante a alguna sorpresa que cayera de los techos, y el humilde umbral de don Antonio exasperantemente vacuo. Entre ese manojo de intenciones, prestó cuidado a aquellos que preveían de las canaletas en los tejados los derrames de ángeles sandinistas con espadas de fuego como en las estampitas parroquiales. Mientras se acariciaba el bigote, tuvo la sensación de que por las tejas y calaminas no transitaba siquiera un gato. Sólo entonces, vino moroso hasta la puerta de Agustín, introdujo la nariz en la ardiente penumbra y dijo con voz íntima:

—Hacéme el favor de salir un ratito, viejo.

El padre vino hasta el umbral y le pareció que los ojos de los pobladores eran aerolitos, que desastillaban el sol y lo penetraban hasta los huesos. Era como si el polvo de la calle levitara y todos tuvieran atascadas las amígdalas de un líquido insoluble, de un silencio bochornoso, parecido a las heces.

—Parece que no lo encontraste —dijo Flores, subiendo por primera vez el volumen de su diálogo con el viejo para que alcanzara al vecindario.

Inclinando como un cachorro de lánguidos ojos su cuello rígido, murmuró mínimo, con el tono de un enfermo:

—Lléveme a mí, señor.

—¿A vos? —gritó, golpeando el puño contra la palma de su mano, inopinadamente preso de un desasosiego que en un segundo hizo añico la templanza de su rango. "¿Y qué sabés hacer vos? ¿Sabés manejar un telégrafo? ¿Conducir un Sherman? ¿Reparar el neumático de un auto? ¿Has salido alguna vez de esta mierda donde querés enterrar en vida a tu hijo?

¿Qué clase de padre, sos? ¿Qué clase de padre sos, grandísimo cabrón?"

Las pestañas del capitán relampaguearon cebadas en la mansa actitud de don Antonio y su vista recorrió al vecindario quieto como pájaros muertos, cuyas cabezas se fueron doblegando a su paso como si fueran velas que él soplara con su aliento.

—Y a ustedes, señores, no les vamos a regalar Nicaragua. Antes de que lleguen aquí los sandinistas, yo mismo voy a bombardear León hasta que no quede ni una mosca ni una hierba.

Estuvo inmóvil un rato esperando alguna respuesta, y luego elevó los ojos hacia la única nube paralizada en el cielo. Arrugó el ceño, desagradado. "Hace una sed del carajo" pensó.

—A vos te aprecio, viejo —le gritó a Don Antonio, sin mirarlo. Esgrimió tenso el índice señalando al chico de doce años. Como un fogonazo pudo sentir el recelo de la gente. Encarnizado en la nueva temperatura, fue rápido hasta el niño, le alzó la cabeza asiéndolo de la nuca y lo dio vuelta hacia el padre como exhibiendo un objeto. Desde la gran distancia que los separaba, afinó la dicción para decirle, casi silabeando:

—Pero este cabrón me da lo mismo.

Empujó al chico contra la pared, y volvió decidido a instalarse en el exacto centro de la calle, como coronando el arsenal de sus hombres.

—¿Oíste, viejo? —gritó.

Fue entonces cuando apareció Agustín en el marco de la puerta, el torso desnudo, la gorra militar con un dejo impulcro en la caída sobre la ceja, la guerrera colgando de su puño hasta arrastrarse por el suelo. Observó al capitán con expresión neutra, ignoró la cerrada tensión de los vecinos, se puso la chaqueta abrochándose los botones —salvo el del cuello— mientras el sol hinchaba el polvo y enceguecía las manchas de aceite de los jeeps sobre el empedrado, y luego fue hasta su superior balanceando su cuerpo con movimiento compadre, como si su peso y altura fueran superior al real. A un metro de distancia, Flores extendió el brazo, y brilló entre su pulgar e índice, perpendicular a su cuerpo, el cromado del manojo de llaves del auto. Las sometió a un breve tintineo, y cuando Agustín las arrebató, sin cortesía ni violencia, le indicó con la quijada el coche y contempló el elástico lomo del chico flectarse para ocupar el asiento delantero. Cuando el motor arrancó, el capitán le dedicó una leve sonrisa al padre, y luego extendió su amabilidad al resto de los pobladores. Tocándose elegantemente el borde del quepis, les dijo:

—Así me gusta, que nos comprendamos con buenas palabras.

IVÁN EGÜEZ

(Quito, 1944) representa en la narrativa ecuatoriana, como Jorge Enrique Adoum, un esfuerzo coherente y gobernado de modernización que ha ido evolucionando y madurando a través de una sucesión de títulos: *Calibre catapulta* (1970), *Loquera-es lo-que-era* (1972), *Buscavida rimafuerte* (1975) y por último su más lograda novela, *La Linares* (1976) ya traducida al inglés y al alemán.

Hizo estudios de ciencias de la comunicación, que vinculó con actividades literarias: fue integrante de la revista *La bufanda del sol,* director de la revista *Argumentos* y de la revista *Anales* y es actualmente director del Departamento de Cultura y Difusión Popular de la Universidad Central del Ecuador.

Desde hace años viene trabajando en una novela, aún sin título, que es un solo párrafo de trescientas páginas que sigue al personaje principal en su incesante recordar-fabular hasta una suerte de delirio, ya que supone que cada antepasado suyo nació con la memoria acumulada de todos los anteriores del mismo linaje. La novela recorre alternativamente toda la historia ecuatoriana, desde la fundación de Quito hasta la época petrolera.

ÉSTE ES EL *JET-ART*

Éste es el Jet-Art, bar adecuado en el vientre de un envejecido DC-3, aterrizado a la maravilla desde portentosa grúa que lo colocó esquinado y gracioso en plena Mariscal, en solar donde hasta hace poco se había enseñoreado un chalet de techos cubiertos por tejas de pizarra, de adivinados desvanes en los entrecielos y devoradoras chimeneas de tiro suizo. Ésta es— había estado pensando hace un momento— una mesa cuadrada de vidrio romo, arrimada como consola en el ángulo que forman las acrílicas paredes azul pavo real y naranja tenerife de este exclusivo bar; mesa acorralada, dispuesta a ser ocupada por nosotros: yo y mi pasado. Yo que me miro en el vidrio ora azul, ora naranja, según el balanceo de mi cabeza cana, mas siempre vidrio quieto como el amortiguado lago de Sils, liso como el patín esquiador que precipité en la Bernina. De pronto, como si estuviera en la sala de conciertos de Amiens y —al atenuarse los pífanos, el trombón de llaves, el sacabuche y el helicón— extremara el oído para concentrarlo en el pizzicato de factura que ejecuta el primer violín a pellizquinas, he escuchado, con dolor en los tímpanos, que se abría la puerta de esta imaginaria sala de conciertos para dejar entrar una voz de muchacha en contralto, quien, desde una mesa de más allá decía: Las Meninas no es lo más cruel que se haya pintado contra la monarquía, Foucault afirma que —y volvió a cerrarse la puerta de Amiens, a dejar apenas una hendija para que filtre la voz mediterránea de un hombre que la replicaba: El espejo, Claudia, no es otra cosa que la intención de Velásquez, es su desquite, su dosis de mora barbarie, su —y se cerró la hendija a causa de un mesero vestido a la payasa, con smoking floreado sobre campo plata, igual al avión que me trajo la última vez desde Europa; mesero que, alardoso en su shopping, recogía el servicio con la ostentación que pone una enfermera al recoger el instrumental quirúrgico después de pensar que la operación ha sido un éxito. No pude escuchar más, porque en habla de Las Meninas, de Foucault y de una Galería de moda, se levantó la pareja de jóvenes, se atuendaron uno al otro —él puso sobre los hombros de ella el poncho folklórico de cenefas cubistas que le caía al sesgo encendiéndole los pies; ella le aderezó el antílope español vendido seguramente por montevideano en una vitrina de la itálica Calabria. Aturdido de saber que la muchacha de la otra mesa se llamaba Claudia, igual a quien yo, en ese preciso instante, había estado recordando, sentí azoro y ya no pude seguir reconstituyendo en mis memoriosas yemas digitales la lisa espalda de Claudine Claudet, espalda como ala brillante de avión; ya no pude detener su pelo rupestre —suelto sólo para mí, en veces mojado— de temprano magdaleniense. Ya no pude recrear la aséptica tijera de sus piernas balletistas, de su andar en puntas siempre percutido como muletas en mi corazón: Claudine – Claudet – Claudine – Claudet. Las balletistas caminan con la prosa de las gallinas, le había dicho celoso de esa profesión tan libre y hasta indecente. Pero Claudine, haciendo torbellinos sobre un solo pie, me había respondido: Querrás decir con la prosa de las gacelas o los flamencos, mon cher crocodile. Sin ser llamado, se acercó el refitolero del Jet-Art: Ahora no hay música, ahora hay sólo cosas nacionales, me dijo entre presumido y emocionado. Y yo, sin saber por qué, me quedé pensando en Paulina, sentada frente a la pianola fingiendo el Claro de Luna en medio de una audiencia boba; siempre fue embustera y farsante, pensé con amargura y decepción. ¡Cómo decirle al maître que se vaya a la punta de un cuerno con su cinco de diciembre, que yo no estaba aquí para beber a la salud de vanos dioses, que estaba para saldar cuentas conmigo mismo, para ponerme a buen recaudo de aquel fandango general en calles y plazas, porque si uno no se libra de semejante birria, queda inmerso en esa masiva gimnasia social, bomboleo y topeteo de vulgares, de música a parlantes, temible como el chirrido debajo de la muela;

queda a expensas de esa masa olvidada de sí, amaestrada y turiferaria que, por lo mismo, guarda el peligro de los monstruos adormidos! A Claudine la conocí en una banca primaveral de Fontainebleau, vestida de colegiala cuando yo estudiaba filosofía con el profesor Brochard en París junto a una docena de franceses tunantes y un teutón circunspecto. Ella había ido al bosque a descansar del rigor de los ensayos de ballet dirigidos nada menos que por "La Monteró", yo, a practicar a campo traviesa la novelería del cajón fotográfico de fuelle saurio, sin pajarito ya y sin manga funeraria. Al advertirme ella tan enjaezado —levita, vitel, corbañuelo, polainas, mocora, bigotes apincelados, peinado partido al derecho con la limpidez de trazo que puede dejar un leñador, chaleca moteada, leontina y clavel— me había sonreído por curiosidad, casi por compasión, mientras a mí se me atolondraban los dedos entre el pequeño mastodonte de retratar y el resbaladizo mocora. Monsieur —me había dicho— une photographie, une photographie. Así sentada me abrió las piernas cubiertas por oscuras medias, levantándose hasta las rodillas el tableado uniforme de reatas marineras. Yo me acuclillé como fotógrafo deportivo —de esos que habían fotografiado gigantes con bombachos a las canillas en las recientes Olimpiadas de Londres— y obturé la cámara para conseguir una foto increíblemente desproporcionada, de zapatos enormes en primer plano, de piernas largas y tubulares, semejantes a esas diosas-acueductos de la cultura birmana, tan caras a las anécdotas del profesor Brochard, piernas que se hacían jorobas de camellos en el lugar donde ella pendulaba un medallón con la efigie de Bleriot y terminaban en un ínfimo sombrero de montero de cámara, no más grande que una almendra de alfóstigo o un grano-rey de mosto, totalmente distinto al alón de cintas bajas que llevaba puesto ella con el encanto de no saber si era de liceo o de cocotte. Le tomaré otra, le dije al llevarla ocho días después aquel adefesio sepia, pero ella galicadamente protestó que no, que mostrará a sus camaradas de baile para que vean lo atrevidos que son los ultramarinos. Y la visión del Alma y la Naturaleza que no pudo demostrarme el profesor Brochard, me comenzó a llegar a domicilio en puntas de ballet, en puntillas que compraban la discreción de la portera a fin de tener acceso hasta mi bohardilla de inquilino, de estudiante que, billetera en mano, empezaba a ser tratado desde entonces como gran señor de los grandes del habla de España. El Jet-Art afortunadamente, no estaba tan congestionado como yo lo había imaginado; sin embargo, a dos palmos de mi asiento, yacía abandonado un bolso de cabritilla; lo recogí para dárselo al mesero cuando pasara, mas al depositarlo sobre la mesa no pude evitar la tentación de husmearlo: a la final nadie había reparado y era asunto de pura curiosidad. Pertenecía a Claudia, la muchacha de la voz atiplada. Así lo certificaba su carnet de estudiante de Arquitectura, así lo decía su libreta, mezcla de diario íntimo, de apuntes de clase y guía telefónica. La hojeé reparando en algunas anotaciones: "Hoy terminé de enfermarme. Pablo no fue a clase ni me llamó por teléfono. Ojo: el 22 último día de entregar Proyectos. La hija de Pablo debe seguir enferma." "Hoy pasamos todo el día juntos, dibujando. Pablo sabe cocinar: me enseñó a preparar calamares. Me gusta la forma que tiene de pararse frente a la mesa de dibujo con las piernas templadas y medio abiertas. A veces pienso que la Arquitectura no se hizo para mí. Me cansa. Sigo con tos"... "Pablo no sabe que mañana es mi santo. Le adoro. Tan bello que es"... Con Claudine Claudet nos amartelamos armando caramillos entre las bailantes de la Academia de Francia y amenizando las cartas de familiares y paisanos que iban y venían, murmuronas, allende los mares, pues Claudine en ocasiones era un escándalo, se salía de toda norma de comportamiento, actuaba descocada e imprevista. Quisieras tener a tu lado una Santa Walpurgis, se quejaba ella, y yo protestaba que no, pero que tampoco quería una walquiria cualquiera y vulgaris. De ella, eso me molestaba. Lo que sucede es que no eres libre, me argumentaba; estudias las inútiles lecciones del profesor Brochard pero no lees la Nouvelle Revue Française fundada por Gide, por ejemplo; estás en París simplemente como un aprendiz de embajador (de embrujador, como decía la portera, sesentona que había tenido veinte brumarios cuando la Commune), me alarmaba el pensar que llegado el momento de presentarla a mi familia en la patria ajena, ella pudiera salir con uno de sus fuera de tono y lugar, sobre todo ante mi madre, tan señera y señora, tan augusta y entendida. Pero esa preocupación se me quitó de cuajo cuando llegó la noticia de su muerte. Es cruel hacerse huérfano a la distancia, había dicho yo sollozando en el hombro de Claudine en pleno Père Lachaise donde había ido a confortarme, sin conseguirlo, porque entre esos millones de muertos desconocidos me sentí aún más extranjero que entre los vivos. Es cruel —le repetía— es como si de pronto te enteraras que el blasón hereditario ha sido desartillado o peor aún, ha sido ofendido, aplebeyado. Y Claudine se había echado a la carcajada en medio de ese silencio sin paredes que guarda el Père Lachaise. Eres un monárquico, eres un monárquico, me decía acariciándome. Y yo sin comprender nada, molesto e importunado, pensando que había puesto tanto ardor en conquistarla que ya no discernía si era felicidad o aturdimiento lo que me daba mi conquista, al punto que salí bostezando sobre las lajas del cementerio, con las manos en los bolsillos, con una sensación de vacío y desamparo, de adelgazamiento en las entrañas, similar tan sólo a esa sensación glandular que había tenido al asomarme a la torre que construyera años antes Alexandre-Gustave Eiffel. Pasó el mesero, mas yo, ensimismado en mis recuerdos, había olvidado de entregarle el bolso. De pronto lo vi ahí, como un lagarto con las fauces abiertas sobre la mesa. Me sentí cogido en falta y, parándome súbitamente, deposité en las manos del mesero el bolso que, sin querer, yo lo había confiscado. Sin embargo, la libreta había quedado aquí sobre la mesa y, quedándome ningún remedio, hube de apropiármela con esa seguridad que surge de los momentos de apremio. Volví a leer algunas de sus páginas: "Soy feliz. Pablo tiene una ternura única —ayer en un papelito me llamaba Capitana-de-rumbo-cierto, sin embargo, al acercarse diciembre se pone tenso. No le agradan las fiestas de la ciudad, dice que en el fondo hay un culto al colonizador, que celebra con bailes la derrota de Rumiñahui. A mí tampoco me gustan porque no podemos pasar juntos. Recuerdo un poema de Fernández Retamar. Se llama LA OTRA: Celebra Navidad el 23/ o el 26,/ y fin de año el 30/ o el 2 o el 3./ No celebra el Día de Reyes./ Le dicen con el corazón/ que el otro año sí./ Pero los dos se separan/ llorando,/ porque no.//" Cierro la libreta pensando que hay algo de magia en esto de los nombres. Las Claudias, desde los tiempos de Marcial están hechas para el amor, son mujeres de pasiones y decisiones; así recuerdo que una enfebrecida tarde del siguiente verano a la muerte de mi madre, soñé a Claudine con atavíos de viajar y rosas en el escote, sentada en el Havre sobre baúles de bombones, vestidos y afeites, rodeada por cilíndricas cajas de sombreros de señora; la vi pálida durante la travesía, sin abandonar su intimé de perfumes y resucitadores; la vi a mi lado desembarcar en puerto ecuatorial, tomar allí un utópico ferrocarril que avanzaba trepidante por sobre esa espina dorsal tendida hasta la hacienda patria, hasta el cortijo familiar; la vi besar a-la-francesa a mi madre rediviva, a mi padre fantasmal y romántico que aguardaba sobre el landó de cuatro asientos y escudo nobiliario en el salvabarros. Pero una carta con letra de amanuense me despertó de mi siesta de verano, de mi ilusión de viajar. Se me prohibía, con potestad que otorga el albaceazgo, continuar en París en esa vida de desprovecho y desvergüenza, conminándome a escoger entre la trivialidad del amor frívolo de una saltatriz —así la mal mentaba el atrevido— o la heredad y nombre de señor. Era humillante el tono que empleaba aquel atrabiliario que oficiosamente me había salido al paso, pero al paso también yo me llenaba de ira santa para cascarle las liendres por aindiado, malpariente que no pasaba de ser el majagranzas, el bucólico rodrigón, criado en la trastienda familiar gracias a la generosa behetría dispensada por mis padres. Así vociferaba yo, causando estropicios a la carta, blandiéndola como a espada de celos, rebateándola como a campana de candela. La gruesa portera parisina, primera en dar regazo para que yo, futuro embajador, llorara de rabia y de congoja, juraba a cuatro vientos ¡Mon Dieu! que su inquilino preferirá su Claudine a todas las riquezas y gañanías del mundo, que a ella le constaba, desde la rendijilla de la boharda, toda la imaginación y esmero con que protagonizaban la petite Claudine y el bon indien —que así a mis espaldas me trataba—. Caballero como toda la vida he sido, oculté la carta para evitar un contratiempo a mi pequeña, pero una mañana, cuando ella buscaba, agachada como una col, los broches sangre-de-pichón caídos bajo la cama, encontró junto al bacín prenapoleónico de lises y ribetes dorados —comprado por mí con inocultable entusiasmo a un corredor de antigüedades— la carta conminatoria del testamentario y, coqueta como era, con la misma infantilidad que abrió las piernas para la primera foto, se marchó a Avignon dejándome un billete que decía: "Mon Cher Daniel Martínez: Me voy para que puedas discernir sin mi presencia el destino de este amor que es único. Tu pequeña C.". Lo que sucedió entonces, fue divulgado por la locuaz portera que, a la sazón, se había adjudicado también la protección a Claudine: "El futuro embajador lió mudas, cartas y manuscritos, tomó rúas de extramuros y marchó, no a Avignon a buscar a su Claudine, sino al puerto de travesía que lo devolviera al hogar lustroso, al lugar de ancestro, al centro de su prosapia, al cetro de su prosa pía. Merde, merde." Si viajé fue por enmendarle a bastonazos a ese miserable albacea, aunque esa actitud me perjudicó ante los ojos de París, bueno, no tanto, digamos a los ojos de la portera y de una docena de verdulantes, botellistas y balleteras. Mas, apenas hube llegado, me enteré que el instrumento de mis males, a consecuencia de haberse alistado, en decisión tardía aunque temeraria, en las filas casi diezmadas de un ejército conservador que pese a no atinar reagruparse y restablecerse seguía escaramuzando en punto circundantes a grandes fundos o plantaciones, había cometido el acierto —único en su vida, desde luego— de morir como perro durante un saqueo a Ibarra. Pero el capellán de su compañía había quedado de depositario de una carta envuelta en escapularios y dirigida a mi persona. Si no morí al leerla fue sólo porque este protomártir se hubiera solazado desde los infiernos. Me enderezaba, en un lenguaje de infecta sacristía, la más inmunda y vil de sus patrañas: me pedía le perdone pero que era menester confesarme su paternidad, que por no levantar las cenizas de mi madre se impedía de aprontar detalles y espigar explicaciones, pero que yo era el fruto de su oculto amor con ella y que, a costa del secreto me pedía protección y amparo para "otro" hijo que este abyecto difamador había tenido en una guaricha que frecuentaba las tiendas de campaña. Para ejercer venganza, aunque sea en sus despojos, desenterré sus huesos para ofrecerlos como festín a la jauría de perros que pululaba en el propio cementerio, pero ni los canes hambrientos quisieron ofenderse con el escuezno del calumniador. El capellán, con esa complicidad que promueve la cinta de un cofrade muerto, me obligó a proteger al hijo de la Alimaña so pena de escándalo y excomunión. Me comprometí a pagarle el Orfelinato y a procurarle instrucción, a sabiendas que, vuelto a París, me desatendería para siempre del engendro y me limitaría a odiarle, pluguiendo a Dios me conceda el don de la acendrada perseverancia en este sentimiento. Mas la desazón fue tal, que terminó corroyendo mis propósitos de viaje. A lo sumo, decidí extrañarme en mi propia tierra. Partí rumbo a Los Soles Negros a confiscarme a la sombra de esos árboles trasañosos, provisto de biblioteca embellecida en becerro para engañar a mi único tormento: la presencia del pasado. El mesero vestido a la payasa, me repitió el cognac, y yo sentí, por contraste a la herrumbre de mis recuerdos, la necesidad de seguir leyendo aquella bitácora, si se quiere insulsa, pero viva y fresca de la estudiante de Arquitectura: "No sé cómo se enteró: me trajo a regalar por el cumpleaños una careta negra de alambre comprada en Pujilí. (No olvidarme de consultar el diccionario de Carvalho sobre la Mama Negra.) Soy feliz. También me trajo una macetita con un cactus, y un libro: 'París es una fiesta', de Hemingway. Cuando no le veo a él me siento sola"... "Mi monografía sobre Quito avanza lentamente. Debo ordenar de mejor manera mis anotaciones." "Dos semanas que no he ido a visitar a mi madre, sin embargo cuánto daría por tenerla a mi lado, cuánto hubiera dado por haber crecido junto a ella." Leo la bitácora de esta Capitana-de-rumbo-cierto y se exacerba mi angustia: el pasado es un tormento general, quisiera darle mis manuscritos, los testamentos, las minutas de escribanía, los folios e infolios de escribientes y letrados, los libros de cuentas, los cuenta-rayas, las demandas y las sentencias, los legados y manutenciones redimidas, redivivas, para que las hojee como yo ahora a mi memoria, bitácora en el fondo del mar, del mar que me llevó a Claudine y me separó de Claudine, del mar de Gracita y el pirata-pintor, la mar de mi abuelo Diego Melchor, el mar de dudas presente en Los Soles Negros cuando empecé a trasegar, a mi regreso, los almarios de mi madre, a descolgar sus vestidos de viuda inconsolable, entonces más vacíos que nunca, cuando abrí pomos y devocionarios, desempolvé relicarios, detentes e indultorios; olisqueé la túnica mariana con la cual, niña de cinco años, ella había comulgado por vez primera; desdoblé las sábanas nupciales y vi cómo la mariposa de chocolate que en su medio había volaba, con vuelo de polilla que se suicida, hacia el inútil porvenir. De un mar de ropas de color, detenido para siempre en mimbroso canasto desde la muerte de mi padre romántico y pesimista, fui levantando, avemaría, como en jornada de pesca, tiburones de hule, de charol y cabritilla, anguilas de seda heridas entre ellas a dentelladas, pulpos mitones de terciopelo, delfines con iniciales para llorar, enaguas y debajeros de marea baja, blusas luna llena, serpientes marinas con anzuelo de carey en la boca, bolsos escamados, sombreros que más bien evocaban bandejas con frutas del mar para rancharse, vestidos con colas cetáceas, el esturión de castidad, la manta carnívora que dejaba enjuta a quien la llevaba, el corpiño que mordía con dentadura de botones y el chal pescador cuya red había atrapado algas y flores a croché. En baúl repujado y zunchos aduaneros, encontré apenas el lomo de un plateado reptil y no el arcón filibustero escamado de esterlinas. Ahí estaba esa parte del pasado, tangible, corpórea, dolorosa, así como aquí está mi memoria desafiando la maldición de otra Claudine remota, la Orofrisia de mis padecimientos, dejó escrita con pluma de ánsar sobre una estampa de Santa María de la Antigua. Ahí estaba el arcón que un fiel condestable envió a mi familia con los restos exhumados del pirata francés, con los de Gracita y con los disfraces que ambos usaron recorriendo el mundo. En joyero demasiado grande para lo que contenía, encontré el resto de lo que quedaba de la donación hecha por mi madre a un batallón de tauras. En secreter de filigrana con incrustaciones de nácar, encontré, apretado aún por lejanos estertores, el puñado de Tierra Santa que le trajera a ella aquel confesor que murió desbarrancado en linderos de la propiedad (de la propia edad, cual haría constar el Teniente Político en el Acta de Defunción). En el bargueño de mi padre, hallé el orden estanco, típico de los débiles de decisión: cajón de broches impares, cajón de alfileres, cajón de semillas espasmódicas, cajón de pagarés, traspasos y recibos, cajón de infundios y cartas anónimas (seguramente escritas por la infernal Alimaña), cajón para el vademecun miniatura de enfermedades súbitas y hereditarias, cajón para la valeriana que calma los nervios, cajón para la floripócima que calma la memoria (cruelmente vacío), cajón para el pomo con curare, cajón con los dientes de leche del primogénito, cajón con los bucles dorados de la hija muerta, cajón con cajones y cajones dentro. Bargueño pletórico igual a la memoria. Luego salí a visitar establos y cuadras, a revivir los olores de la bosta y el ordeño, a palpar con mis manos de futuro embajador las ancas y cuellos nerviudos de mi caballada y a repasar la prosa plácida.

[Fragmento de una novela en preparación.]

tablecerlo a mi familia con los reyes exhumados del pretérito, franceses vestidos de levita, y con los disfraces que amigos usaron recorriendo el mundo. En joyero demasiado grande para lo que contenía, encontré el resto de lo que quedaba de la dote ya hecha por mi madre a un batallón de tías. En soporte de filigrana con incrustaciones de marfil encontré, apuesto aún por lejanos estandartes, el puñado de Tierra Santa que le trajera a ella aquel confesor que murió desterrado su linajero de la propiedad (de la propia ciudad, cual hace constar el Teniente Palafox en el Acta de Defunción). En el escritorio de mi padre, hallé el orden estanco, único de los débiles de decisión: cajón de broches inmaculados, cajón de pildoras, cajón de semillas espasmódicas, cajón de pagarés, traspasos y recibos, cajón de inmundicias y cartas anónimas y escandalosamente escritas por la infernal Almeida, cajón para el vademécum miniatura de enfermedades súbitas y hereditarias, cajón para la valeriana que calma los nervios, cajón para la fosfocina que calma la memoria (cruelmente vacío), cajón para el pomo con curare, cajón con los dientes de leche del primogénito, cajón con los bucles dorados de la hija muerta, cajón con cajones y cajones dentro. Escritorio pletórico igual a la memoria. Luego salí a visitar establos y cuadras, a oler los olores de la bosta y el ordeño, a palpar con mis manos de futuro embalsamador las ancas y cuellos derivados de mi caballada y a repasar la prosa plácida.

Fragmento de una novela en preparación.

JORGE IBARGÜENGOITIA

(Guanajuato, México, 1928) ha tenido una prehistoria teatral y una historia narrativa. Al nivel de la primera edición del *Diccionario de Escritores Mexicanos* (1967) era principalmente el autor de brillantes, pirotécnicas crónicas sobre teatro (*Revista de la Universidad de México, Siempre!*) y de una serie de obras dramáticas, desde *Susana y los jóvenes* (1954) hasta *El atentado* (1963, premio Casa de las Américas), aunque ya en 1964 había probado su destreza en una novela, *Los relámpagos de agosto* (premio de Casa de las Américas, también). Esta "última novela de la revolución mexicana" introducía en la narrativa de su país un ritmo nuevo, moderno y provocativo, una visión adulta, crítica y sarcástica, de un asunto que la retórica oficial había sacralizado, un poco a la manera como Sciascia habría de revisar los mitos de la cultura italiana.

En la década que va hasta el Premio Novela México conferido en 1974 a su revisión irónica de la vida provinciana, con *Estas ruinas que ves,* había probado en sus libros *La ley de Herodes* (1967) y *Maten al león* (1969) la originalidad de esta vía literaria —precisa, lacónica y divertidamente ácida— para volver a examinar tópicos de la cultura latinoamericana, entre ellos, bastante antes de los mayores, el de los dictadores gesticulantes. La apelación en estas obras a un ríspido humorismo, aun antes de que se publicaran los *Cien años de soledad,* pareció condenarlo a una especie de categoría marginal: el autor de libros muy regocijantes pero poco trascendentes. La publicación reciente de su novela *Las muertas* y del por él designado como "divertimento", *Dos crímenes* (1979) dio prueba de la amplitud de su registro, su sabio dominio de los recursos literarios, su aprovechamiento de los materiales de la crónica roja para invenciones casi oníricas, la construcción coherente de un universo de poderosa significación.

Desde hace años está consagrado centralmente a su tarea de narrador, la que se ha visto favorecida por becas o prolongadas estadías en el exterior (Estados Unidos, Francia donde ahora reside), encontrándose actualmente consagrado a una novela que, provisoriamente, ha titulado *Los conspiradores.*

LOS CONSPIRADORES

Periñón contaba que de joven había pasado una temporada en Europa y aludía con tanta frecuencia a ese viaje que los que lo tratábamos llegamos a aprender de memoria los episodios más notables, como el de la vaca que lo cornó en Pamplona, la trucha deliciosa que comió a orillas del Ebro, la muchacha que conoció en Cádiz llamada Paquita, etcétera. Había comenzado bajo buenos auspicios. Cuando estaba en el seminario de Huetámaro, Periñón, que era alumno excelente, ganó una beca para estudiar en Salamanca. Como era pobre, varios de sus compañeros y algunas personas que lo apreciaban juntaron dinero y se lo dieron para que pagara el pasaje y se mantuviera en España mientras empezaba a correr la beca. Periñón contaba que en el barco conoció a unos hombres de Nueva Granada y que durante una calma chicha pasó siete días con sus noches jugando con ellos a la baraja. Al final de ese tiempo había ganado una suma considerable, comprendió que sus circunstancias habían cambiado y decidió no pararse en la universidad. Pasó meses viajando, visitando lugares notables y viviendo como rico. "Hasta que se me acabó el último peso", decía. Después pasó hambres.

Cuando le preguntábamos cómo había regresado a América nomás cerraba los ojos y sacudía la cabeza, como tratando de espantar una imagen vergonzosa. Se decía que alguien lo había visto en Veracruz "con la sotana muy revolcada". La siguiente noticia es de Periñón en Huetámaro, de vuelta en el seminario, aguantando las reclamaciones de los que lo habían patrocinado. Estos pretendían que les devolviera su dinero, cosa que Periñón nunca hizo.

Los que no lo querían, que eran muchos, se dividían en dos bandos: el de los que no creían palabra del viaje a Europa y aseguraban que la jugada la había tenido antes de embarcar, que no ganó en ella, sino que perdió hasta lo que costaba el pasaje, que los meses que siguieron no los pasó en Europa visitando lugares sino viviendo en la costa entre veracruzanos y que la vaca, la trucha y la muchacha no eran más que figuraciones de borracho palúdico. El otro bando de sus enemigos lo apodaba "Dominguete el parisino", aceptaba que Periñón había hecho un viaje a Europa —pero en mala compañía— y sostenía que había pasado a Francia y llegado hasta París en donde se había vuelto ateo e ingresado en la masonería.

(Nota: Este argumento fue presentado en el juicio que se le formó en 1812, fue aceptado como válido por el Tribunal y determinó el desenlace.)

Yo me inclino a creer en la versión del viaje que él mismo daba y me parece que en las experiencias que relataba se encuentra el origen de las manías que habían de obsesionarlo en la edad madura, como la de criar gusanos de seda, la de cultivar vides y la que finalmente había de volverlo famoso y costarle la vida, que fue la de hacer la revolución.

Antes de conocerlo lo vi tres veces en el camino a Cañada. Era una mañana de junio, el cielo estaba azul tan fuerte que parecía que no existiera la lluvia pero la noche anterior había caído una tormenta y el camino era un lodazal. La diligencia se había atascado y los pasajeros habíamos tenido que ir a pararnos en unas piedras para no estorbar ni enlodarnos. Las mulas tiraban, el cochero daba gritos y chicotazos, el ayudante empujaba. Entonces apareció Periñón montado en su cabello blanco. Iba al pasito, por el bordo, entre la huizachera. Al ver nuestro contratiempo arrendó, nos dio los buenos días y preguntó qué se ofrecía. El cochero contestó que nada y Periñón siguió adelante, muy tranquilo, silbando una canción —después supe que él mismo las componía—. No llevaba sombrero y tenía la calva requemada por el sol, se sabía que era padre por el alzacuello, pero en vez de sotana llevaba pantalones y botas con espuelas.

Cabalgaba dejando colgar el brazo izquierdo en cuya mano llevaba siempre la vara que usaba para espantar perros.

El coche salió del atolladero, seguimos el camino, llegamos a un pueblo, bajaron unos pasajeros y subieron otros, más tarde, en el tramo firme que había en la ladera de un cerro, las mulas echaron a correr y alcanzamos a Periñón. El caballo blanco andaba suelto y pastando, su dueño estaba en la milpa con una pala en la mano, rodeado de campesinos que lo miraban con atención y respeto, como si nunca hubieran visto hacer un agujero en el suelo.

El tercer encuentro ocurrió pasado el medio día, en la venta en que nos detuvimos para comer y cambiar de tronco. Aparte de la cárcel no recuerdo lugar más inhospitalario: la ventera nos hizo entrar en un cuarto oscuro y allí nos dio, de mal modo, frijoles y tortillas viejas, regañó a un pasajero cuando lo vio orinar sobre una cerca de piedra y a mí, que pedí agua para beber, me la dio en un jarro, con la advertencia de que había que ir a sacarla de un arroyo que quedaba a más de trescientas varas. Pasados estos disgustos salimos al portal listos para partir y allí estaba Periñón.

Se había recostado en una hamaca y se mecía empujándose con el pie, se había quitado el saco para estar más fresco y platicaba con unos chiquillos. Dos sacerdotes que iban en la diligencia se acercaron a saludarlo.

—Don Domingo, ¿qué anda haciendo?

—Estoy esperando a que la señora ventera saque el cabrito que me ha hecho el favor de meter en el horno —dijo él y se siguió meciendo.

Al poco rato, en la diligencia, supe quién era, porque los que lo habían saludado dijeron:

—¿Si el padre Periñón es tan listo por qué se quedó en el curato de un pueblo tan feo?

—El defecto que tiene Ajetreo no es ser feo sino quedar apartado.

El que dijo esto era el presbítero Concha que ya llevaba entonces las huellas de la enfermedad que había de ponerlo en la tumba: delgadez extrema, ojos llorosos y piel transparente. Las beatas lo veían "desmejorado". Le daban soponcios en momentos inoportunos: había rodado los escalones del presbiterio con una hostia en la mano. Pero siempre que le preguntaban cómo estaba decía que "divinamente". Era un viejo simpático, diminuto, bien proporcionado. Lo habían invitado a dar un sermón en un pueblo lejano y como no se sentía seguro había permitido que lo acompañara el padre Pinole, a quien detestaba, pero que en un momento de mala suerte le hubiera servido de sustituto o para ayudarlo a levantarse del suelo. Iban en la diligencia de regreso a Cañada, en donde los dos oficiaban.

El padre Pinole era indio, grande, prieto, con una boca que llevaba fruncida para hacerla parecer más chica. En Cañada tenía fama de indiscreto. Decían que no había peligro de que se le quedara un pecado adentro porque los que le entraban por las orejas le salían por la boca. Llamaba al presbítero "su reverencia" y era con él servicial: amarró un trapo en la ventanilla para que al otro no le pegara el sol. Los dos comieron cacahuates y, por no hacer basura, echaron las cáscaras en un paliacate que después el padre Pinole sacudió contra el viento, llenándonos de hollejos a los otros dos viajeros que íbamos en el coche. Éramos yo, que tenía veinticinco años y uniforme de oficial de dragones, y un viejo de anteojos cuadrados y tricornio, que cuando el coche no daba brincos leía un librito intitulado *Manual del inquisidor*. Era el licenciado Manubrio. Es decir que el día en que conocí a Periñón conocí también a quien más tarde había de decidir su suerte.

El licenciado era español, tan obstinado que en México pedía vino en las tabernas. Parece que pasó diez años en Veracruz, él decía que trabajando en la Aduana, cosa que no creo, porque sabía como nadie lo que pasaba en San Juan de Ulúa. Esto me hace sospechar que formó parte del Tribunal Negro y que inventó la Aduana para evitarse inquinas. Más tarde muchos decían que era agente secreto y que había ido a Cañada enviado por la Audiencia, "con órdenes de espiar". No es probable. Me parece más verosímil lo que él mismo decía: que le habían dado fiebres tercianas y que se había puesto tan enfermo que había tenido que dejar el empleo y la costa para radicarse en un lugar de clima benigno. Quiso entonces la mala suerte que alguien le ofreciera en Cañada una escribanía a buen precio.

Respecto al cuarto viajero: yo era artillero pero servía entonces en un regimiento de dragones. Teníamos dos años acantonados en Perote y estaba harto. Me había enterado unas semanas antes de que en Cañada estaba formándose un batallón provincial y que estaba vacante la plaza de comandante de la batería y jefe de artificieros. Yo la había solicitado y el coronel del batallón me había contestado ordenándome que me presentara en las pruebas de oposición que iban a efectuarse el doce de junio. Por otra parte, el corregidor de Cañada, que era amigo de un amigo mío, al saber que andaba solicitando el puesto, me había hecho el favor de invitarme a pasar unos días en su casa. Por esta doble razón yo iba en la diligencia aquel día.

Durante el camino los padres hablaron entre ellos, pero el licenciado y yo nomás para decir "buenos días". Era de noche y estaba lloviendo y cuando llegamos a la venta de Toma de López, el ventero nos recibió con la mala noticia:

—Aquí no hay más que un cuarto.

Era enorme y tenía siete camas. Mientras el padre Pinole y yo recorríamos rincones aplastando alacranes, el presbítero y el licenciado tentalearon las camas y se quedaron con las mejores, después nos dimos la mano y dijimos quiénes éramos y de dónde veníamos. El licenciado sacó baraja y propuso jugar paco chico mientras nos arreglaban la cena, los demás aceptamos y en un ratito nos ganó veinte reales, cosa que el presbítero Concha nunca le perdonó.

Para llegar a donde estaba la cena tuvimos que atravesar un corral a oscuras, porque un ventarrón apagó la vela. Cuando entramos en la cocina el presbítero me dio un codazo y me dijo, aparte:

—El gachupín ya metió la bota hasta el culo en el lodo. Me alegro.

Antes de sentarse a la mesa los padres rezaron y yo hice

como que pensaba en Dios, el licenciado Manubrio, en cambio, se sentó, se amarró en el pescuezo una servilleta que tenía una mancha de mole, y dijo:

—Que nos traigan vino.

El padre Pinole quería agua de chía, pero en aquella venta no había más que hojas de naranjo, que fue lo que bebimos.

Cuando en la conversación salió que yo iba invitado a casa de los corregidores, el padre Pinole se estremeció de envidia.

—Pues tiene usted buena suerte —me dijo— porque yo nunca he entrado en ella.

No era amigo de los corregidores pero conocía su vida y milagros, que expuso: aquellos eran los meses que los Aquino pasaban en la casa de La Loma, que era un palacio, allí estaba la mesa mejor servida del Plan de Abajo.

—Los que se sientan en ella —agregó— beben vinos que uno ni se imagina que existan. Dicen que hay noches en que llegan de visita señoritas decentes y bailan danzas modernas —y volviéndose al presbítero, preguntó—. ¿Verdad, su reverencia, que así es la vida en la casa de La Loma?

—Así es, más o menos —dijo el presbítero y se comió un pedazo de tortilla, dando por terminado el tema.

Cuando salimos de la cocina se habían quitado el viento y la lluvia. Al ver la noche serena, el licenciado propuso "dar unos pasos para ayudar a la digestión". A los padres les pareció que estaba como boca de lobo y prefirieron irse a acostar, yo acepté.

Fuimos por campos iluminados nomás por chupiros, tropezamos con unas trancas, un perro salió a ladrarnos, oímos ruidito de agua y después sentimos que ya habíamos metido los pies en el arroyo, por fin dimos con un obstáculo tan grande que no pudimos rodear y optamos por sentarnos en él: era una piedra. Allí el licenciado Manubrio me relató la historia de la conspiración de Huetámaro.

Había ocurrido el año anterior. Cinco oficiales de las milicias y tres sacerdotes, todos criollos, se juntaban en uno de los salones del obispado para tramar una revolución. Querían proclamar la independencia de la Nueva España, abolir los tributos reales y, lo que al licenciado Manubrio le parecía más espantoso, incautar los bienes de los españoles para distribuirlos entre los mexicanos —¡incluyendo las comunidades de indios!—.

Pero sucedió que dos de los conspiradores habían tenido un pleito, el licenciado ignoraba si por cuestión de mujeres o deudas de juego, el caso es que uno, por hacerle un mal al otro, fue con el intendente y delató la conspiración. El intendente actuó como rayo: apresó a los conspiradores, los puso en dos coches, y los mandó a México con escolta, allí la Audiencia dispuso que fueran juzgados en secreto pero con rigor. Las sentencias habían sido severas y todos estaban en San Juan de Ulúa.

(Todos, claro, menos el delator, a quien el intendente había prometido indulto y discreción.)

—Le he contado este caso, don Matías —terminó diciendo el licenciado—, para que sepa qué terreno pisa. Usted viene de Perote en donde la vida será aburrida, pero se respira un aire mejor, las tropas de allí son leales a la Corona. Ahora va usted a un nido de víboras. Esta región está llena de criollos resentidos: gente incompetente que se siente postergada. He querido abrirle los ojos.

Y me los abrió, porque hasta ese momento yo había creído que las revoluciones eran sucesos que ocurrían en el extranjero.

[Capítulo primero de una novela en preparación.]

FERNANDO DEL PASO

(Ciudad de México, 1935) había publicado en 1958, en una colección dirigida por Arreola, sus *Sonetos de lo diario,* pero será la aparición de su primera novela, *José Trigo,* ganadora del premio Xavier Villaurrutia en 1966, la que proyecte su nombre en las letras mexicanas, vista su suntuosa, compleja y original elaboración artística. Los siete años consagrados a esa tarea habían sido disputados a sus horas de forzado trabajo en la publicidad.

Casi desde esa fecha se produce su alejamiento de México, primero como "visiting writer" de la Universidad de Iowa, en Estados Unidos, por dos años, y luego por una década entera en Londres, trabajando para las emisiones de la BBC. En ese período elabora su segunda asombrosa novela, *Palinuro de México,* que obtiene un premio en 1975 y aparece en España en 1977. Su "ambición totalizadora" (que entre otras cosas implicaba conocimientos técnicos y eruditas informaciones bastante poco frecuentes) fue subrayada, tanto para celebrarla como para denigrarla, aunque no se puso en duda su presta invención lingüística, su llameante creación de personajes y situaciones, el desorbitado apasionamiento lúdico de su historia. Fue en Londres donde emergió su antigua dedicación a la gráfica, preparando su primera exposición de dibujos en 1974, que ha sido completada con una nueva presentación, en Madrid, en 1980.

Trabaja en su tercera novela, *Noticias del Imperio*: "Tratará sobre el llamado Segundo Imperio Mexicano, el de Maximiliano de Habsburgo. Trataré, más bien, sobre la locura de Carlota, que representará a la imaginación, y, más concretamente, a *mi* imaginación, y a su lucha por aprehender una realidad esquiva, inasible, que se le escapa todos los días." La anuncia como una discreta novela de 400 o 450 páginas y agrega que ha pensado ya en la posibilidad de una "cuarta novela", que sería hija de *José Trigo,* ya que se titularía *La Cristiada* y estaría sacada, la anécdota principal, de ese libro.

CAMARÓN, CAMARÓN

Camarón, Camarón. Estaba yo no voy a decir que contento pero tampoco triste, no voy a decir que despierto pero tampoco dormido, y embobado viendo cómo un chupamirto cornudo se colgaba del aire para sorber el néctar de las flores del manto de la virgen bajo las que yo estaba escondido porque eso sí, de estar escondido sí que lo estaba y no a medias, cuando los vi llegar, todos con sus kepís de visera cuadrada, sus cubrenucas, sus chaquetas azules y pantalones granza y sus polainas, todos menos los oficiales, menos un capitán o lo que me pareció un capitán con túnica negra y galones dorados, que yo no estoy para contarlo ni ustedes para creerme, pero tenía una mano de madera, si mal no recuerdo la izquierda, y entonces me dije son los legionarios, pero lo importante no es que me lo diga yo, me dije, sino que se lo diga al coronel, que para eso me pagó: para que le informe quiénes son y cuántos. Y comencé a contarlos con los dedos: uno, dos, tres, y cuando llegué a cuarenta el chupamirto se espantó y perdí la cuenta, pero volví a encontrarla, y llegué como a sesenta. Apenas se les veía el polvo que iban dejando, cuando comencé a correr, pero a mí ni el polvo me vieron porque a correr no me gana nadie. El coronel estaba tomando la sombra bajo un algarrobo y casi ni me agradeció el mensaje porque se le habían metido unas niguas entre las uñas de los pies que su mujer le estaba escarbando, y reventaba de picazón y mal humor. Pero cuando se puso las botas cambió de talante y me agradeció un poco más, me dio una palmada en la espalda y me dijo Muy bien, dices que son como sesenta legionarios, muy bien, vamos a acabar con ellos, ven con nosotros para que veas cómo les vamos a dar en la madre a esos franceses. Sólo que un capitán bastante versado le dijo Con su perdón, mi coronel, si son legionarios, si son los mismos que según mis noticias llegaron a Veracruz en dos barcos que venían de Argelia bajo el comando del coronel Jeanningros, si son los mismos, decía, lo más probable es que haya entre ellos más alemanes, prusianos y hasta italianos, sin exagerarle, mi coronel, que franchutes. Para el caso es lo mismo, dijo el coronel. Y sí, para el caso era lo mismo, porque de ese lado todos eran extranjeros, y de éste todos éramos mexicanos, con la ventaja que ellos eran sólo sesenta, o sesenta y pico, y nosotros como mil, dicho sea también sin exagerar. Si hubiéramos sabido entonces del convoy, si nos hubieran dicho que esos legionarios andaban a la limpia del camino para abrirle el paso a un convoy cargado de oro y cañones para el general Forey o como se llame, en lugar de irnos tras ellos habríamos esperado el paso de los carros, al fin y al cabo éramos muchos y de todo el oro la mitad hubiera sido para el Gobierno de la República y la mitad para nosotros, que lo merecíamos, o al menos eso es lo que yo hubiera ordenado de ser coronel, pero yo ni a sargento llego porque no soy soldado, a mí me pagan por espiar, por estarme quieto horas y felices días como estaba yo bajo el manto azul de flores, casi sin respirar, y me pagan por correr, como les dije, y me pagan por probador. Pruebo los nopales a ver si no están amargos, y pruebo los capulines a ver si no están ácidos, y pruebo los hongos a ver si no son venenosos aunque lo sé con antelación, pero ellos no saben que lo sé, y por eso, les decía, me pagan, y porque me conozco todos los vericuetos y todas las jorobas de la tierra de cinco leguas a la redonda de Chiquihuite, y todos los manantiales y los ríos como el arroyo de La Joya por donde estaban ese día los legionarios, y como el arroyo de Camarón, que es el que le da nombre a la hacienda a donde se atrincheraron esa noche esos cabrones. Camarón, Camarón. . . Camarón que se duerme, decía mi padre, se lo lleva la corriente. Y no es que se hayan dormido los legionarios, que ni tiempo les dimos para eso, pero se durmieron en sus laureles, se confiaron, como dijo el capitán versado, en su victoria de Sebastopol o Sepalabola como se diga y se creyeron que estaban entre los turcos y en lugar de retirarse como yo mismo lo hubiera ordenado si fuera soldado, pero no soy, el capitán de la mano de madera que llamaban capitán D'Anjou o algo por el estilo, los llevó al corral de la Hacienda de Camarón y allí, como su nombre lo indica, los acorralamos. Es decir, los acorralaron ellos, los soldados, porque yo nomás me quedé escondido entre unos malvones para ver qué pasaba y escribirlo en un mensaje para llevárselo a alguien, al que mejor me pagara. Yo no sé leer ni escribir, pero escribo en mi cabeza. La de cosas que allí tengo escritas, no las sabe nadie, a veces ni yo mismo. Y sé leer las piedras y los caminos, leo los montes y los helechos. Ese día leí las nubes. O mejor dicho leí el cielo porque no había ni una sola nube y me dije que no iba a llover una gota en mucho tiempo y que ahora esos legionarios sí iban a saber lo que era la calor, pero no la calor del desierto qué va, sino la de las tierras calientes que por algo así se llaman, la calor de la fiebre amarilla que ya había comenzado a diezmarlos porque los tenderetes de los hospitales estaban llenos de legionarios roñosos que vomitaban un batiburrillo negro y hediondo, yo los vi. Por eso el capitán D'Anjou y muchos otros estaban fumando cigarros todo el tiempo como lo hacen los oficiales mexicanos que no son de tierra caliente pero que vienen a ella: para espantarse a los moscos del vómito y de la malaria. Pero qué duda que los cigarros no espantan a las balas: el primer tiro que les mandamos le tiró el cigarro de la boca a un oficialete; el segundo mató a un caballo que un legionario tenía entre las piernas; del tercer tiro y de los muchos otros que siguieron ya no les digo nada, porque no tuve tiempo de contarlos. Allá fuimos tras ellos hasta que se metieron en el corralón de la hacienda y yo, como les dije, me quedé escondido en un malvón. Yo no necesito fumar para espantar a los moscos. Ellos ya me conocen y saben que tengo mala sangre. Yo me quedo quieto, sin pestañear siquiera, por horas y horas, y si me da hambre me como lo que tenga a más a mano. Sin beber, en cambio, puedo estar días enteros. Pero ellos no, lo supimos después. Esos tarugos se olvidaron de llenar sus cantimploras y cuando los acorralamos en Camarón no tenían ni una gota de agua, sólo una botella de vino para sesenta y tantos, imagínense ustedes, ni siquiera lo suficiente para que la muerte les hubiera sabido más dulce. Yo los vi pasarse la botella de boca en boca. Bebió el capitán de la mano de madera. Bebieron otros dos oficiales y bebieron unos cuantos. "¡Pásennos un trago, cabrones!", gritó uno de los lanceros mexicanos, y yo vi cómo uno de los legionarios se orinó en la botella, le puso el corcho de nuevo y nos la aventó diciendo algo en un idioma que no colegí. Más le hubiera valido guardar su orina para después, pero eso no lo sabía él entonces. La botella fue como la señal para comenzar el tiroteo. Nosotros, así como ven ustedes, o mejor dicho ellos, porque yo no soy soldado, así como los ven con sus camisas desgarradas y con sus pantalones color de tierra, así, a primera vista, como que no damos miedo, pero en una batalla de verdad, quien nos vea a todo galope aullando más fuerte que los soldados del batallón egipcio, quien nos vea de lejos pero cada vez de más cerca, más que orinarse por gusto, como el legionario francés, se caga del susto. Pero lo malo fue que esa vez las lanzas y los caballos nos sirvieron para poco, y la verdad sea dicha, los de la caballería, por muy machos y avezados que sean en las batallas, la verdad, decía, no éramos muy buenos para luchar a pie. Con uno de los primeros tiros los franceses, en venganza, mataron a un soldado que uno de nuestros caballos tenía en el lomo. Pero cuando la providencia está del lado de uno, todo mal es para bien. Los legionarios tenían un par de mulas cargadas de víveres y municiones, de esas mulas sin bridas y sin cabestros que están enseñadas a seguir a un macho, y cuando vieron al caballo suelto, que por pura casualidad se acercó a pastar en los enrededores de la hacienda, salieron corriendo tras él. Camarón, Camarón. Esos legionarios sí que se durmieron. Se pusieron a gritarle a las mulas como locos para que regresaran, y yo me dije sí que serán brutos, cómo va a ser que siendo mulas mexicanas entiendan el francés, porque no es que las mulas entiendan lo que unos les dice, pero entienden, si me explico. Y bueno, si yo ni a soldado llego, menos a legionario francés, pero de haberlo sido las hubiera matado a la mitad del camino para que los víveres y las municiones no fueran de nadie. De otra manera, como sucedió, los legionarios no sólo se quedaron sin agua, sino también sin comer. Nos decía el capitán versado después que esos legionarios son unos demonios que aguantan todo, que la fuerza y la lascivia la sacan del ajenjo y de un vino rojo y espeso como sangre; nos decía que esos legionarios saben montar camellos y que matan a los beduinos como moscos, pero que cuando caen vivos en manos de ellos, se ha sabido de casos en que los atan a un poste para que los perros se los coman vivos, y que ellos ni chistan, y que todos, dijo el capitán, todos están enfermos de la sílfide o como se llame, que todos son un chancro vivo de pies a cabeza y que eso también les da fuerzas a esos demonios. Pero aquí no, capitán, aquí, como ya se vio, no aguantan, le dije, o mejor dicho me hubiera gustado decirle porque quién soy yo para contradecir a un capitán, quién soy para hablarle al tú por tú a un oficial. Aquí no. Aquí, en Camarón, los vamos a matar a todos si los números no mienten, porque allí de ese lado son sesenta y aquí de este lado somos mil, o me hubiera atrevido a decirle al coronel: Aquí de este lado, aunque del otro sean veinte mil los soldados que nos mande Napoleón, aquí somos un millón, y más le hubiera valido, más le hubiera convenido al emperador, al franchute y a ese otro caracho austriaco que nos quieren mandar, más les hubiera valido hacer números, porque los números no mienten. A mí nadie me enseñó ni a sumar ni a restar. No sé leer los números ni escribirlos en un papel. Pero sé sumar las flores y los zopilotes. Sé restar los días y los muertos. Y nunca le yerro. Los zopilotes tampoco yerran. Por eso, esa vez, y a pesar de que hubo mucho más muertos entre nosotros, que eso poco importaba porque para el caso éramos hartos, los zopilotes comenzaron a dar vueltas no arriba de nosotros sino de la Hacienda de Camarón, por eso, o porque quizás los zopilotes, pienso, están comenzando a preferir la carne blanca de francés y de alemán, se están malacostumbrando. Y digo que había muchos muertos entre nosotros los mexicanos porque los legionarios, de cada doce balas que disparaban, una la ponían en un mexicano, así de buenos tiradores eran. De las otras doce balas, una se perdía en el aire, otra se daba un chapuzón en el arroyo y se iba corriente arriba como un salmón plateado; otra besaba el polvo y se retorcía como buscapiés; otra se encajó en el tronco de un caobo y le sacó chispas azules, y otra no lo van a creer, pero yo lo vi, me mató al chupamirto que estaba viendo yo en ese momento, y eso que de verdad les aseguro que si le apuntan ustedes a un chupamirto no le dan nunca, porque es más pequeño que una bala y tan veloz. Pero esa bala fue de puro azar y del pobre chupamirto sólo quedó una lluviecita de plumas, qué otra cosa podía quedar. Me puse a contar los muertos que nos hacían, pero como nuestros muertos eran muchos y estaban desperdigados, mejor me puse a contar a los legionarios, y como en la canción de los perritos dije: De sesenta legionarios a uno lo mató una bala, y me quedaron cincuenta y nueve, de cincuenta y nueve legionarios a otro lo mató otra bala y me quedaron cincuenta y ocho, y cuando me quedaban sólo unos cuantos vivos, no es que hubiera perdido la cuenta sino que tuve que parar de contar. Era mediodía. Los legionarios dejaron de disparar y nosotros también. Se hizo el silencio. Un silencio enorme, que parecía del tamaño del mundo. Pero cuando digo silencio, no quiero decir eso exactamente, porque la selva nunca está callada. Si esos legionarios hubieran durado más tiempo, si hubieran pasado la noche en la hacienda de Camarón, habrían visto, o mejor dicho habrían oído que la selva, en la noche, está más despierta que en el día. El coronel ató un pañuelo blanco a una lanza, la asomó por encima de un arbusto, y luego se asomó él y les pidió a los legionarios la rendición sin condiciones. Primero nos respondió un mono aullador. Luego, un legionario a quien ya había visto yo de bruces en un tejado todo el tiempo, y no sabía cómo las balas no lo habían tocado ya. Era un hombre de pelo güero que según dijo el capitán versado, por la forma en que hablaba debió ser un polaco. El güero se enderezó y les preguntó a los legionarios de abajo cómo se decía en español lo que nos dijo después: "¡Mierda!"

El coronel se hizo el desentendido y esperó a ver qué decía el capitán de la mano de madera. Pero esos brutos no quisieron rendirse, dijeron que los legionarios no se rendían nunca. Camarón, Camarón. Les respondió un pájaro reidor. Les respondió uno de esos pájaros que se ríen siempre, pero que nunca los ves. Y a ese pájaro no es que le respondiera otro, pero como si así hubiera sido: el coronel soltó la carcajada. Luego se rió un capitán, y luego nos fuimos riendo todos, y al poco tiempo ya había como mil pájaros reidores que se reían de los legionarios acorralados, de los legionarios sin agua y sin pan, de los legionarios con kepís de viscera cuadrada, de los legionarios y de su capitán con su túnica negra y dorada y su mano de madera. Destapamos las botellas y les gritamos Salud franchutes. Abrimos las latas de galletas y las aventamos al aire para que vieran que nos sobraban, bebimos de nuestras cantimploras y les hicimos gárgaras y escupimos chorros de agua para que vieran que ni nos hacía falta. Atamos trapos blancos y tulipanes y calzones y aristoloquias y ramos de colorines a las lanzas y las bayonetas y les gritamos aquí está la paz que no quisieron, cabrones, se las vamos a meter por donde ya saben. Y agarramos las balas que cargaban las dos mulas escapadas, y como no nos servían porque eran muy largas y puntiagudas para nuestros fusiles Spencer, aunque después nos iban a servir cuando agarráramos los fusiles de los legionarios, las aventamos a puñados al aire, para que vieran que también las balas nos venían güangas. Es decir, y como ya les dije, cuando les digo que nosotros hicimos esto y nosotros hicimos lo de más allá, les repito que fueron ellos, los soldados, porque yo no soy soldado sino espía. Y no sólo sé quedarme horas y horas quieto, sino que también sé arrastrarme, sin hacer ruido, sin mover una hoja, como una serpiente forrada con plumas. Y aproveché la tregua y la risa de los pájaros reidores para arrastrame, sin ruido, en busca de soldados muertos. De contar cosas, no se puede vivir. La gente me paga mal, cuando me pagan. Yo vivo más de los muertos que de los vivos. Un anillo de oro me deja más dinero que el que me deja contar el trabajo que me costó quitárselo a un muerto que tenía la mano engarruñada. Una cadena de plata me deja más que contar cómo ahorqué con ella al que la tenía puesta para ayudarlo a morir. Casi no hay batalla de la que no saque yo unos pesos, dos o tres dientes de oro, pañuelos de seda, puros habanos. Pero del sitio de Camarón, lo que yo más quería era un kepí de legionario, era unas botas francesas, era una chaqueta azul y unos pantalones granza. Del sitio de Camarón, lo que yo quería de verdad, no era ni el kepí ni las botas ni la chaqueta azul ni los pantalones granza. Lo que yo quería era la mano del Capitán D'Anjou. Al que me pague mejor, se la enseño. La tengo aquí en esta bolsa. No tuve que arrancársela al capitán D'Anjou ni cuando estaba vivo ni cuando estaba muerto. La mano saltó cuando una bala le pegó en el pecho al capitán, y él cayó por un lado y la mano se cayó por otro. Yo la vi saltar a la mano, la vi pegar tamaño brinco como si fuera un pájaro, y como si fuera un pájaro herido la vi caer en el polvo, y como si fuera un pájaro muriéndose la vi temblar en el suelo, y todavía otra bala perdida le pasó rozando y le hizo pegar otro brinco cuando ya el capitán estaba muerto. Y luego la calor comenzó a amainar, pero ya para entonces los legionarios estaban muertos de sed, y se lamían el sudor unos a otros, y se arrastraban para beber la sangre de los heridos y se orinaban en sus cantimploras sin ganas de orinar para beberse sus propios meados. Después sonó un clarín, o lo que pensamos nosotros que era un clarín y también lo pensaron ellos, y el coronel se amoscó porque creyó que venían otros legionarios para romper el sitio. Pero no pasó nada. Nadie llegó para ayudarlos y yo pensé que tal vez, así como hay un pájaro reidor, debe haber también un pájaro clarín. Y comenzamos a imitar los clarines franceses, y comenzamos a imitar las trompetas francesas mientras nos preparábamos para el asalto final a punta de bayoneta, porque de los cincuenta y ocho legionarios que nos quedaban a uno lo mató una bala que le entró por un cachete y le salió por otro junto con una hilera de dientes y un trozo de lengua, y me quedaron cincuenta y siete, y de los cincuenta y siete que me quedaron a otro lo mató una bala que se le metió por el sobaco sin siquiera hacerle cosquillas, y me quedaron cincuenta y seis, y de los cincuenta y seis que me quedaban a cincuenta los mataron otras cincuenta balas y cuando ya nada más quedaban seis legionarios acorralados en el corral de la Hacienda de Camarón, seis o quince si es que me equivoqué en la cuenta, pero no más de los que pudiera contar con los dedos de tres manos, el coronel dijo ya basta, vamos a acabar con ellos, y nos lanzamos al asalto del corral. Es decir, se lanzaron ellos, porque yo me quedé quieto entre los malvones, nomás viendo, para contarles a ustedes lo que pasó, y no porque le tenga miedo a la muerte, sino porque yo, entre otras cosas, vivo de contar sucedidos, y si me muero, señores, no les puedo contar cómo me morí. Si me muero, sería el único muerto del que no podría vivir. Una vez, en una batalla, gané unos anteojos largavista que tenía un capitán muerto, y se los vendí luego a otro, porque yo no necesito de largavistas: estoy acostumbrado a ver de lejos. De los malvones pegué un brinco para treparme a un capulín porque desde allí se veía mejor lo que estaba pasando cerca de la barda del corralón que da hacia el río. Del capulín pegué otro salto para esconderme entre unos espinos porque desde allí se veía mejor lo que estaba pasando en los cuartos que dan al corralón; del espino pegué otro brinco para treparme a un colorín, porque desde allí se veía mejor lo que estaba pasando en la entrada del corralón que da al camino principal. En el capulín me llené las bolsas de capulines y luego me quedé muy quieto para que no se espantara un cardenal de Jalapa que se escarbaba las plumas en busca de pulgas. En el espino yo fui el que me espanté porque me puse a cagar y me espiné las nalgas. En el colorín aproveché para comerme los capulines y escupir los huesitos sobre un muerto de los nuestros que estaba abajo con la boca abierta, para ver cuántos huesitos le atinaba yo a que le entraran por la boca. Desde el capulín vi cómo unos legionarios trataban de escaparse saltando sobre una pila de cadáveres que estaba casi tan alta como la barda que da hacia el río y vi cómo saltaban la barda, pero del otro lado había otros de los nuestros que los ensartaban como si fueran pollos con sus bayonetas. Desde el espino vi cómo uno de los nuestros le encajó la bayoneta a un legionario en el cuello y le saltó un chorro de sangre, y cómo un legionario, en venganza, le encajó a uno de los nuestros la bayoneta en la vejiga y le saltó un chorro de orina. Desde el colorín vi a un franchute y un mexicano que luchaban con sus dagas, y vi cómo se abrazaron para encajárselas en las espaldas de cada quien y cómo cayeron muertos, así abrazados, como si estuvieran queriéndose, y recordé lo que había dicho el capitán versado de que muchos legionarios de tanto no ver mujeres acaban queriéndose entre ellos pero que los oficiales se desentienden porque no les importa que no sean machos cuando se quieren, con tal de que sean muy machos cuando nos odian. Y de que lo son, lo son. Son demonios, son brutos. De los quince legionarios que me quedaban, uno se murió de un bayonetazo, y me quedaron catorce. De los catorce que me quedaban, uno se murió de una puñalada y me quedaron trece. Y como el trece es un número de la mala suerte cuando uno tiene la suerte volteada, de los trece sólo quedaron vivos tres o cuatro que los nuestros se llevaron presos. Todos los demás están allí, en Camarón. Es decir, estaban. Yo me esperé a que pasara todo y a que llegara la noche, y cerré los ojos, pero no me quedé dormido, porque yo nunca, ni con los ojos cerrados, me quedo dormido. Y ahora, señores, déjenme enseñarles lo que traigo aquí, en esta bolsa. Estos son los huesitos de los capulines auténticos de la batalla de Camarón, señores, los huesitos de los mismísimos capulines que yo arranqué con mis propias manos cuando estaba trepado en el capulín viendo cómo se morían los legionarios. Estas son las auténticas plumas del chupamirto de la batalla de Camarón, señores, las mismísimas plumas que yo recogí con mis propias manos cuando lo mató al pobre una bala francesa. Estas son las auténticas flores de colorín de la batalla de Camarón, señores, las mismísimas flores que yo arranqué con mis propias manos cuando estaba yo trepado en el colorín viendo cómo mataban a los franceses. De esta batalla, como les digo, no les traje kepís ni polainas, ni chaquetas azules ni pantalones granza, y no sólo porque yo no quería ni kepís ni polainas ni chaquetas ni pantalones, sino porque cuando ya se habían ido los nuestros y yo me acerqué de puntitas al corral de la hacienda, me encontré que todos los cuerpos estaban desnudos, y que esos desgraciados se habían llevado todas sus ropas, y peor que eso, señores, todo el dinero, todos los anillos, todas las medallas de plata y los dientes de oro de los legionarios, que ya ni eso parecían sino simples cristianos, de tan encuerados que estaban, los pobres, pero ya sin calor ni frío, y como comenzando a pudrirse, como comenzando a hervir. A patadas espanté a los perros y a las ratas. Esta piel de rata que ven, señores, es la piel de una rata auténtica de la batalla de Camarón. Pero allí, medio escondida entre unos cadáveres, como si nada, quieta y todavía caliente por así decirlo, estaba lo que yo quería encontrarme y que me encontré por fin: la mano de madera del capitán D'Anjou. Y aquí la traigo, señores. Y si les dicen, y si les cuentan por allí que he vendido más de una vez la mano del capitán D'Anjou, es que es verdad, pero es mentira. Como no nada más de contar cosas se puede vivir, como les decía, me puse a hacer varias manos de madera iguales a las del capitán D'Anjou. Una se la vendí a un cura que la quería para colgarla de la cuerda de una campana. Otra se la vendí a un francés que sabía casi tantas historias como yo, pero no de espiarlas de verdad, sino de espiarlas en los libros. Otra más se la vendí por correo a la mismísima viuda del capitán D'Anjou. Otras qué se yo a quién se las vendí, pero las vendí bien. Pero ésta, señores, ésta es la auténtica mano de la batalla de Camarón, la auténtica mano de madera del capitán D'Anjou. Vean, véanle el polvo del camino que lleva a la hacienda de Camarón. Esta que tengo aquí, entre los huesos de capulín y las plumas del chupamirto y los pétalos de flores de colorín, es la mano de madera con la que el capitán D'Anjou le rompió la cara a los bereberes de Mers-el-Kébir, ésta la mano que un carpintero de Constantina hizo para sustituir la mano del héroe de Kabilia y de Magenta, del ilustre soldado de Saint-Cyr que perdió una mano en Argelia sin peligro y sin gloria, véanla, véanle la sangre del propio capitán D'Anjou, véanle las astillas de la bala que le hizo pegar el segundo brinco que les conté; ésta es la mano que despertaba a bofetones a los legionarios embrutecidos por el cafard, la mano que hacía temblar a los príncipes disfrazados de legionarios, la mano que golpeó el mapa de Veracruz cuando el capitán dijo: Aquí está Camarón, aquí llegamos y aquí nos quedamos. Véanla, señores, ésta es la mano auténtica que se quedó sin el capitán que se quedó sin mano, la tengo certificada por el alcalde de Chiquihuite; pongo por testigos a Dios y las tuzas, a todos los santos y a los caobos, la tengo certificada por un desertor polaco que se largó a la California en busca de pepitas de oro del tamaño de una calabaza, la tengo certificada por el propio capitán D'Anjou que la firmó poquito antes de morir, y la cambio, señores, cambio la mano por diez pesos de plata si son ustedes ricos, la cambio por una botella de aguardiente si son ustedes pobres, la cambio, si quieren, por otra historia que pueda yo contar y vender, señores, con una sola condición: que sea una historia mejor que la historia de Camarón... Camarón, Camarón...

[De: *Noticias del imperio,* novela en preparación.]

GUSTAVO SÁINZ

(Ciudad de México, 1940) rejuveneció, con su primera novela, *Gazapo* (1965) la narrativa mexicana, poniéndola en el tono, los ritmos, los juegos de una adolescencia desembarazada de padres. Esta subjetivación se tradujo en la epidérmica sensibilidad de un habla y en provocativos lances amorosos que ya han tenido larga descendencia. De ellos (de sí) ha dicho: "la preocupación por el anecdotario juvenil se desborda ante la avasalladora presencia del lenguaje, una inmersión en los desperdicios del habla cotidiana, la superficialidad, los juegos de palabras y el vocabulario secreto de diferentes colectividades".

Despaciosamente personajes y mundo han ido creciendo, en cada una de las novelas que ha ido escribiendo: *Obsesivos días circulares* (1969) que es su obra memorable, *La princesa del Palacio de Hierro* (1975), *Compadre lobo* (1977). Desde entonces ha venido trabajando en un proyecto más amplio que aspira a reencontrar en un presente fijo la historia entera del país: titulado originariamente *Autorretrato en un espejo humeante*, ha pasado a llamarse, en las últimas declaraciones del autor, *Los fantasmas del Templo Mayor*: "Cuenta la historia de un arqueólogo, jefe del proyecto de rescate de las ruinas del Templo Mayor, en la ciudad de México, atrapado dentro de un minitaxi en un 'embotellamiento' de tránsito común hoy día. Sobre él, de este modo inmovilizado, se cierne la posibilidad de escribir un capítulo 1, de modo que 12 veces el autor vuelve a empezar con esa situación única. Los párrafos son inconclusos siempre, de acuerdo a una frase de Borges que señala que la historia procede por imágenes discontinuas; la ambigüedad no es de la 'nueva novela' sino del pensamiento náhuatl. El monólogo del narrador procede por asociaciones libres, sin olvidar a Marx, quien dice que la Historia es la única ciencia, ni a Gómez de la Serna que afirma que la Historia es algo que nunca ocurrió, contado por alguien que no estaba allí."

AUTORRETRATO EN UN ESPEJO HUMEANTE

O este libro podría empezar ligeramente distinto: con el prot/agonista a bordo de un minitaxi atrapado entre docenas de coches que reanudan su marcha ocasionalmente rumbo al centro de la ciudad, inhalando o exhalando el aire rojo que penetra por las ventanillas y mirando hacia las esquinas sanguinolentas por la luz ortoral (polarizada por sus gruesos anteojos), o tratando de mirar, porque el ruido, la gente cruzando en varias direcciones y la mixtura irrespirable que los envuelve, sugieren que la ciudad tantas veces amada y gozable se acerca ineludiblemente a cierto holocausto,

como si todo el saber, espeso por culpa de erudiciones, citas, referencias interesadas y valores caducos, enorme y acumulativo, desembocara de pronto en asaltos bancarios, detenciones, arbitrariedades, abusos, sustituciones políticas, genocidios, impuestos absurdos, crímenes viales y violencias sin fin, porque el arrasamiento iracundo de árboles y casas no puede ser resultado de un vandalismo improvisado, que margine el esfuerzo de uno o dos Institutos (el Nacional Indigenista, el Nacional de Antropología e Historia), por recuperar la vida y costumbres de diferentes comunidades indígenas, la cultura museográfica y los millones de pesos disponibles para investigaciones arqueológicas, por considerar la ciudad, y por lo tanto su historia, una sobrecarga inútil, inventario estéril de lo realizado y fardo memorioso...

qué significan, si no, todas esas máquinas implacables que muerden la tierra y arrancan la vegetación o acometen contra las casas con un estruendo de motores de doble tracción, esquivando mezcladoras y jefes de obras, pero poseídas de tal manera en medio de este caos de voluntades y determinismos, que parecen furiosas por no encontrar seres humanos, malévolas e intolerantes, y al mismo tiempo decididas a devorarnos entre bufidos, a todos menos a é/l, claro, al hombre de las cabezas intercambiables...

o piensa así frente a s/u armario, mientras repasa con fruición s/u colección de cazebas (casi) idénticas, tratando de elergir entre la marxista, la erasmista o la hegeliana, diferencias quizás imaginadas, ya que son o parecen iguales, por lo menos lo suficiente para que s/us amigos lo encuentren bastante parecido a s/í mismo, física y psicológicamente, dado que lo frecuentan con asiduidad, y é/l está dispuesto a asumirse como nudo o centro (móvil) de relaciones sociales, divagando concupiscente y pícaro, mesándose las barbas negras de diablo embaucador antes de decidir/se por una u otra cabeza:

la número dos, digamos, que lo frustra y hace renacer siempre curioso y ávido de saber;

o la siete, que implica la persecución sin fin y siempre decepcionada del placer y la voluptuosidad, parodia del amor infinito;

o la seis, que lo hace ambicioso y divertido;

o la nueve, con la que es capaz de mandar y dominar, dueño de los poderes de las tinieblas;

o la cuatro, con la que dice lo indecible, piensa lo impensable, sondea lo insondable y trata de aprehender lo inaprehensible;

porque la tres lo llena de aburrimiento y
la cinco, bueno ¿para qué sirve?,
parece una cabeza adecuada para dar respuestas adecuadas,
¿o incluye su propensión a la paternidad y al amor filial?

cree desechar una cabeza y elegir otra, e incluso durante breves instantes siente s/u cuerpo (momentáneamente) sin gobierno, indecible y cercano, estremecido de sueños e instintos hasta ser abordado por ideologías y experiencias como si sólo sirviera para desplazarse y difundirlas, humanoide agente de códigos morales y prejuicios de telenovela, máquina inmóvil frente al espejo del armario: un quieto coche de museo...

como el minitaxi donde pretendo que viaje o se detenga, confundido entre grúas de garfios amenazadores, hormigoneras y niveladoras ruidosas, camiones de volteo, conformadoras trepidantes y automóviles cada vez más calientes, detenido cuando debía ponerse en marcha rumbo al centro de la ciudad, al crucero donde practican la excavación del Templo Mayor, la develación del espacio sagrado de los aztecas,

aunque lo incomoda el compás de espera y lanza miradas rápidas al exterior como para prever cualquier sobresalto, miradas ávidas, como hace poco tiempo en Los Ángeles, bajo el poste giratorio que anuncia Shell y las palmeras inmóviles frente a una gasolinera, tan incómodo como ahora, solo que entonces un coche amarillo, atrás, como una mancha no en el cielo crepuscular (que pasaba del azul al morado al rojo vino al naranja al blanco), sino atrás, alargándose sin principio ni fin, y al mismo tiempo chirridos de frenos como traídos por el viento, voces chillonas, borrosas, hostiles, portezuelas que se abren y cierran, expresiones de asombro y consternación, órdenes sin solución de continuidad, pistolas, personajes con media cara (hosca) o medio cuerpo, repentinamente sin un ojo o una mejilla, completos después, cuerpos que entrechocan y policías vestidos de civil que apuntan con sus armas y jalonean, dan órdenes mecánicas, vacías de todo sentimiento, obligándolos a descender y empujándolos (con brusquedad) para que abran las piernas y queden arqueados, inmóviles sobre los coches, palpándoles el cuerpo y humillándolos con esas tentativas de intrusión bajo la vigilancia de un gringo enorme de cara colorada, congestionada, altanera...

¿Habría que suponer este desenlace como efecto de la evaluación de una serie de supuestas piezas prehispánicas? En realidad ¿cómo prever cualquier efecto? Lo impresionante de la violencia es que siempre hay alguien más iracundo, alguien más arrebatado y fanático, porque lo escalofriante es que no tiene fondo...

Lo llama el más alto jerarca en cuestiones de Antropología e Historia y con voz neutra e impersonal le encomienda la misión de interrumpir el flujo de piezas prehispánicas robadas de México a Estados Unidos...

Hay mexicanos, dice o parece que dice, en quienes descansa el país; y luego, más o menos: hay mexicanos que son México...

Recibe llamadas de senadores y diputados, y hasta de alguien que dice hablar en nombre del Presidente de la República: l/o cargan de atribuciones y siente desencadenarse dentro de é/l una suma desconocida de valores, idiosincrasias y potencialidades, heredero de una desmesurada responsabilidad, expuesto a las tentaciones de la traición, la apatía y la comedia de equivocaciones, siempre estudiado, permanentemente vigilado, sin tiempo de saber cómo, inmerso en una aventura donde todos los acontecimientos, desde el primer encuentro con su informante, un norteamericano rubio, supuesto cliente de una banda de traficantes de joyas arqueológicas, que lo hace pasar como su asesor y amigo, "experto mexicano" llevado para verificar, comprobar, reconocer, señalar, en fin, hasta el encuentro final con los objetos hábilmente escurridos a través de trampas y trampas aduanales, todos los acontecimientos, decíamos, lo asaltan con inusitada violencia...

y cuando está frente a las obras robadas y se escucha a s/í mismo una exclamación de (escandaloso) asombro, recuerda un poema de Wallace Stevens, que traducido apresuradamente dice:

hay hombres cuyas palabras son como los sonidos naturales de sus lugares, como la cháchara de los tucanes en el lugar de los tucanes...

y frente a las piezas, cuidadosamente desenvueltas dentro de una cámara de humedad, piensa si serán realmente el patrimonio de un país, si disminuyen o destruyen la belleza de los lugares donde las han extirpado, si estarán mejor conservadas en los Estados Unidos o en los museos nacionales, si es que llegan a parar en algún museo y no en la casa de algún político oportunista, y también, parafraseando al poeta citado, si no serán

invisibles elementos de México hechos visibles...

é/l con aire desorientado, empeñado en una lucha manifiestamente desigual entre s/us obligaciones y el placer de mirar bajo esa luz mortecina, que como las sombras en los cuadros de Chirico, subraya misterios donde no hay ninguno, placer que abre paso a una rabia fría, contenida, que obnubila ideas e impide hablar, de modo que intenta iniciar un descenso a lo más profundo de s/í mismo, acariciándose la barba merina y ajustándose los anteojos, tratando de imponer cierto silencio al que suma diferentes gradaciones taciturnas, pues dar un fallo infalible requiere sumergirse previamente en s/u propia profundidad, esto es, revisar la oscuridad de s/us conceptos a la luz de cortapisas y callares, cegarlos de manera que el mutismo procure la confrontación, así, en un garage de Los Ángeles, con la posibilidad de llamar a los teléfonos directos de jefes de diferentes corporaciones policiacas, reconociendo o tratando de hacerlo, majestuosas y antiguas (y húmedas) máscaras y estelas, fragmentos de murales, vasijas, figuras totémicas, ídolos, braseros y un vaso tallado en un solo bloque de obsidiana, como si s/u ciencia pudiera crecer en la ignorancia, a la sombra de esas reliquias alumbradas por la luz enfermiza, o como si sus anteojos le permitieran ver lo que nadie más ve; nadie más: tres vendedores sibilinos, tejanos, y el supuesto comprador rubio, supuesto cliente y supuesto amigo a quien asesora, ecuánime y enigmático...

todos atentos a las diferencias entre esas piedras (silenciosas) que parecen querer escuchar el ronroneo de los pensamientos de nuestro prot/agonista, que trata de recuperar (parsimoniosamente) ciertos datos perdidos en la memoria, y escapar de un estado de anticonciencia, antirecuerdo y antivoluntad que amenazan paralizarlo por momentos, hasta ver a un lado de la cámara de humedad varias fotografías en color de otras piezas, sobre un tapanco desmañado...

Y esto ¿dónde está? Son diferentes cajas talladas, quizás aztecas, con glifos de jade alrededor, cajas que se usan para conservar los corazones de los recién sacrificados, y un adorno mixteco de oro con la representación vertical del Universo, además de un relieve del que no puede precisarse el tamaño, pleno de águilas y jaguares estilizados, seguramente toltecas; y como no sabe muy bien inglés se dirige muy quedo al supuesto comprador rubio, supuesto cliente y supuesto amigo:

Oiga, por favor, pregúnteles dónde están estas piezas, dígales que tenemos mucho interés en verlas, en incrementar el lote con ellas...

Están en otra parte, poco lejos de aquí: gruñe el más anciano de los vendedores, quien evidentemente entiende español, y agrega dos o tres frases en inglés más firmes y categóricas...

lo que nadie sabe es que los rodean más de veinte agentes del FBI que descienden de varios coches, ni que contarán con una audiencia de negros ociosos y despreocupados, ni que van a seguir con las piernas abiertas y los brazos en alto, la vista obstruida o cortada a veces por el paso rápido de polizontes, la cabeza rapada de uno de ellos (inclinado hacia adelante), recortándose sobre el piso de cemento manchado de aceite de la gasolinera; arroja con fuerza al suelo a un joven de cabellos negros revueltos, y sus gritos ahogados se elevan en la tarde como si todavía estuviera discutiendo, porque es el único que protesta derechos y truena revanchas: olor de acetileno y ruido de motores en marcha, una carrera al trote en dirección de un auto fairmont, ligeramente infatuados, moviéndose con rapidez, hasta que de pronto todo es negro, algo lo alcanza en la cabeza y enseguida se encuentra derrengado, sacudiéndose y esforzándose, tratando de enderezar s/u cuerpo y ordenar s/us ideas, intuyendo (más que mirando) tres siluetas empistoladas frente a las bombas de gasolina, mientras encima de ellos el cielo pasa poco a poco del rojo al negro, y las pesadas palmeras antes inmóviles, parecen inclinarse amenazadoramente alegóricas o mitológicas...

¿Usted es el profesor Reyes Moctezuma?

Sí, hijo de tu..., o algún ruido que suena como eso, preso de exaltación nerviosa, o miedo quizá, tratando de recobrar el aliento y todavía mirando en derredor, sobresaltado, las dos o tres siluetas fundiéndose en una...

Por favor no se preocupe (en inglés), la cara increíblemente flaca, brillosa, quemada por el sol, devastada por quién sabe cuántas aventuras o abusos, o qué fiebre, inclinándose para ayudarlo a incorporarse; apenas nos alejemos de aquí, yo mismo le quitaré las esposas...

lo que produce otro efecto desasosegante, pues lo hace complicar cierta violencia contenida, una caótica desesperación, y lo lleva de la evocación (o invocación) de la belleza y la ternura de su esposa: felina, mizo, micho, morro, gato, bibicho, morroño, morrongo, miau, desmurador, en quien piensa siempre en momentos de peligro, saturada de ser y comprensión, a la repetición de las circunstancias que lo han traído hasta aquí, con la invariable sucesión de fases ligeramente invariables, pormenorización que termina siempre con

todo un científico allí sobaqueado ¿verdad? Agarraron y a cada uno, bueno, a todos, sin excepción nos abrieron las piernas, y entonces yo dije, hum, hasta piquete de fundillo le va a tocar a u/no aquí, qué es esto, y agárrate que no sé qué, y pues ya estoy, maestro; según improvisa después para diversión de s/us amigas; nada menos que el Director de Monumentos Prehispánicos y Presidente del Consejo de Arqueología con las patas allí abiertas en canal ¿verdad?, los negros gozando el espectáculo:

y (casi) podía verlos otra vez con sus camisas de colores brillantes y agresivos, tranquilos, lúgubres, nostálgicos, fuera del tiempo y desdeñosos allí, en las orillas de este episodio, disgresión curiosa que empieza probablemente en un avión, con la enumeración de una serie de palabras náhuatls de uso común en el México de hoy...

palabras como cuate, chamaco, nene, escuincle, cuico, tocayo, achichincle, tequila y atole...

¿Cómo?: el supuesto comprador rubio y norteamericano, más agobiado que de costumbre, la cara extenuada por el viaje aéreo...

¿Nunca ha oído decir mitote, matatena, machincuepa, apachurrar, apapachar, pepenar? ¿Palabras como chichi, petaca, tlapalería, tapanco, chacal y chicle?

Sí, pero no sabía que eran palabras prehispánicas; incluso llegué a creer que *chacal* era o es una palabra española o francesa, si no me equivoco...

Bueno, en el antiguo México no teníamos ningún animal rapaz de cuatro patas con ese nombre; se le llamaba así, y más bien *chacalín,* a un camarón grande muy común en los lagos de entonces, pero también se aplicaba a niños abusivos, personas malas, elotes cocidos y secos, algunas cigarras, en fin, según la región donde se usara...: mirando de soslayo a las azafatas vestidas de colegialas irreales, efímeras o más bien ilusorias, como si fuesen a trocarse en frágil y decepcionante humo si tratara de acariciarlas, (casi) de mentiras...

Pero supongo que palabras como esas sólo las usan las clases bajas ¿no es así? Las sirvientas, los obreros, los proletarios...

No, no, no, deveras que no; han transminado todas las clases, bajas y altas; usted puede oír a bañados muchachos de clase media diciendo "vamos a hacer talacha", o a una maquillada mujer de la más corrupta oligarquía hablar de "comales, molcajetes, nixtamal, chilaquiles, cacahuates, epazote, chocolate, metate, huacal, zacate, huacamole", deveras, por no mencionar gentilicios ni toponímicos...

No sabía que *toponímicos* era una palabra azteca...

Y no es, no, esa no: y ríe al recordar que s/u interlocutor apenas habla español, y por lo tanto que s/u esfuerzo por nombrar el mayor número posible de contribuciones náhuatls a la lengua castellana es en vano, y agrega: pero quise subrayar que los nombres geográficos actuales son nahuatlismos antológicos...

Pero dijo también algo así como *machincuepa* ¿no?

Iba a explicar con detalles, con etimologías y ejemplos, pero decide hacer a un lado s/u pose de maestro y reír un poco, así que hace de *maroma* un ave de rapiña o un fruto tropical afrodisíaco, según se acentúe; y de *chilaquiles* una especie de perro lobo carnicero, y de *chapopote*, un viejecito venerable o una clase de pájaro que se arrastra por tener las piernas deformes...

Entonces ya está francamente divertido y hasta ha logrado marginar cierto miedo de volar, una tensión que pesa sobre s/u estómago como si los músculos que lo sostienen necesitaran mantener a flote el avión, y continúa para distraerse, explicando diferentes maneras usadas por los antiguos mexicanos para decir "hacer el amor", lo que lleva el diálogo a historias de mujeres, pequeñas, triangulares, leves y frescas, febril por hablar de hallazgos y argucias, como alguien que descubre que su vecino de asiento es también ajedrecista, excondíscipulo o paisano, porque ya se sabe, bajando la voz y mirando cautelosamene alrededor:

que la mujer es un sacerdocio,

cita adulterada de alguna novela galante al mismo tiempo que el capitán del avión pide apagar cigarrillos y enderezar asientos ante el advenimiento del próximo aterrizaje...

luego van en una camioneta blindada que los desconcierta con pequeñas maniobras a gran velocidad en una avenida de Los Ángeles, California;

por si nos vienen siguiendo,

murmura alguien, como si supiera lo que les preocupa, así que ni siquiera pueden pensar, aunque quizás ese negro que bolea zapatos en una esquina, o esa pareja en un coche europeo, o ese limpiaventanas son agentes de seguridad (disfrazados), porque les aseguraron en todos los tonos que los vigilarán desde que desciendan del avión..

entonces la vigilancia puede venir de cualquier lado, de cualquier coche, o casa o poste, aunque a la velocidad que van apenas y pueden distinguir algo concreto, una mansión a la izquierda, digamos, con persianas cerradas, un muro con plantas trepadoras torcidas, mezcladas, entrecruzándose, el zumbido lejano y discordante de una sirena de ambulancia, o el lento gemir de una puerta automática que se cierra, la lenta resonancia de portezuelas golpeadas y voces que los obligan a cambiar de coche...

pos sí...: de nuevo el chofer de la camioneta pero más bruscamente (como si fuera obvio), y pronto otras casas, vías rápidas de cuatro carriles, prados verdes, un puente sobre un río y las líneas verticales, temblorosas e inmóviles de los álamos. ¿O no son álamos?

Es que en México está muy penado todo esto, desde que los echeverristas sacaron esa ley: continúa el chofer y extiende una vieja copia de un periódico apestoso a trapo enmohecido, mientras salen a una calle franqueada por solares y casas bajas, de modo que irrumpen en un descarnado e inquisitorial despilfarro de claridad...

ahoritititita, ahoritititita: repite el compañero del chofer, y nuestro prot/agonista piensa comentar con "s/us mujeres", más tarde, la supervivencia de los diminutivos en el español hablado actualmente en México, como evidencia de la penetración cultural del mundo náhuatl en el mundo moderno; pero ¿cómo lo reconocerán? A las muchachas de la excavación decide contarles:

Es que mandaron nuestra descripción, el vuelo en que llegábamos, cómo íbamos vestidos, que un arqueólogo muy guapo, de barbas, muy apuesto, con anteojos, en fin, toda la descripción...

piensa en qué dirían s/us compañeros del Partido Comunista si lo vieran colaborando con el FBI, y luego de varios kilómetros de campos labrados y bodegas a ambos lados del camino, se detienen en una gasolinera; al descender estira las piernas como asustado por cierta ausencia de peso, de inercia, de infraestructura, y al recuperar/se contempla un enorme lote vacío barrido por ráfagas, cinco o seis bombas de gasolina bajo un parasol parabólico, dos o tres negros en cuclillas, al sol, y también el chofer afianzado a una sonrisa burlona, como de regidor de la situación...

bien, ¿dónde está el tesoro?: o una frase parecida al descender, seguida de chistes sobre ilegales a los que el supuesto comprador rubio, supuesto cliente y supuesto amigo incorpora epítetos antiyanquis que fuera de su contexto histórico resultan divertidos: gabas, bolillos, gabachos, californios, y desde luego escasos y pálidos frente a los argüidos por los traficantes para aludir a los braceros, greasers, mex, skins, mojados, spics, browns, pochos, TJ's, texmex, etcétera, hasta llegar a un galerón lleno de bidones de aceite, al fondo del cual, entre cajas y sacos de cereales, sacan las piezas cuidadosamente envueltas: un medallón, dos máscaras, un pedazo de muro, quizá de Tula, y figuras de terracota de buen tamaño y olorosas a humedad, selva y trópico; nuestro prot/agonista atento, decidido y hasta rabioso, dispuesto a recordar con exactitud todos los rasgos de estos delincuentes culturales: el joven de cabellos negros revueltos, el gordo, el viejo extenuado, enjuto montón de huesos y al mismo tiempo hablantín, como para extender su presencia con palabras más allá del cuerpo, desbordándose, o como si quisiera impedir que se escuchara algún quejido o ruido estomacal sin duda producible por sus intestinos huraños, ensalivando mucho sus frases para exaltar la autenticidad de las piezas...

hasta que nuestro prot/agonista, triunfante al fin y mirándolos de manera retadora:

Todo esto es falso, dice...

El gordo resopla: desde la puerta se oyen los pasos recios de los centinelas...

Y moderando la voz, (casi) la voz que usa para seducir, una voz de recámara o de coche detenido a un costado de la carretera:

menos este pendiente de oro y esa máscara mixteca, que por sí sola debe valer en el mercado negro un poco más de 50 mil dólares...

El viejo asombrado, inmóvil, como atacado por una embolia repentina, esperando otra frase que cambie el sentido de lo escuchado, un poco más de comprensión, de tolerancia, de afinidad...

Vamos a comer y a discutir el precio libremente: propone el gordo, secándose el sudor con un paliacate norteño...

frente a las muchachas del Templo Mayor nuestro prot/agonista improvisa un restorán decorado como barco pirata y

querían nada menos que 850 mil dólares: empieza, y yo que digo sí, agárrenlos, agárrenlos ahorita pero agárrenlos por sinvergüenzas, si son (casi) puras falsificaciones, deveras...

así que se encarga de pujar por una rebaja, como agregando cierta pequeña dosis de realismo, pero el supuesto cliente y supuesto amigo lo llama aparte, cerca de una supuesta popa:

Debo ajustar algunas cosas con mi especialista, y sonríe para el viejo, susurrando en cuanto se alejan un poco: voy a pedirte que tengas calma porque a partir de ahora pasas a ser la persona más protegida del mundo...

¿Persona?: con un gesto aprendido en el cine, y piensa en condicionamientos adquiridos y actos más o menos deliberados, así como en contingencias completamente absurdas, como ésta, que en cierta medida depende de sus elecciones precedentes, pero que al mismo tiempo no, de ninguna manera...

Estas cosas nunca fallan, sigue s/u supuesto amigo y supuesto cliente, y aunque no sé quiénes, debes tener la seguridad de que ahora mismo nos están vigilando, puede ser el mesero, o esa muchacha de piernas largas y turbante, o el cocinero, esos clientes allá o un señor en la esquina, quién sabe, pero es indudable que nos están vigilando; ya he mandado la señal y ahora estamos en punto muerto, en cero, o sea que a partir de ahora pueden venir en cualquier momento, irrumpir y apresarnos a todos; entonces recuerda que debes seguir el juego, tienes que dejarte apresar y no habrá ningún problema, ya que saben quién eres; no te pongas nervioso, puede ser que nos caigan mañana o dentro de una hora, ya te dije que todo está en sus manos...,

y vuelven a la mesa.

Pues se ve que el experto que trajo de México es muy bueno para reconocer las piezas, pero de precios no tiene ni idea: el joven de cabellos negros revueltos...

¿Cómo una rebaja si es tan peligroso todo esto?: el gordo, nuevamente secándose el sudor...

Al salir de allí vuelven a la gasolinera, el chofer de la camionera guiñándoles el ojo, cómplice, pero él no puede ser, entonces ¿quién? Miran hacia todos lados mientras encima de ellos el cielo parece arder, una línea blancoamarillenta uniendo y separando colores contrarios, colores de jardín burgués y de santuario de Huitzilopochtli, de empalizada de cráneos y templo de Xipe incendiándose, las palmeras inmóviles y el anuncio enhiesto de Shell girando lentamente...

O tal vez no hay herencia cultural del mundo náhuatl, no hay avión ni piezas prehispánicas robadas, ni traficantes, no hay camioneta ni crepúsculo, sino palabras que hablan de nahuatlismos, aviones, traficantes, colores, etcétera: o piensa así mientras corre, la gasolinera empequeñeciéndose según puede verla de lado, los hombres reorganizándose, dando voces, pero nuestro prot/agonista sólo escucha su respiración, está corriendo, sólo corre y rebasa un seto, luego un buzón, una casa, procura alcanzar las divisiones del pavimento a cada zancada, y a la vez moverse aprisa, muy aprisa y enérgicamente, como si quisiera romper todo ese orden, el semáforo, los edificios que están allí y se suceden chatos y escuadrados, salvo que no puede observarlos porque corre, y siente el sudor invadir y resbalar por s/u cuerpo, y también la nueva frecuencia y las extrañas dificultades de s/u respiración, tratando de volverse para ver si lo siguen, pero temeroso de que eso sería perder el tiempo, saltando lo que se interpone en el camino y (casi) perdiendo el paso,

está corriendo y uno de s/us zapatos se rompe...,

son mocasines que compró en Sudamérica tres o cuatro años atrás, y ahora trae uno de ellos colgándole y golpeando el pie izquierdo, pero no puede detenerse a desprenderlo porque corre a carrera abierta desempedrando veredas, volando, sin poner los pies en el suelo,

el viento arrastrando hojas secas por un techo de tejas,

y por un instante la visión de unas flores en un jardín, lamentablemente pisoteadas a s/u paso, retorcidas, rotas, apachurradas, deshechas, y al fondo tres hombres de traje (difusamente) armados con pistolas que corren tras é/l, que mira, o mejor, presiente algo así como una puerta roja, una serie histérica de ventanas encajonadas, cortinas que se agitan, una vieja silla en una terraza, un perro asustado, un coche antiguo, como de 1932, y siente aumentar la presión de la sangre, y corre, corre, corre hasta que oye un disparo y luego otro, simultáneamente a un sonido penetrante, (casi) interplanetario, y se detiene bruscamente preguntándose si lo habrán tocado, revisándose para ver si sangra por alguna parte...

Debía sentirse caliente, contaría después, o quería contar, sobrevivir para decirlo, sí, debería sentirse caliente, o al menos eso creía, y además no tenía adónde huir, ni siquiera podía explicar por qué había corrido, si es que había corrido, ni por qué había hecho eso, durante dos o tres segundos confeti de luz revuelta cayéndole rápidamente encima...

Lo esposan a la portezuela de un coche hasta que llegan otros polizontes acompañados de su supuesto amigo, rubio y norteamericano, pero no consigue verlo bien, esposado como está, y necesita cierta seguridad, sí, ahí está, no, ya no está, sí, es él quien viene y lo identifica, toca, saluda, o no, ha desaparecido y pasarán las horas y seguirá allí esposado, agitando y sudando, uno o dos días, mañana también, después de pasado mañana, después de después, todo se entenderá un día después de después, y por lo pronto está allí sin más identidad que la de un hombre que corrió, la cabeza echada hacia atrás, la barba sucia, ansioso, sintiendo como deseos de gritar, algo insolente y desesperado que lo sacude, como un hipo, allí esposado, sí, esforzándose para contener cierto cosquilleo húmedo sobre las mejillas, en la barba revuelta, los anteojos milagrosamente en su sitio, las manos esposadas, hasta que

¿usted es el profesor Reyes Moctezuma?

El minitaxi sacudiéndolo (ligeramente), animado quizá por el ronroneo de motores y crujidos de cajas de velocidades, frenazos, cortos arranques, bocinazos, voces y silbatos que constituyen buena parte del escándalo urbano, mismo que se atenúa al llegar al sitio de las excavaciones, allí adonde cuenta cadáveres y va a registrar indicios de cruentos ejercicios de poder, a sacudir esculturas desenterradas (y traficables) que de inmediato empiezan a segregar ideología, haciendo converger sobre la escena ayudantes y visitantes (curiosos) a quienes sojuzga (casi) azteca, simpático, barbón y enterado, microcósmico en relación con la Historia de este lugar de invocaciones y adoración de dioses antiguos, donde cada pieza parece alejarlo de s/u linaje genealógico y remitirlo al vértigo de la especie, desde las sensaciones atrofiadas de los primeros pobladores hasta

el pulgar oponible,

el nomadismo,

el Dios que nació negro y el que nació rojo,

las mujeres de Tlatelolco que atacaron a los guerreros de Tenochtitlán desnudas y palmeándose los senos,

la reina que dormía en el suelo de la cocina porque tenía mal aliento y su marido no encontraba en ella ningún atractivo,

el arzobispo fanático que agradecía a Dios que lo hubiera hecho miope, para (así) no ver a las mujeres,

el sacerdote que se puso a la cabeza de una veintena de indios de su alfarería y gritó mueras a los gachupines y vivas a la virgen de Guadalupe,

aquellos que querían persuadir al Congreso de cambiar

el nombre del país por el de Anáhuac, y reemplazar la bandera de Iguala con la de Moctezuma,

el que mató a su madre y a su padre,

el fraile que halló en el náhuatl palabras chinas y evidencias de liturgias y vestimentas sirias en los hábitos aztecas,

la debilidad intelectual del liberalismo mexicano,

el peladito que desde la calle observaba escribir a la Marquesa Calderón de la Barca,

la novicia que rimó un poema sobre el sueño del conocimiento y el conocimiento como sueño,

el entierro del periodista con quien murió para siempre el patriotismo criollo, hecho de neoaztequismo, guadalupanismo y republicanismo conservador,

el francés que puso una pastelería que luego fue saqueada por los soldados,

el general que despertó de su siesta para ver perder todo su ejército: cuatrocientos muertos, doscientos heridos y setecientos treinta prisioneros en quince minutos,

el carruaje negro de Juárez entrando en la capital una mañana neblinosa,

la que lloró en su noche de bodas,

los agentes norteamericanos que detuvieron a Huerta y a Pascual Orozco confinándolos en Fort Bliss,

los soldados yucatecos que se sublevaron y fusilaron al gobernador Felipe Carrillo Puerto,

el delegado apostólico que puso la primera piedra del monumento a Cristo Rey, en el Cerro del Cubilete,

los matones que extorsionaban a los patrones y obligaban a los sindicalistas a afiliarse a la CROM,

los marinos norteamericanos que embarcaban petróleo en Tampico y fueron arrestados y encarcelados durante una hora,

la transformación de la Casa de España en El Colegio de México,

el escritor que se suicidó luego de escribir que se mataba porque era domingo y estaba muy contento,

los barrenderos municipales que lavaron la sangre en La Plaza de las Tres Culturas,

la conquista espacial,
la invasión tecnológica,
la que se murió de amor,
la vida entera, en fin, del planeta...

como esas piezas que logra rescatar de Los Ángeles, California, y que superan con tanta facilidad la analogía con un cosmos envilecido por símbolos e historias...

[De: *Los fantasmas del Templo Mayor,* novela en preparación.]

JOSÉ AGUSTÍN

(Acapulco, México, 1944) ha sido uno de los narradores cuya aparición inicial con las novelas *La tumba* (1964) y *De perfil* (1966) y los relatos de *Inventando que sueño* (1968), estableció una divisoria en las letras mexicanas, abriendo un nuevo período. Con esas obras no solo se le incorporaron los inéditos elementos de un nuevo universo cultural, sino asimismo una tensión magnética de la escritura, cuyo esplendor fue alcanzado en *Se está haciendo tarde (final en la laguna)* (1973) que es un texto antológico de este período.

Conjuntamente con la narrativa, fueron el teatro y el cine, sus vocaciones mayores. Dos obras teatrales, *Abolición de la propiedad* (1969) y *Círculo vicioso* (1974, premio Alarcón) y numerosos guiones cinematográficos, en ocasiones dirigidos por el escritor: *Ya sé quién eres (te he estado observando)* (1971), *Luz externa* (1974); en otras adaptaciones de obras literarias: *Bajo el volcán* de Lowry, *El apando* de Revueltas, *La viuda de Montiel* de García Márquez.

Su obra narrativa más reciente incluye los relatos de *La mirada en el centro* (1977) y la novela *El rey se acerca a su templo* (1978). La beca Guggenheim (1977-78) le ha permitido trabajar en su próxima novela, *Cerca del fuego*.

Conforme nos acercábamos a su casa, el niño se empezó a animar (en todo el trayecto apenas me había favorecido con algunas monosilabidades); saludó a sus cuates, orondo de llegar con todo y chofer, ¡quihúbole mi Flexo, qué patín! Como aún era temprano había gente en las calles, ¡me la cuidas, cuñado!, pero era difícil distinguir *semblantes* (ni las cursivas iluminan), ¡te lo lavas, hijo!; allí de plano no había alumbrado público y la mínima luz de la calle provenía de las casas, que tenían las puertas de par en par y ostentaban un foco pelón en el techo. En las banquetas había algunos puestos de, supuse, tostadas, con su brasero humoso. Vi automóviles, carcachas notorias pero otros eran modelos recientes, muy bien cuidados, relucientes, que todos los fines de semana eran objeto del culto de sus poseedores, ¡niño, carajo, ya le diste un pelotazo a mi Caribe! Sin embargo, había olvidado que aún circulaba por la ciudad y todo me pareció agradable, con formas pueblerinas que redimían al Detrito Defecal.

Detuve el auto. Varios perros olieron meticulosamente el volkswagen. No les gustó el aroma y lo constataron meando las llantas. La casa de don Pimpirulando era pequeña, de un piso, con una ventana de cortinas tiznadas y la puerta también de par en par; en ella aparecieron las caras de tres niños, que a pesar del contraluz lucían estalactitas de mocos en torno a las narices. Nos miraban silenciosamente. Después surgió la figura de una mujer flaca, un tanto encorvada, quien, al igual que los niños, se quedó inmóvil, mirándonos. Quihobas ñora, saludó don Pimpirulando, mira este señor me trajo hasta acá, no te espantes, no es policía, ayer le vendí un billete y se sacó un premio, y fíjate que hoy llegó cuando un tira me quería llevar al tanque y él le soltó una luz para que me dejara. Buenas noches señora, saludé, un tanto incómodo.

La señora tardó siglos en reaccionar, medio inclinó la cabeza, tomó a los niñitos de los hombros y desapareció tras la puerta. Don Pimpirulando, visiblemente nervioso, no sabía qué hacer. Yo no me había bajado del auto.

Pásele, ¿no?, un ratito. No gracias, nomás dime cómo regreso. No, pásele pásele, insistió el niño. Volvió a acercarse al coche. Pásele un ratito, ¿no? Esta ñora no es mala onda. Don Pimpirulando cada vez parecía más inquieto. Y ora, ¿tú qué te traes?, le dije. ¿Yo? Nada. Órale, pásele un rayo, nomás en lo que llega mi hermano el grande y tengo con quien cotorrear. No tarda, deveras, ándele, ¿sí? Bueno, consentí, pero me costaba trabajo moverme. Era como si mi cuerpo no quisiera salir del auto. El cuerpo, acuérdate, sabe más que tú y que yo. Pero un rato nada más, advertí, no quiero molestar a tu mamá. No es *mi mamá,* ¡changos! Y no se molesta, le digo que es buena riata. Le voy a decir que le prepare un cafeciano. No hombre, dije, aún sin salir del auto. No te digo que no quiero molestarla. Digo, pa que no se duerma de retache, ¿no? Es que esta ñora se la saca haciendo café, le echa canelita y crioque hasta epazote y sabe que cámara. Lástima que ya merendamos porque esta ñora guisa a toda madre, es lo bueno que tiene.

Bajé del auto. Don Pimpirulando me dijo: cierre bien la nave, no le vayan a dar bajilla con el radio. Obedecí tan sabia indicación, conozco a mis paisanos maestro, y después entré en la casita: una gran cama, cabecera de latón, un par de catres, una colcha desteñida como mi memoria hacía las veces de biombo. En el lado opuesto estaba una mesa amantelada con un plástico grueso de color verde; también oí más que vi un refrigerador desrevolucionado; un sofá utoazteca, cuadros de la Última Cena y de las Ánimas del Purgatorio con sus correspondientes llamaradas y sus canciones de Leonard Cohen. Ya metido en el viaje descriptivo, seguiremos, seguiremos, ¡atención!: una estufita de cuatro quemadores sostenida sobre una mesa llena de cacerolas; allí, la madrastra de Homero Baldomero Pimpirulo se afanaba ¡en la alquimia fritanguera! No frunzas el entrecejo, patán. Otra puerta, enfrentada a la que utilicé para entrar y abierta igualmente, daba a un patiecito sin gallinas donde se adivinaba un lavadero detrás de innumerables telones de ropa tendida; seguramente por allí había un baño, ni modo que los pimpirulandos hicieran sus muy fecales depósitos en la sala-comedor-recámara.

Los niñitos, al verme entrar, corrieron a la cama grande y se atrincheraron allí mirándome con atención pero sin ninguna simpatía. Eran cuatro, y no tres. Una niña esquelética cuya edad podía fluctuar entre los catorce y los seis años, un niño de cinco con el pelo recortado como pasto, con las ya señaladas petrificaciones en la nariz y una panza tensa que con mucho rebasaba los confines de la digámosle camiseta; los dos pequeños eran los más agraciados, quizá por su condición urobórica que les permitía no llevar ropa pero sí medallitas en los cuellos. El más pequeño, con sus gajos de cabellos duros como paletas, me ignoraba; había ido tras sus hermanos seguramente porque estaba acostumbrado a seguirlos hasta el sacrificio ritual y a hacer lo que ellos hicieran, así fuese el más doloso incesto, pinches escuincles pervertidos; después simplemente tomó asiento, con sus piernitas estiradas, en uno de los catres y se puso a estirar su pitito. El pitito, con rebozo y con canasta de huevitos...

La señora, por su parte, al ver que entrábamos huyó al patiecito, como delató el movimiento de sábanas y colchas. Tras ella fue don Pimpirulando, mientras yo trataba de establecer un intercambio de vibraciones, aunque fuesen malas, con los niñitos. Pero nada: se cerraban por completo. Don Pimpirulando regresó con la señora, quien secaba sus manos en el delantal. Orita le hago su café, dijo, sin mirarme. Gracias, respondí. Siéntese, me indicó, señalando las sillas junto a la mesa. Ella fue a la estufita. Parecía haberse olvidado de mí. Don Pimpirulando, más nervioso que cuando estábamos en la calle, había ido con los otros niños. Quihubo chavos, les dijo, cómo estufas, qué pez, qué pachuca, qué patín, qué pasones con tamaños zapatones. Baldo, susurró la niña (¡mirándome de reojo!), ¿trajistes dulces? ¿Yo? ¿Dulces? Ni maiz paloma, no me alcanzó la feria. Y tú, añadió Pimpirulando al niño de los mocos pétreos, por qué no dices nada, no le tengas miedo al señor, es buen cuate, nomás un poco lento. Lento pero contento, me pareció prudente matizar. Don Pimpirulando se volvió hacia mí, sonriendo nerviosamente. Ella se llama Yanira, él se llama Güicho, éste se llama Bolita Babi y el más chirrito es Olegario. Cómo están niños, saludé con mi legendaria facilidad de expresión. Son mis medio hermanos, me aclaró Baldomerando, viendo de reojo a su madrastra. Pero, de pronto, su rostro se iluminó. Se inclinó y sacó una caja de zapatos de bajo la cama. Tomó asiento junto a mí. Mire, me dijo, viendo con gran atención un papel que extrajo de la caja, ésta es el acta de consignación de la primera vez que me llevaron al bote. *Baldomero,* dijo la señora, sin volverse hacia nosotros. No hay pedo, ñora, él ya sabe de todo esto. La señora meneó la cabeza, emitió un chasquido y continuó contemplando el pocillo con café. Claramente podíamos oír el agua en ebullición. Don Pimpirumero me mostró una buena cantidad de papeles relacionados con sus estancias carcelarias; me explicó que un viejito que trabajaba en la cárcel y que se hizo amigo suyo sacó copias fotostáticas de los documentos, aunque faltan *muchos,* aclaró. Cuando Pimpirulando me empezó a mostrar sus papeles no pude evitar que un escalofrío me recorriera. Pero después pensé que a los niños les gusta enseñar, orgullosamente, las vendas de sus heridas, o las cicatrices cuando menos: son como condecoraciones: no tenía nada de extraño entonces que don Pimpirulando ostentara su archivo carcelario.

...éstas son las declaraciones de los agentes, puras mentiras, yo nunca he vendido mota, le he llegado, eso sí, dijeron lo que se les pegó la gana, fíjese que lueguito que me llevaron con el mono del ministerio público uno de los chotas ahí iba conmigo y se soltó diciéndole al de la máquina de escribir puras papas. Y luego, claro, el pendejo de yo tuve que firmar eso, ¿no?, porque según ellos yo lo había dicho, ¿no?, y lo firmé, clarinete, porque, si no... ¡qué calentadotas! Aunque, aquí entre nos, de cualquier manera me dieron las calentadas, ¡qué cabrones! Lo más horripilante eran unos dibujos que don Pimpirulando, alias Homero Baldomero, hizo cuando lo sacaron de la cárcel y lo llevaron "a una especie de escuelita".

Eran temibles como las visiones de Zósimo: policías colgados, atravesados por fierros, madreados, castrados, incinerados, enterrados..., y muchas rayas, y oscuridad. Sólo una vez aparecía un sol: el sol tenía pelo y lloraba. ¡Ay Messina!

Aquí está el café. Gracias, señora. De nada, dijo y regresó al patiecito. Amplias ondulaciones sabanales. Don Pimpirulando, con sus fojas-cicatrices había calmado el ambiente. Los niños en las camas se hallaban tranquilos. Pude ver que la niñita miraba una esquina del techo, transportada a otro universo quizá más hóspito. Bolita Babi y Olegario se habían tendido y casi lograban dormirse.

...Todos nos sobresaltamos al oír golpes estruendosos en algo que parecía ser lámina de automóvil. ¿Quién cerró la puerta?, pensé cuando don Pimpirulando, con una rapidez increíble, metía sus papeles en la caja. Alcanzó a correr y a guardarla cuando la puerta se abrió. Apareció un hombre de unos sesenta o cincuenta años de edad, con el pelo canoso, desordenado; vestía una chamarra antediluviana, color cuasicaqui como sus pantalones, y llevaba unas herramientas en una bolsa de mandado. Con él venía un jovencito sorprendentemente fuerte, muy Pepe el Toro con su camiseta de rayas untada al pecho. Este muchacho parecía muy serio, sombrío. El viejo, en cambio, estaba muerto de la risa, pero sus carcajadas se disolvieron al mirarme, allí, tomando traguitos de un café que no sabía nada mal (un efectivo toque caneloso), ya que eso fue lo único que se me ocurrió hacer al verlos llegar.

Don Pimpirulando, de una forma muy atrabancada, explicó una vez más la manera como tu inseguro servidor lo había liberado del Nefasto Montes de Oca. ¡Montes de Oca!, pensé, ¿cómo puede haber un tira que se llame así? El viejo, que naturalmente era el papá de los pollitos, asentía bonapartescamente, la barbilla inclinada sobre el pecho, casi sin mirarme y atendiendo exageradamente a lo que su hijo decía; venía sabrosamente borracho, pero no pude ver hasta qué punto. De reojo vi que los niños seguían despiertos: la bella Yanira Solitaria y Güicho y/o Güigüis habían suspendido los juegos y el tenaz rascar del pelo; Olegario se había replegado instintivamente contra el respaldo de la cama. Y esta ñora reapareció del sugestivo patio y fue a la estufita a recalentar el cafeciano acanelado. Conozco a mi gente mi teniente.

Te juro que todo eso me resultaba de lo más incómodo, supongo que por el silencio que se hizo cuando don Pimpirulado dejó de hablar. Todo me parecía irreal o, más que irreal, onírico. Algo andaba mal en todo eso, y en un instante (un parpadeo) me arrepentí de haber entrado en la casa del chamacuito. El padre de don Pimpirulando me miraba y asentía (a ver a qué horas suelta un hipo eructoso, pensé); exageradamente cortés, esperaba que yo pronunciara algún discurso o que de plano dijera qué esperaba yo a cambio de haber auxiliado al pequeñuelo. Pero como no dije nada y sonreí un par de veces con mi sonrisa idiota de vaca recién cogida el viejo fue sintiéndose más seguro y finalmente me dijo que su hijo Homero Baldomero era un chamaco revoltoso que les daba muchos dolores de cabeza y otros tantos de bolsillo porque ah chirrión cómo armaba líos emborrachándose, y a su tierna edad ¡usted lo puede crer!, y además ya hasta le había dado por la ondita del cemento pues el otro día lo habían cachado con una bolsa desas de plástico toda pegajosa de los restos del pegol y no era engrudo señor ni mecos jia jia debía perdonarlo yo por el chascarro y como mestaba diciendo a pesar de las diabluras del chamaco y de que a su corta edad ya fuera carne de prisión mientras quél a la suya no precisamente corta jamás había pisado ni siquiera una delegación porque era un hombre honrado con sus vicios como todos porque quién no los tiene traite más azúcar pal café vieja no sea fodonga je je pos juego tonces ya veía yo cómo son los chamacos a esa edad con las malas compañías de ese rumbo que no era como el que yo vivía lleno de lujos sino difícil cabrón si le permitía lexpresión pero en el fondo Homero Baldomero era un niño bueno eso sí pos no lo podía negar pos ya tan tiernito colaboraba con los gastos de la casa queran muchos porque ya veía yo que ellos mismos eran muchos y pa como estaban las cosas un sueldo honrado no sirve pa nada y por eso pues mestaba muy agradecido ¿no? de que yo me hubiera portado bien con su váscaro porque eso demostraba que yo era un hombre de buen corazón a ver vieja como cuete prepárale unas tostadas o unos sopes para invitar aquí al caballero, ¿cómo dice que se llama usted señor? Lucio. Cho gusto y cho cuidado, entóns qué vieja te preparas unos tacones o un mole verde o un pozolito para que don Mustio no se vaya con la panza vacía, no vaya andar diciendo que los pobres somos como animales que no sabemos tratar a la gente, porque eso luego dicen. ¡Un pozolito!, pensé, regocijado, al decir: no se moleste señor, ¿cómo se llama usted? Ezequiel Telomico a sus órdenes, y éste es mi hijo Ezequiel Chico. Y le presento a misposa Chona. Mucho gusto señor Telomido/No no: Telomico, no me cotorree. De cualquier manera le agradezco la invitación pero su hijo y yo ya comimos unos tacos antes de venir a la casa. No le aunque, determinó el señor Telomico, enfático; siempre queda un huequito en la barriga cuando le ponen a uno enfrente una cosa sabrosa. De la vista nace el amor y de los pedos el jedor, jua juar, no me haga caso don Lucio porque ando medio alegrito. Pos los sopes tendrán que ser de pura lechuga, advirtió la señora, desde su estratégica estufita. Hombre pos échele usted unas papitas de perdida, o un quesito, ¿no?, insistió el viejo con rostro expansivo, y un poquianchis de chorizo con papas, o chorizo en papas como dice la canción. Lúcete vieja, qué va a decir don Lucio, que le dimos de cenar puro alforje. Y tú Ezequiel vete a traer unos refrescos y unas cheves. Que se traiga también unos veinte pesos de chorizo. Ta bueno: tú dale pal chorizo. ¿Sabes qué, hijo? Mejor no te traigas cerveza sino un pomo. Yo no tengo pal chorizo, tú dale. Vete a ver a Medardo el Ojón, si está cerrado le tocas, tú ya sabes cómo está la movida, y le dices que te dé de todo, que yo mañana paso a hacer cuentas. Uh no va a querer... Ya que se toma la molestia, intervine, permítame invitarlos. Clarito sentí que hacía lo que no debía, y al instante (qué resplandor) advertí que mi cuerpo se calentaba en el momento de darme cuenta. Ah no no, no don Lucio, usted ya le entró con su cuerno con la mordida que le dio a ese pinche judicial.

El padre de Baldomeromero era la Gran Dignidad. Sacó de su bolsillo un rollo de billetes arrugados, tal como si hubiera leído *El apando*; estuvo a punto de contarlo pero se contuvo y lo tendió, hecho bolita (igual, igual) a su hijo Ezequiel Chico, quien, electrizado, miraba toda la operación. El padre se dio cuenta y advirtió: me trais el cambio, eh cabrón. Hombre ps claro, ni que te fuera a atracar. Ni que fuera tan fácil güeycito. Mi señora, don Lucio, agregó el viejo sin interrupción, cruzando la pierna y eructando, hace unos sopes de rechupete. Ya se lo había dicho, verdad que ya se lo había dicho señor. Don Pimpirulando ahora parecía muy contento. ¿Y tú qué vela tienes en el entierro? Si no hubiera sido por don Lucio orita estarías chillando. Luego vamos a platicar tú y yo, cabrón. Se necesita ser pendejo pa dejarse agarrar, y ni siquiera me has dicho qué hiciste. Yo no hice nada, palabra. Yo me mido, jefe, ¿a poco no? Don Lucio, me dijo el viejo, ignorando a su digámosle váscaro, usted no se fije si digo algunas cosas que no le gusten, ¿no? Don Ezequiel se acercó a mí y me dejó apreciar su tufo a alcohol y a fritangas. Down wind boy!, pensé. Yo soy tabasqueño, don Lacio, y allá en mi terruño pos estamos acostumbrados a ser peladotes... Pero no queremos ofender. Es nomás pa darle sabor al caldo, como el chile. Agárrese porque le voy a hablar a lo macho: ¿no le gustaría echarse un pegue? Digo, pa ponerle sabor al niño. Por ahi tengo una botellita de Zacualpan del bueno, del doradito, dese que no se consigue así nomás, no del adulteriado. Ya mandaste trair un pomo, intervino la señora. ¿Mandé trair un pomo? ¿Que no le dije a Ezequiel que unas cheves? ¿No se le antoja un submarinito, don Lucio? Ese Zacualpan está deveras querido. Traite la botella, Baldo.

El viejo de pronto empezó a reír quedito, mirando el suelo. ¿Es suyo ese coche questá allá afuera?, me preguntó después, lo cual no me gustó nadita. No, no es mío. Lo renté hoy en la mañana. *¿Lo rentó?*, preguntó Ezequiel, pasmado. ¿Por qué me lo pregunta?, dije después, cauteloso. No por nada, digo, es que le vi un golpe medio gacho en la salpicadera de adelante. Casi me atraganté por la sorpresa. Al instante recordé el golpe laminoso que escuché poco antes de que el pinche viejo entrara carcajeándose... y usted ha de saber que mhijito Ezequiel Chico, que yo crioque no tarda del mandado, es un buenazo sacando golpes. En lo que cotorreamos el puntacho aquí, el chavo puede sacarle el madrazo y pos a huevo que le va a salir más barato que en un taller, ¿no? Yo pensaba en el lío que se me iba a armar con los tipejos de la agencia... Ezequiel el Viejo destapaba con los dientes una botella de pepsicola que tenía apenas un poco de licor ambarino. Ni cuenta me di de en qué momento se la habían dado. ¿Cómo que tiene un golpe? Sí, ¿qué no se ha dado cuenta?, respondió el viejo llenando un vaso (¿a qué horas se lo dieron?) con los restos del Zacualpan del bueno; ni siquiera me invitó. No está muy gacho. Lo tiene del lado del que maneja. Y crioque también le falta la antena. Bebía un traguito. Sin mirarme. ¿Cómo que le falta la antena? Será nueva disposición. ¿Y quién fue el hijo de su rechingada madre que me golpeó el coche? Porque antes no tenía nada, estoy segurísimo. Ah pos eso sí quién sabe. Chance se lo dieron cuando estaba estacionado. Hay gente muy pendeja pa manejar. Y lo de la antena no me fijé bien. Fíjese don Lucio que cuando llegamos Ezequiel Chico y yo vimos el coche, ¿no?, y dijimos: ¿y ora, de quién será este coche que está ahi frente a la casa? ¿Ya viste que tiene un madrazo, jefe?, me dijo mhijo. Pos sí, ya le dieron un llegue. Y tonces, la mera verdad don Lucio, como yo andaba un poco alegrito pos que le suelto un patín al carro, ¿no? Digo, pa alivianarme. Pero claro que le di la patada donde ya tenía el golpe, ¿no? O sea: ese patín ps no le hizo nada, porque su carrito ya estaba lastimado.

Miré penetrantemente al viejo, pero él me ignoró. Ya había acabado el licor del vaso. En ese momento llegó Ezequiel Chico, con una bolsa de mandado llena de refrescos y cervezas. No me quiso abrir el ruco Medardo apá, y por eso nomás traje las cheves. Mientras el viejo sacaba los refrescos de la bolsa, yo me asomé a la calle. Desde ese lado no se veía el golpe. Yo quiero la coca. Y yo el prisco. No, el prisco es para mí, opacito. Y yo quedo el de limón, agregó Olegario (¿a qué horas se despertó?), y a él le tocó. Con que ahora tenemos una fiestecita, pensé. Qué chinga se llevó el cocodrilo.

Ezequiel Chico, sin pedir permiso, tomó una cerveza, pero cuando don Pimpirulando quiso tomar otra ¡mangos chavo!, espetó su padre; dejamos ahi manotas, insistió. Don Pimpirulando lo miró de lado, rencoroso. No agarras la onda jefe, aseveró. Tú eres el que no la agarra, no te creas que me tienes tan contento. Siéntese don Lucio, no se apure por lo de ese golpe. Al ratito aquí mhijo se lo arregla, ¿verdad, hijo? Ezequiel Chico no contestó: al parecer era un introvertido irredimible. Lástima que no hubo botella, mi amigo, pero lléguele a otra chela, no creo que me la desprecie nomás porque es Victoria. La señora llegó a la mesa, recogió una cerveza con aire malhumorado y se la llevó a su preciado rincón. El olor y el humo del chorizo ya habían llenado el cuarto. Estaba sabrosa la Victoria, después de todo.

¿A qué se dedica usted, don Lucio? Soy escritor, señor Telomido. Qué pasó don Lucio, ¿otra vez? Ya le dije que soy Telomico, no Telomido. Síscierto ques escritor, ayer en la tarde me contó un cuento. ¿Ah qué ya conocía a mi hijo?, me preguntó el viejo, mirándome un tanto suspicaz. Ayer lo conocí/ Es que le vendí un billetito de lotería. *Cuatro*, aclaré. Homero Baldomero, deja hablar a la gente, ¿por qué tienes que estar metiendo tu cucharota? Y se sacó la lotería jefe, por eso regresó hoy al parque y por eso se alivianó con el agente y por eso se portó tan cuate. No fue por eso, empecé a decir, pero Ezequiel Grande me interrumpió, muy interesado: ¿se sacó usted la lotería, le cae? No respondí. Miré al viejo. Ahora era yo quien se mostraba Muy Digno. Ni modo. ¿Y cuánto se sacó, eh? Se sacó como noventa mil churros. ¡Noventa mil del águila! ¡Carajo, usted fue el que debió invitar las cheves! Le dije, ¿no?, intervine, y reí de pronto. El viejo me miró unos segundos y después rio estentóreamente. Pero no duró mucho su seudorrisa. No cómo cree, cómo cree, nomás era un chiste, ¿no? ¡Qué suerte tiene usted don Lucio! ¡Qué suerte!, se repitió para sí mismo. ¿Y qué piensa hacer con esa lana?, inquirió después, muy interesado. No sé, todavía no pienso en eso, la mera verdad. Chance abra tiendita. Usted sabe, precisé, aguantando la risa: una tiendita de abarrotes, en la colonia San Rafael, que es la que me gusta, pa vivir tranquilo el resto de mis días, ¿no?

Ta bien, ta bien, la cosa es no quemarse esa pachocha en el desmadre, invierta usted en algo bueno, el comercio está bien, ora esos cuates son los que agarran la mejor tajada, ¿no? Noventa mil pesos... Es un platal... ¡Qué serio parecía el buen Telomico! ¿Tiene usted familia? Sí, respondí, dos niños... Advertí cierta melancolía en mí cuando dije eso. Te juro que mi percepción se afinó en ese instante y me pareció ver todo con mayor nitidez. Guarde esa lana, me decía el viejo Ezequiel, métala a un banco, ¿no?, o algo así, ahora los niños salen más caros que una legión de putas. Todos rieron, hasta los niños. Bebimos nuevamente. Ezequiel el Grande meneaba la cabeza, sorprendido aún de mi Buena Suerte (qué suerte tienen los que no se bañan). Nebulosas fantasías: tener dinero en abundancia: dinero maldito que nada vale: la explotación del pobre por el pobre. ¡Ay qué vida más amarga!

La señora llegó con los sopes, y a pesar de que aún me sentía muy lleno comí un par. En verdad estaban deliciosos. Para esas alturas me sentía muy bien, con la cervecita pal desempance, y no dejé de advertir que don Pimpirunaco, a pesar del atacón previo, se recetó seis sopes a gran velocidad. Dígame una cosa don Lucio, insistió Ezequiel el Grande, mirándome fugazmente por encima del chorizo de su sope, ¿usted pensaba darle un regalito a mi Baldomero por su buena suerte? ¡Papá!, protestó don Pimpiromero, ¡el señor ya le soltó un quinielón al teco para que me soltara! Si no le estoy diciendo que te dé más, nomás estaba preguntando, ¿no? Oh vaya... Tú tas bien necesitado de todo, ¿no?, mirá nomás cómo andas, casi con una mano atrás y otra adelante. Bueno, dije, la verdad es que desde antes ya le había hecho un regalo a su hijo. ¿Qué te dio, manito?, preguntó Ezequiel Chico, interesado.

...No alcancé a ver la expresión de alarma en el rostro de don Pimpirulando, y agregué: ayer le regalé dos cachitos del billete que salió premiado, precisamente por eso hoy fui a buscarlo, porque creí que ya había cobrado el di/ ¿Qué hiciste con esos cachitos?, preguntó el viejo, casi gritando. Quién sabe en qué momento se puso en pie y se colocó frente a su hijo. Dime cabrón, ¿qué les hiciste? Don Pimpirulando me miró fugazmente: qué mirada más terrible: había reproche, alarma, necesidad de ayuda: no supe qué hacer: dije: momento, don Ezequiel/ ¡Que qué hicistes con esos cachitos! ¡Te estoy preguntando! La bofetada que don Ezequiel dio a su hijo fue tan tremenda que éste pareció encogerse, su mirada se apagó, su mano voló a la mejilla, y te juro que hasta su voz salió diferente: los vendí jefe, qué otra cosa podía hacer, además cómo chingaos iba a saber yo que iban a salir premiados. ¡Los vendiste/ ¡Pero qué pendejo eres! Un puntapié vigoroso se estrelló en el estómago del niño, cuando éste trataba de escurrirse con velocidad increíble hacia la puerta. El viejo luchaba por quitarse el cinturón. Su esposa y Ezequiel Chico ya estaban junto a él, tratando de detenerlo. Espérese don Ezequiel, cálmese, alcancé a decir. Tate papá, pedía Ezequiel Chico. Don Pimpirulando, replegado en la pared, lloraba sobándose el vientre. Sí cálmala jefe. ¡Ni me hables hijo de la chingada! ¡Se necesita ser pendejo! Ya se había quitado el cinturón y trataba de blandirlo y, a la vez, de desprenderse de su hijo. ¡Cómo iba a saber yo que iba a ganar!, chilló el niño, ¡uno lo que quiere es vender los cachos!, ¡o no, o no! ¡Hijo de tu reputa madre!, gritó el viejo, empujando a su esposa y a su hijo mayor, y se lanzó dando de cinturonazos hacia don Pimpirulando. Hasta ese momento me di cuenta de que todos los niños lloraban a grito pelado, y me puse en pie. Fui hacia el viejo y me interpuse en su camino. Él me miró con ojos desquiciados, pero bajó el brazo. ¡Noventa mil pesos!, exclamó después. ¡No puede ser! Chamaco idiota... ¡Y ustedes pinches escuincles cállense la boca o les va a ir pior! Los niños, en la cama, guardaron silencio al instante, aterrados. El viejo dejó que su mujer lo condujera nuevamente a la mesa, donde se desplomó. Ezequiel Chico tomó asiento junto a él, sin dejar de mirarlo. ¿Tú crees que de haber cobrado esa lana te hubiera dicho algo?, comentó, finalmente, dando tragos al parecer indiferentes a su cerveza. Este chavo se hubiera pelado sin decir agua va. Síscierto, dijo Esta Ñora.

¡Bueno!, bufó Ezequiel Grande y dio un largo sorbo a su cerveza. Jadeaba. ¡Ya ni pedo! No tiene caso estar lamentándose, pero tú cabrón, vas a ver, agregó, viendo a don Pimpirulando. Usted señor, dígale que la calme, me pidió el niño, dígale que en serio ahi muera porque si no me la va a hacer de pedo gachísimo. Tú pinche güey no metas a los extraños en lo que no les importa, advirtió el viejo fríamente, respirando con dificultad. Yo me hallaba incomodísimo. Volví a tomar asiento. Sentí que debía decir o hacer algo, y también que la situación exigía la máxima cautela. Como buen imbébil, dije lo indebido: mire don Ezequiel, disculpe usted al chamaco. La verdad ni sé porqué le platiqué todo eso, soy un tarugo. No no, usted tenía que decirlo, ¿no?, pos cómo no, ¿no?, fue lo que pasó, ¿o no? El viejo ahora me miraba sopesándome, con aire cansado de viejo coyote. Hasta me dio la impresión de que le brillaban los ojos. La cosa es que pos ahora ya está bien metido usted en esta bronca, ¿no? ¿No se le hace que debería darle un regalito a mi hijo? Siguió mirándome fijamente, con una mezcla de cinismo y desesperación y efervescencia alcohólica; ni siquiera había logrado recuperar propiamente la respiración. Ahora más que nunca, ¿no cree? Cáigase cadáver con una feria, no sea gacho. *¿Más que nunca?*, musitó, irónico, Ezequiel Chico: la cerveza destrababa su inhibición. Tú cállate muchacho, pidió la señora. Yo no sabía qué pensar. No daba crédito a lo que sucedía. Mi parte más débil estaba dispuesta a ceder, pero por otro lado sentía que debía resistir las insolencias del viejo. Éste ya se había vuelto a poner en pie, aún con el cinturón en la mano; me habló vehementemente, casi en la cara ,¡qué peste!... usted es gente adinerada, don Lucio, se ve que usted las poderosas/ Momento, don Ezequiel/ No me diga don Ezequiel, si yo soy un pobre pendejo, yo soy una costrita de mugre nada más, en cambio usted sí las puede, verdad, usted es muy cuate, ¿no?, si hasta trajo a mi hijo en su coche aquí a esta humilde casa, ¿no?, usted sí puede entender lo horrible que es vivir como vivimos, mi estimado, usted sí puede saber lo que es la chinga de perro bailarín que nosotros los jodidos de esta colonia tenemos que hacer para malvivir, y lo que son las cosas: ustedes, los que tienen toda la lana del mundo, los que andan muy sabrosos con sus coches y sus viejas descocadas aventando feria a los que los boleamos, a los que nos ven como pura mugre, ustedes los de la plata además de esa plata tienen toda la suerte del mundo, y se ganan todos los premios, ¿no?, y lo que son las cosas, usted tiene dinero hasta pa aventar parriba y nosotros nada, no sea gacho, mi amigo, preste algo, unos cuantos miles para usted no son nada, es como quitarle una pluma a un guajolote... ¡Un guajolote!, pensé, pero dije: momento, don Ezequiel, déjeme hablar/ ¡Que no, chingao!, gritó, salpicándome de saliva, desde antes había tenido que retroceder ante su proximidad; ¡no lo dejo hablar! ¡El que tiene que hablar soy yo! ¡Usted tiene todas las cosas del mundo y ahora quiere hasta callarme! ¡Pues no señor! Óigame bien lo que le voy a decir: si a usted todavía le queda un pedacito de alma en el cuerpo lo que tiene que hacer es darle un regalito a mhijo, de perdida unos diez mil varos, ¿no?, porque por él fue que usted se sacó ese premio de la lotería. ¿A quién le debo dar ese dinero?, pregunté, ¿a su hijo o a usted? Supe al instante que no decía lo correcto, y que eso me volvía más titubeante. Es lo mismo, dijo el viejo Ezequiel. ¡Cómo va a ser lo mismo!, gritó don Pimpirulando, ¡tú cuándo me has dado algo a mí! ¡Ni pa calzones! ¡Soy yo y también mis hermanos los que siempre testamos ajuareando! ¡*Qué* mentiroso eres, Homero Baldomero! ¡Vas a ver después qué partida de madre te voy a dar! ¡Y te callas la boca, ésta es una plática de gente grande! ¡Deja en paz a este señor, jefe! ¡Va a crer que nomás lo invité para atracarlo, ya bastante hizo dándole su mordida al policía pa que me soltara! ¡Le dio quinientos pesos! ¡Quinientos pesos! ¡No sé cómo ese rependejo de Montes de Oca aceptó tan poca feria! ¿Y no se le hace a usted, don Lucio, que todo le ha salido muy barato? Se gana usted noventa mil morlacos y con un quinientón ya la hizo con el que le trajo la fortuna, qué verga, ¿no? Suelta usted una feria y se queda con la millonada. Ora la millonada, ironizó Ezequiel

Chico. Yo no soy un hombre rico, don Ezequiel, vivo al día como cualquiera, y además ni siquiera he cobrado esos cachitos de la lotería. Pa mí que ésas son puras papas, pa mí que anda usted bien baleado, con la cartera llena de puros de a mil. Dale ahi diez milanesas a mi hijo y lo dejo ir en paz. ¡Que yo no quiero nada! ¡Entiende papá! *¿Cómo que me deja ir en paz?* Te digo que te calles pinche escuincle, o si no orita mismo me cae que te parto toda tu chingada madre, ¿con quién estás tú?, ¿conmigo o con él? Mire don Ezequiel, dije, sumamente irritado, sobre todo porque me costaba mucho trabajo controlar la nerviosidad; usted está distorsionando todo, ¿qué le pasa? Si todavía hace un ratito estábamos de lo más tranquilos. Advertí con alivio que mi voz había salido firme y serena. Ezequiel Grande retrocedió. ¡Tonces por qué no le quiere dar su dinerito a mhijo?, gritó, ¿no se da cuenta de lo jodidos questamos?, ¿no ve a estos chamacos?, ¿no se le apiada el corazón? ¡Estamos muy jodidos! ¿no se da cuenta? ¡Póngale violines de una vez!, grité también, pero no pude continuar: o mi voz salió excesivamente fuerte, o los niños no estaban acostumbrados a oír gritar a alguien que no fuera de la familia, el caso es que otra vez todos los pequeñitos se soltaron a llorar a grito pelado. La niñita corrió hasta su papá y lo abrazó de las piernas, chillando: ¡no se peleen, no se peleen! Qué cosas no estarán acostumbrados a ver estos niños, pensé (un parpadeo). ¡Jefe!, chilló don Pimpirulando, en verdad histérico, ¡no le haga nada a este señor, por lo que más quiera! ¡A ver vieja!, rugió Ezequiel Grande, ¡qué estás tú ahi pintada o qué! ¡Cállate a estos escuincles, ya me tienen hasta la madre con sus berridos! Todo eso estaba a punto de hacerme reventar, e incluso me costó mucho trabajo poder decir: ¡bueno!, ¡esto ya fue demasiado! ¡Con su permiso! Mañana te voy a buscar al parque, Baldomero, y ahí platicamos. En verdad ya no aguantaba nada de eso, y me sentía lleno de fuerza, pero fue un error decir lo último porque, cuando quise ir a la puerta, el viejo me oprimió el brazo con una fuerza que me pareció increíble. ¡Cómo que mañana platica con mi hijo! ¡Lo que quiera con él conmigo! ¿Qué no cree que no le puedo partir la madre? Fugazmente (¡un relámpago!) consideré la posibilidad de golpear al viejo hasta dejarlo hecho mierda, pero opté por desprenderme de él vigorosamente. Don Pimpirulando ya había corrido hasta su padre y lo apretó por la cintura. ¡Déjalo papá, no le hagas nada, estás bien pedo, no seas culero! ¡Ezequiel, cierra bien la puerta!, rugió el viejo, mientras trataba de zafarse del niño, pero éste se había aferrado a él con una fuerza inconcebible. ¡Váyase señor, váyase antes de questo se ponga pior! El niño soltó a su padre, sorpresivamente, y echó a correr a la puerta. La abrió. En ese instante vi que Ezequiel Chico optó por intervenir a mi favor y que sujetaba y forcejeaba con su padre; la señora había dejado a los niños más pequeños y, en la cocina, urgaba febrilmente entre los trastes. *¡Váyase!*, me gritó don Pimpirulando, porque yo me había petrificado viendo todo. Reaccioné finalmente, y salí. Varias personas estaban afuera. La señora salió detrás de mí, con un cuchillo en la mano, gritando: ¡compadre, compadre, agarren a este cabrón que se nos pela!

No sé cómo logré abrir la puerta del coche (la salpicadera efectivamente estaba toda abollada), viendo que don Pimpirulando sujetaba a su madrastra y que ésta aún gritaba. Me pareció ver que muchas puertas se abrían, aparecían personas por doquier. Junto a mí se hallaba el rostro de Ezequiel Grande golpeando el cristal de la ventanilla, prendiéndose de la portezuela cuando yo accionaba la palanca de velocidades. ¡Córrele pendejo!, alcancé a pensar. Varias personas se acercaban y Don Pimpirulando corría: alguien lo perseguía; Ezequiel Chico iba detrás, corriendo, casi junto a mí. Ya había arrancado pero el viejo había logrado abrir la puerta del auto, ¡de estúpido no la cerré bien! El coche respingó cuando cerré la portezuela con todas mis fuerzas mientras aceleraba de nuevo. Alguien corría paralelo al coche y trataba de cruzar la calle, frente a mí. El auto lo golpeó fuerte, secamente, y me pareció oír: ¡mi hermanito, ya jodieron a mi hermanito! Pude advertir que algo estorbaba el avance del auto, las ruedas delanteras pasaron por encima del obstáculo y casi me estrellé contra un auto estacionado; el golpe de las ruedas en la banqueta me hizo volver a torcer el volante, mientras oía gritos por todas partes y veía un grupo que se juntaba en torno al cuerpo inerte en el otro lado de la calle. Otros corrían hacia mí. Yo salí con tanta velocidad que los que, enfrente, quisieron detenerme, tuvieron que hacerse a un lado. Por el retrovisor vi que más gente trataba de alcanzarme y que otro auto, en el fondo, encendía sus luces y arrancaba. Di vuelta en la esquina, derrapando, creyendo percibir que en las banquetas todo mundo había salido. Seguí velozmente, mientras el otro auto daba vuelta tras de mí. Mucha gente corría por la calle. ¡Voy a matar a otro si sigo así!, pensé al darme cuenta de que no había encendido las luces. Lo hice. Toqué el claxon incesantemente. Pero pronto disminuí un poco la velocidad, pues trataba de ubicarme, pero, ¿te lo puedes imaginar?, hasta ese momento me di cuenta de que no tenía ni la más mínima idea de dónde me hallaba. En la siguiente esquina leí EL PENSADOR MEXICANO, y di la vuelta; el instinto me hizo acelerar de nuevo. Debía de ser temprano porque aún había mucha gente en la calle. Por el retrovisor vi que los faros del auto que me seguía aparecían en la esquina y que se acercaban a gran velocidad. Era claro que Ezequiel Grande había hallado a sus compadres y que venían todos ellos tras de mí, azuzados por los miles de pesos que supuestamente yo tenía en la cartera y porque acababa de matar al niñito Homero Baldomero. ¿Había sido en verdad ese niño al que yo había atropellado? ¿En verdad había atropellado a alguien? ¡Sepa la chingada!, pensé, acelerando lo más que pude al dar vuelta en la siguiente esquina, y en la próxima di otra vuelta, a la izquierda, allá debía estar el Periférico, o una avenida que me sacara de esa colonia miserable. Oprimí con fuerza el volante, alerta, dándome cuenta de que mis pensamientos se habían amortiguado y que por fortuna todo mi ser se concentraba en manejar, tenuemente se reiteraba la imagen de que mi auto golpeaba a alguien con la salpicadera, de que las ruedas pasaban por encima del cuerpo de un niño, sí, claro, había sido un niño al que le acababa de romper la madre, ¡mi hermanito, ya chingaron a mi hermanito!; el obstáculo que superó mi auto había sido un cuerpo duro y blando al mismo tiempo, la extraña consistencia humana. Otra vuelta cerrada a la izquierda. Con que no fuera a dar a un callejón sin salida. El auto saltó al cruzar una vía de tren, mi cabeza golpeó estentóreamente contra el techo del auto. Hasta entonces advertí que en el radio un locutor vociferaba a todo volumen. Lo apagué. Atrás venían los faros que me seguían, los faros de la muerte, diría don Juan; al parecer ganaban terreno, claramente los percibía más cerca de mí. Otra vuelta. Dando vueltas era imposible que me alcanzaran. Una calle larga, larga; aceleré nuevamente, saltando a causa de los baches; al llegar a la esquina di una vuelta más y de pronto me hallé repentinamente con otra calle, di una vuelta a la derecha y aceleré hasta el fondo; en segundos llegué a otra calle y en ella me adentré, bien prendido del volante. Otra vuelta más. El retrovisor sólo dejaba ver algunos puntos fugaces de luz en la oscuridad. Todo indicaba que los había perdido, pero no quise disminuir la velocidad.

Pasé lo que parecía ser una calle con una barda larga, interminable, y llegué a una avenida relativamente vacía. Por allí me fui, rogando porque ésa me llevara a algún sitio donde al menos pudiera orientarme. De repente, ¡horror de los horrores!, rebasé a toda velocidad *a una grúa de tránsito* y ésta, claro, al instante, encendió sus faros del techo, puso a funcionar su sirena y aceleró para alcanzarme. ¡Nomás eso me faltaba!, pensé, especulando si ese vehículo, más pesado, podría alcanzarme. Seguramente la grúa daría aviso por radio a todas las patrullas de México, y de esas pesadillas no escaparía. El terror me hizo dar vuelta en la primera calle que vi. Resultó otra calle larga, sin pavimentar, sin alumbrado. Aceleré al máximo. En la siguiente esquina volví a dar vuelta y luego en la siguiente y en la siguiente, entre prolongaciones de oscuridad, perros que ladraban desaforados y gente que fantasmalmente se desvanecía dejándome durante segundos sus rostros vacíos, desencajados, ya que seguramente en ellos proyectaba yo mi efervescencia. Ignoro cuántas vueltas di en esas calles sin luz pero no logré desprenderme de la grúa hasta que se me ocurrió apagar las luces del coche. Los puntos rojos de mis calaveras eran los que los guiaban. Todo se oscureció de golpe, como atestiguó el banquetazo que di en la siguiente vuelta, y los desarrapados tuvieron que correr por sus vidas cuando vieron que la oscuridad vomitaba a un maldito volkswagen. Después de varias vueltas más advertí con alivio que la grúa ya no se veía en mi retrovisor, y por eso, cuando una calle me llevó a una avenida muy ancha y casi vacía, me detuve en un alto. ¡Imáginate nomás! Allí estaba yo, el Gran Pendejo, esperando cívicamente la luz verde en el semáforo cuando de súbito casi se me sale el corazón por la boca al darme cuenta de que algo acechaba detrás de mí. Era la maldita grúa que también había apagado sus faros, sus luces y su sirena, y que silenciosa, meticulosamente, se aprestaba a atraparme. Por supuesto que ya no esperé la luz verde y arranqué a la izquierda por la avenida a toda velocidad, con el correspondiente frenazo violento de un camión de pasajeros que había acelerado para cruzar con la preventiva y que por suerte alcanzó a detener un poco a la grúa. Iba a toda velocidad cuando vi que la grúa había vuelto a echar ulular su sirena y que había encendido sus faros giratorios de emergencia. Di una violentísima vuelta en u y entré en la primera calle que encontré, ¡en sentido contrario! Tuve que tocar el claxon insistentemente para ensordecer al auto que me mentaba la madre hasta que di vuelta en la siguiente esquina, por otra calle semioscura. Volvía a apagar mis luces, y de nuevo fue dar las malditas vueltas, en esquinas, en una glorietita bañada por un solo farol, en calles terregosas, junto a terrenos baldíos y grandes bardas, siempre con las luces apagadas, sin atreverme a ver hacia atrás porque sólo quería salir de ese rumbo lo antes posible. Finalmente vi por el retrovisor: la grúa ya no parecía estar a la vista, pero no disminuí la velocidad, seguí por una zona de calles largas, ésas sí con faroles, con bardas interminables de fábricas o de reformatorios juveniles, es lo mismo, con absurdas imágenes relampagueantes de viejas calles de mi infancia, con sensaciones fugaces de que revivía las sensaciones de esas épocas, hasta que llegué a otra avenida con camellón y ésa sí, quizá por el tránsito, indicó a mi cuerpo que el peligro había disminuido por el momento. La avenida me llevó al Periférico. Entré en él a gran velocidad aún, hasta que tuve que disminuirla cuando de pronto un par de coches sin placas me rebasaron fácilmente y más adelante se le cerraron a otro auto, ¡otro volkswagen!, que huía a toda velocidad. Frené en seco, al igual que los que íbamos por allí, y vimos cómo de los autos sin placas salieron unos agentes vestidos de civil, con metralletas, que abrieron la portezuela del volkswagen y sacaron a rastras a un pobre hombre. Lo empezaron a golpear con saña. Otros agentes nos apuntaban con sus metralletas y nos conminaban a seguir nuestro camino, lo cual hicimos, viéndolos sin verlos, despacito, hasta que quedaron atrás y volvimos a acelerar, y yo vi entonces, ¡hasta entonces!, que las casas y los comercios escaseaban, iba rumbo a Guanajuato, ¡imagínate nomás! así es que salí del Periférico, crucé un túnel y regresé a la vía rápida, esa vez rumbo al centro de la ciudad, ya con una velocidad relativamente normal hasta que llegué a Río San Joaquín, donde un espectacular embotellamiento de autos me resultó maravilloso, fue una bendición reintegrarme a la masa anónima.

[De: *Cerca del fuego*, novela inédita.]

JORGE AGUILAR MORA

(Chihuahua, México, 1946) pertenece de lleno a la juventud universitaria que padeció Tlatelolco. Hizo estudios de letras en El Colegio de México y la Universidad de París, presentando una tesis sobre el pensamiento crítico de Octavio Paz que dio lugar a un libro polémico: *La divina pareja. Historia y mito. Valoración e interpretación de la obra ensayística de Octavio Paz* (1978).

Su obra literaria, de ficción y crítica, comenzó a aparecer en la *Revista de la Universidad* y sobre todo en *La cultura en México,* suplemento del semanario *Siempre!*, cuyo joven grupo intelectual integró.

Su primera novela, *Cadáver lleno de mundo,* es un libro heteróclito que aspira a abarcar una totalidad humana, de conocimiento, artística y política, un libro que inventa al escritor que lo escribe, ha dicho Gustavo Sáinz.

Si muero lejos de ti (1979), es hasta ahora, su obra más ambiciosa, el intento de recuperar ardientemente la vida conjunta de seres cuyas vidas solo pueden existir gracias a su conjunción (como en una "figura" cortazariana) y a quienes estaría cometida la tarea de escribir también conjuntamente la obra que los reflejara y eternizara en el instante.

Entre sus otros títulos se encuentra *No hay otro cuerpo* (1977) y el libro de poemas *U.S. postage air mail special delivery* (1977). Ha cumplido una tarea amplia de traductor, dirige la colección Claves de la editorial Era y es co-responsable de la revista *La mesa llena.*

DON JUAN

[FRAGMENTO]

Se hablaba mucho, sobre todo en bocas de mujer, del color de sus ojos, que para unas era amarillo, y para otras verde claro, y para muchas dependiente de la luz pero siempre transparente; se hablaba mucho de su color porque usaba antiparras de lentes oscuros, pues, según él decía, una infección en los ojos le había dañado la pupila. Pero otros aseguraban que la infección era un pretexto, ya que no se los quitaba ni siquiera de noche, y a veces ni "cuando hacía el amor", según afirmaban que él mismo había confesado, confesión que la mayoría de sus amantes consideraban una calumnia de los que lo envidiaban, aunque reconocían que los usaba más de lo necesario, pero nunca cuando hacía el amor. Muchas de ellas atribuían esta costumbre a su intención de que, al quitárselos, la revelación de su mirada no estuviera previamente contaminada por prejuicios que podían aparecer en sus acompañantes en momentos banales. "Él sabe cuándo quitárselos", decía Leonor, "y por lo que sé casi siempre es cuando va a hacer una de sus revelaciones íntimas, de ésas con las cuales seduce a la mayoría de sus futuras amantes". Al final de su vida se volvió muy propenso a hacer confesiones íntimas sin discriminación de sexo y sin ningún discernimiento de la intimidad que lo ligaba con sus interlocutores. En una ocasión dejó esperando en la sala de su casa a un reportero que lo acababa de conocer mientras, se disculpó al aparecer de nuevo frente al periodista desconcertado, "me masturbaba", y es que, en los últimos años, se le dificultó cada vez más lograr rápidamente la eyaculación. Pero quería ser tan natural en sus confesiones que terminó por ser repulsivo e indigno de su propia confianza. Pero no se podía predecir qué provocaría una de esas súbitas confesiones. Muchas de sus amantes, no obstante, se sintieron atraídas precisamente por esa inclinación a la que consideraban una cualidad, pues la tomaban como una manera de pedir ayuda y protección. Muchos amigos aseguraban que Don Juan no mentía y que esa inclinación, defectuosa para unos y atractiva para otros, la producía una genuina preocupación por probarse a sí mismo. Marcelo, quien ya en esa época, a principios de los años cincuenta, era el único amigo que le quedaba de su adolescencia, insistía que le gustaba retarse a sí mismo tanto como odiaba escandalizar a otros, aunque se diera cuenta que muchas veces provocaba este efecto. Carlos, en cambio, uno de los amigos que más lo frecuentó en esos años en que esa tendencia se volvió parte del carácter de Don Juan, aseguraba que era un resultado tortuoso de su escepticismo, "incluso se puede decir que es una forma positiva de burlarse de los convencionalismos... ¿quién decide lo que es de buen gusto callar o de mal gusto decir en público?" Algunos admitían, para sí mismos, pues sólo Ricardo se atrevió a decirlo una vez enfrente de Don Juan, que esa sinceridad absoluta suya los inquietaba porque les revelaba, o parecía revelarles, que en el fondo vivía para sí mismo, que, en última instancia, por muchos amigos y amantes que tuviera, por muy pública que fuera su persona, no veía realmente a nadie, todos se sentían como fantasmas que su mirada atravesaba como si siempre estuviera sumida en sí misma, absorta en un transcurso irremediablemente individual. Para otros pocos, quizás sólo para Ernesto, quien llegó a ser a pesar de su juventud un visitante asiduo de Don Juan entre diciembre de 1951 y agosto del año siguiente, esa actitud era una proposición de complicidad profundamente masculina, ya que casi siempre sus confesiones aludían a sus relaciones sexuales; y finalmente, para quienes comenzaron a tratarlo en esa época por la repentina y pasajera fama que adquirió después de su regreso de su primer exilio, era sólo un signo de inseguridad con matices de soberbia llevada hasta el ridículo.

Al final de su vida comenzó a perder todavía más cualquier sentido de diferencia y de oportunidad; confundía cada vez con más frecuencia las relaciones profesionales con acercamientos amorosos o sexuales, los gestos de cortesía comenzó a tomarlos como invitaciones de deseo. Les hizo proposiciones sexuales a mujeres a las que había tratado durante años con deferencia formal y revelaba su urgencia sexual a mujeres que le acababan de ser presentadas, y muchas veces acompañadas por sus maridos, prometidos, novios o amantes. Una vez se le insinuó a una vieja amiga de su madre provocando el bochorno de la mujer y la indignación de su madre, a quien le respondió que hubiera querido hacérselo a ella algún día, pero que nunca habían llegado a tener la confianza necesaria.

Sin embargo, Don Juan, hasta el final de su vida, insistió que para él el erotismo y la sexualidad eran dos cosas distintas, y que todavía más distinto al erotismo y a la sexualidad era el amor. Pero comenzó a darse cuenta que la sexualidad había comenzado al fin a dominarlo, en vez de que él, como antes, dominara al erotismo. Y que al amor nunca lo había conocido o que, en todo caso, no había sido para él sino una sucesión infinita o incontable de nombres y fantasmas. Al menos eso fue lo que llegó a creer, según César, al que muchos consideraban el auténtico confidente de Don Juan desde esa época hasta un año antes de su muerte. Pero César siempre agregaba que, con todo, era posible entender a Don Juan, quien, de acuerdo con él, muchas veces se comportaba como un loco. Sólo que alguien señaló que esa declaración de César no probaba sino que éste nunca lo había escuchado verdaderamente, ni querido, y que sólo se aprovechaba de él, además de que le guardaba resentimiento porque Don Juan no lo había incluido en su testamento.

Sin duda, la primera reacción de muchos ante esa omisión fue de sorpresa, porque si en alguien se pensaba como el beneficiario, si no único, sí el más importante, era en él. Pero al mismo tiempo a nadie sorprendía que Julia fuera la heredera universal de Don Juan, ya que no era sino una final corroboración de que ella era la única mujer a la que había querido, si a alguien había querido. No obstante, seguía siendo un misterio por qué Don Juan había premeditadamente olvidado al compañero inseparable suyo casi hasta el día de su muerte, si se tenía en cuenta que el último año, aunque se distanciaron, lo pasó Don Juan casi totalmente en el extranjero.

A veces se comentaba, con acento de burla pero también de perplejidad, que César lo acompañaba hasta cuando hacía el amor o hasta cuando cagaba.

Muchos no entendían por qué, a veces, Don Juan dependía de él hasta para los asuntos más banales. Aunque nadie oyó nunca que Don Juan dijera que necesitaba consultar con César, todos sabían que en muchos casos no tomaba una decisión inmediata, ni siquiera en el momento en que lo invitaban a pasar un fin de semana en Cuernavaca o en algún otro lugar cercano, porque necesitaba primero aconsejarse con César. Ahora bien, Marcelo, quizá celoso, aseguraba que Don Juan no dependía de él hasta para los asuntos más banales, sino precisamente sólo en los asuntos banales. Sin embargo, más incomprensible se volvía la relación cuando todos veían cómo Don Juan se daba cuenta cada vez con mayor claridad que muchos secretos personales utilizados por sus enemigos en su contra los habían aprendido por boca de César y aún así seguía acudiendo con él a todas sus citas y compromisos y seguía permitiéndole que se enterara de los menores detalles de su actividad y de su pensamiento, e incluso que se aprovechara, no pocas veces, de las situaciones eróticas que éste fomentaba. Para muchos la utilidad de César consistía en estar dispuesto a resolver los problemas que se creaban cuando Don Juan provocaba, cada vez con mayor frecuencia, situaciones eróticas con dos o tres mujeres, que no podía resolver porque, según él aceptaba, no le gustaba la promiscuidad. Y sin embargo seguía propiciando ese tipo de situaciones porque llegaron a convertirse en las únicas que lograban despertarle un auténtico deseo sexual. Cuando Don Juan se dio cuenta que los estímulos eróticos comenzaban a reducirse a situaciones muchas veces inverosímiles en las que tres o cuatro personas, dos o tres mujeres y él, pasaban horas en escarceos y sobrentendidos esperando que alguien diera la pista para entender lo que estaba sucediendo y para vislumbrar una conclusión que a todos satisficiera, entendió por primera vez verdaderamente lo que su rostro en el espejo le estaba tratando de decir en los últimos meses: que ya nadie lo veía como un adolescente que aún podía encantar más por la pasión de su futuro que por la entereza de su cuerpo.

Sin embargo, muchas amantes suyas comentaban, algunas con miedo de decir algo ridículo, que en la seducción de Don Juan había habido un momento decisivo, en el cual parecía emitir una especie de luz que prometía tranquilidad y confianza. Para otras, en cambio, lo más importante había sido la música, que Don Juan interpretaba de tal manera que, sin darse cuenta ellas, lograba hacer que se sintieran dispuestas a la intimidad y al desmenuzamiento de las sensaciones presentes, desmenuzamiento en el cual Don Juan desplegaba toda su intuición para obligarlas a conceder su deseo. Quizás otras nunca oyeron la música porque afirmaban que Don Juan seducía con la palabra, aunque recordaban vagamente la presencia de la música como una sombra de la conversación. Pero todas coincidían, de una u otra manera, en que Don Juan buscaba siempre la consecución de algún límite con ellas, y que en el momento de la entrega todas estaban dispuestas a llegar a ese límite que él les había revelado.

Don Juan hablaba mucho de los límites, de los extremos, en cualquier tipo de conversación. Junto con ellos, y como complemento, su tema obsesivo era lo que él llamaba la presencia de la totalidad. En un tiempo se dijo que escribía un libro de filosofía sobre "el concepto de totalidad"; pero nadie leyó nunca nada de ese libro, ni se encontró entre sus papeles póstumos ningún indicio que pudiera probar esa intención. Hablaba, sí, con mucha frecuencia, también, de libros de filosofía como si fueran novelas; y de las novelas como si fueran libros de filosofía: "era una muestra de su gusto por los extremos", señalaba Marcelo, quien, sin embargo, encontró varias referencias a esos temas y a ese método de interpretar sus lecturas favoritas en un extraño epistolario que dejó Don Juan de cartas dirigidas a muchos amigos que nunca fueron enviadas y que, sospechaba Marcelo, fueron escritas con la deliberada intención de guardarlas en el escritorio donde las encontraron.

La forma que tenía Don Juan de hablar de los extremos y de la totalidad era tan aforística que muchos creían recordar sus frases gracias a su brevedad; pero nunca podían reprocirlas con fidelidad a causa de su hermetismo. Cuando revisaba las cartas que nunca habían sido enviadas a sus destinatarios, Marcelo le comentó a Julia, quien le había encargado la tarea de ordenar todos los papeles póstumos de Don Juan, que creía recordar que ya desde joven Don Juan hablaba, aunque muy incoherentemente, de esa presencia de la totalidad y de la importancia de los límites; pero que, según parecía, Don Juan había tenido que ir depurando su expresión hasta convertirla en frases lapidarias para que de alguna manera los que le escuchaban prestaran alguna atención a esas salidas aparentemente descabelladas suyas, pues para todos era difícil entender, por ejemplo, que cuando se le pidió su opinión sobre el suicidio de Rodrigo él sólo respondiera que a nadie debía sorprender ese gesto porque era parte de la totalidad. La observación de Marcelo fue recibida por Julia con un discreto agradecimiento, no por lo que le revelaba de Don Juan, sino porque le mostraba a ella hasta qué punto Marcelo había sido un cuidadoso y respetuoso conservador de las vicisitudes y transformaciones de Don Juan. Vicisitudes y transformaciones que el mismo Don Juan, al final de su vida, quiso recapitular para encontrar, o tratar de encontrar, algún designio, algún trazo que pudiera darle esperanzas de entender la forma de su vida.

Después de leer repetidas veces las cartas, Marcelo creyó estarse acercando a la conclusión que había llegado Don Juan antes de su muerte. Marcelo pensaba que ésa era la única manera de llegar a dilucidar las circunstancias de su muerte, muerte tan súbita y secreta que todos los que lo querían sintieron, la mayoría sin reconocerlo o sin quererlo reconocer en el momento, que Don Juan los había traicionado, o que Don Juan había confirmado, con su forma de morir, con la forma en que intuían que había muerto, que los había estado traicionando desde que lo conocieron. Marcelo no quiso decirle a Julia qué estaba rastreando en esas cartas y en las preguntas que comenzó a hacerle sobre su relación con Don Juan. Pero poco sacó de esto último porque Julia nunca quiso responder las preguntas más decisivas. "Son para mi diario", le dijo Julia, mientras detrás de ellos cerraban las puertas del café. Las aceras todavía brillaban por la lluvia que había caído justo antes del anochecer, la gente salía de la última función del cine París; del ruido de los autos a las luces de colores que colgaban de lado a lado del Paseo de la Reforma, del tono de la voz de grupos de parejas que pasaban, vestidos de noche, hacia algún club nocturno en algún hotel, a la manera con que Marcelo comenzó a insistir que podían ir a bailar también, se extendía la presencia dominante de un sábado en la noche en el mes de diciembre. Pero Julia tomó hacia avenida Juárez, mientras Marcelo caminaba hacia el estacionamiento detrás del cine Roble sin darse cuenta en los primeros pasos que Julia no lo acompañaba. Cuando sintió su ausencia le recordó que el coche estaba en la otra dirección, pero Julia contestó que no quería que la llevara, que prefería caminar sola y tomar el trolebús en San Juan de Letrán.

Julia quería encerrarse, quería clausurar y cegar todas sus entradas, con excepción de aquella por donde Don Juan estaba a punto de hablarle, a punto de decirle por qué habían echado a perder sus vidas, por qué nunca había querido vivir con ella mientras ella esperaba y hasta le conseguía citas con mujeres que le gustaban a Don Juan. Y esa noche al fin estaba en disposición de escucharlo, esa noche al fin había entendido que Don Juan, aunque póstumamente, iba a decírselo, en alguna forma desviada y titubeante, pero definitiva. Se dio cuenta que Marcelo la seguía cuando, al oír una voz alterada, se volvió para ver cómo un vendedor de juguetes mecánicos a la salida del cine Prado agarraba a Marcelo y le reclamaba que le hubiera pisado varias arañas plásticas de la colección de animales que exhibía en la acera. Pero se olvidó de él instantáneamente. Siguió caminando entre la repentina densidad de las banquetas de la avenida Juárez segura de que, de un momento a otro, oiría la voz de Don

Juan, que no podía llegar de muy lejos, que no podía llegar sino de la orilla de su oído como un secreto, como el último secreto, y no de su muerte, que eso era asunto de los buitres como Marcelo, sino de su vida eterna, de esa vida, que ella estaba segura, Don Juan había asumido con cobardía y miedo más que con la seguridad que casi todos le atribuían y envidiaban, pero de cualquier manera vida muy cercana siempre a la quemadura, muy cercana siempre al dolor más desollado. Alguien la empujó violentamente contra la cortina de fierro de una zapatería. Los anteojos estuvieron a punto de caérsele. Se los reacomodó y siguió caminando sin hacer caso de las disculpas que le pedía el hombre que la había empujado, quien se dedicaba a correr entre los coches y los transeúntes de la avenida para atrapar una hélice de plástico que otro lanzaba desde el puesto improvisado que había instalado en el camellón de la avenida para la venta de helicópteros de juguete. Julia se tropezó con una nueva multitud, que salía del cine Alameda. Finalmente llegó a la esquina con San Juan de Letrán y no había escuchado todavía ni siquiera el pequeño jadeo que, ella preveía, tendría que preceder a la voz de Don Juan. En ese momento sintió que se mareaba, creyó que la torre Latinoamericana comenzaba a moverse y que crujían las pesadas articulaciones del edificio de Nieto, las luces y los cables parecían columpiarse, y ella comenzó a sentir náusea, y cuando bajó la mirada, obligada por la proximidad del vómito que subía vertiginosamente como un acróbata nocturno, vio que la gente se arrodillaba en las banquetas, que los coches se detenían y los conductores se bajaban, dejando las portezuelas abiertas y sin prestar la menor atención a otros autos que podían arrollarlos, hacían genuflexiones y se persignaban. Estaba temblando, pero ella entendió que era la señal que necesitaba para convencerse de que estaba embarazada.

Sólo hasta después de la muerte de Don Juan, muchas mujeres se sintieron en libertad de revelar que, aunque habían tenido momentos de intimidad corporal con él, nunca habían consumado el acto sexual. Algunas explicaban que

Don Juan tenía en los últimos años recurrentes ataques de impotencia; otras, que a Don Juan le entraban arrebatos de desconfianza, en los que pensaba que la mujer tenía la intención de quedar embarazada para poderlo chantajear después económica o moralmente. Sólo una de ellas dijo que, en efecto, cuando Don Juan estaba a punto de penetrarla, a ella, como un gesto que había creído de retribución, se le había ocurrido decirle que quería tener un hijo suyo, lo cual inmovilizó repentinamente a Don Juan y dejó titubeante durante algunos segundos la punta de su sexo entre sus labios vaginales; y, aunque se siguieron viendo, nunca más llegaron a la intimidad de aquel primer día. César afirmaba que, en efecto, Don Juan reconocía que no había hecho el amor con muchas mujeres que concedían con su silencio cuando alguien les preguntaba si habían sido amantes suyas; pero, según César, la razón invariable que había dado Don Juan era que todas ellas le expresaban su deseo de tener un hijo en el momento del coito. Aún más, César aseguraba que ésas eran las únicas veces en que Don Juan podía dominar su tendencia inevitable a la eyaculación prematura, aunque siempre se quejara en los días siguientes de un ardor en la orina y de un dolor en la próstata.

Gregorio, a quien Don Juan le retiró la palabra en forma brutal, y no por ello menos merecida, difundió con rasgos exagerados la imagen de un Don Juan católico vergonzante. Contaba a diestra y siniestra cuándo Don Juan, de regreso de San Francisco, no había podido reprimir más su religiosidad en el momento en que el avión, cerca de la ciudad de México, comenzó a agitarse peligrosamente por una tormenta de relámpagos que lo había atrapado y por una posible avería en uno de los motores, que nadie podía ver por la densa niebla que envolvía al aparato. Según Gregorio, Don Juan había comenzado a decirle que él era religioso, que él creía en Dios, y que debía decirlo porque era la penitencia que le exigía su conciencia para salvarlo de aquel trance. Hay quienes sugerían que muchos coitos interrumpidos de Don Juan eran una forma secreta que él tenía de mortificarse, de hacer méritos en esa balanza del haber y el deber de los panteístas de formación cristiana.

Manuel, que nunca dejó de ser su más entrañable amigo, pero que desde mucho antes de morir Don Juan guardó una distancia insalvable frente a él, y sobre todo, quien rara vez opinaba sobre las actividades del que él también consideraba como su amigo más esencial, su Cástor, "para decirlo desde un punto de vista más fértil", sólo rompió una vez su reserva para decir que si Don Juan era religioso se debía a su invalidez moral innata que no se traducía en devoción sino en una reserva autodestructiva ante la posibilidad de decidir en la vida de los demás y sobre todo en la propia, porque nunca había tenido la menor certeza de lo que se debía hacer cuando se tenía la aguda conciencia, que él tenía, de que la vida era única. César, que en vida de Don Juan se cuidaba mucho de hacer comentarios críticos sobre Manuel, pero que no podía ocultar que le tenía un sordo rencor, derogó la justificación que hizo Manuel diciendo que eran mamadas, como todas las que escribía semanalmente en la revista *Tiempo* sin atreverse siquiera a usar su nombre verdadero. Marcelo alegaba, antes de que Julia le encargara ordenar los papeles póstumos de Don Juan, que éste "era uno de ésos que creen en un dios propio, que adaptan a sus circunstancias, sobre todo para contrarrestar su miedo a la muerte; pero eso no quiere decir que Gregorio tenga razón. Gregorio lo está acusando de que era hipócrita".

Sobre todo en sus últimos años, al regresar de su primer exilio, Don Juan se volvió, o regresó, muy tolerante, y a veces fingía ser católico con los católicos y judío con los judíos. "Si hubiera conocido mahometanos, se hubiera comportado como mahometano", dijo con sorna César a Marcelo cuando Julia ordenaba que cerraran la sala del velatorio que habían alquilado en la funeraria Tangassi. Si Don Juan conoció o no a mahometanos fue algo que nunca nadie pudo dilucidar con precisión, o que Julia nunca quiso revelar, pero sí conoció a judíos y sabía más que ellos de su religión, aunque, según éstos, nunca supo hacerse pasar por judío "porque no lo dejamos". Sin embargo, a la única mujer a la que le ofreció matrimonio era judía. Sara no era practicante, pero una de las condiciones que le puso a Don Juan para casarse con él era que se convirtiera al judaísmo, lo que "le emociona, porque no ve otra manera de que lo acepten realmente los judíos a los que quiere conocer", decía César en la época en que se hablaba del compromiso. Conocía las fiestas, los preceptos, el calendario, las ceremonias, pero lamentaba no poderlas practicar; aún así, según decía, "respetaba a veces el Sabath, para ver qué se siente". Pero Sara quiso desmentirlo diciendo que su respeto del Sabath era "uno muy interesado". De acuerdo con ella, lo hacía cuando le convenía; aunque admitió que ella misma no sabía muy bien en qué consistía respetarlo, excepto por lo que esporádicamente oía en su casa. A pesar de ciertos comentarios aislados, Sara fue la única, junto con Julia, que se negó en forma sistemática a comentar su relación con Don Juan y la única quizás, y en esto diferente de Julia, que pudo resistir sus chantajes y desenmascarar sus indecisiones. Pero un punto que ella consideró siempre muy importante de aclarar era que había sido ella quien había tomado la decisión de romper el compromiso cuando se había dado cuenta que Don Juan no dejaría nunca de "perseguir a toda la que se le ponga enfrente". César, por su parte, replicaba que Sara, a quien llamaba "la armana", mentía, porque él había estado presente la noche en que Don Juan desistió de sus intenciones de casarse. "Yo fui el primero a quien le dijo que no se iba casar, primero que a la misma armana. Esa noche ellos estaban cogiendo arriba mientras yo leía el periódico en la cocina. Oí cuando bajaron y se despidieron. Y ella le dijo cuánto lo quería y todas esas mamadas. Incluso me acuerdo que le dijo que tenía mucho miedo de que la dejara porque para ella, que era de la comunidad, era un desprestigio terrible que se rompiera el compromiso. Pero cuando estábamos cenando Don Juan me confesó que ya se había arrepentido, que todo le parecía una locura, que Sara era muy posesiva y que ya estaba llegando a actitudes intolerables."

Leticia afirmaba que nunca llegó a comprometerse con nadie más porque todas las mujeres se dieron cuenta a tiempo de la clase de hombre con el que trataban. Si la afirmación de Leticia se podía aplicar a ella misma, en otros casos no parecía haber sucedido así, y más si se tenía en cuenta que Don Juan no ocultaba su fama. Varias extranjeras dejaron todo en su país para seguirlo hasta México, y tuvieron que regresar, rechazadas por él. Muchas lo buscaban en su casa después de la ruptura, muchas más lo llamaban por teléfono y otras tantas lo seguían esperando en los países en donde había vivido en sus dos exilios. Leticia afirmaba que César había llegado a darle a una mujer, que había acudido a él esperando que la podía ayudar a reconquistar a Don Juan, un catálogo de las mujeres engañadas: "En Italia, seiscientas cuarenta; en Alemania, doscientas treintaiuna; cien en Francia; noventaidós en Estados Unidos y en México lleva ya mil tres."

Estas cifras, a las que muchos, cuando las enfatizaba Leticia, respondieron con carcajadas, otros con un silencio abrumado, otros con tranquila incredulidad y sabiduría de que se trataba de puras metáforas, y finalmente otros con indignación, nunca fueron probadas por nadie, y nadie trató de hacerlo; pero, en todo caso, siempre fueron una prueba fehaciente de que Don Juan vivía con un sentido muy agudo de que una catástrofe podía ocurrir en cualquier momento.

SERGIO RAMÍREZ

(Nicaragua, 1942) cumplió estudios de Leyes, fue largo tiempo secretario del Consejo Interuniversitario Centroamericano, se interesó por el cine en su exilio costarricense y residió dos años en Berlín como escritor invitado. Su participación en la lucha antisomocista y en el Frente Sandinista de Liberación, lo condujo a su actual nuevo oficio en la Junta que dirige el país desde el derrocamiento del dictador. Su obra narrativa nunca ha estado escindida de su plena integración en el movimiento popular de su país, de una lucha antimperialista diseñada por el propio Sandino, de su reclamo de una justicia social, pero también de la impostergable necesidad de modernizar las sociedades latinoamericanas. Su literatura responde a ambas aspiraciones, como se vio desde su novela *Tiempo de fulgor* (1970) y aun mejor, en los cuentos de *Mr. Atlas también muere.* Su libro de cuentos *De tropeles y tropelías* obtuvo el premio Latinoamericano de Cuento de la revista *Imagen* de Caracas en 1971.

Toda esa obra concurrió a un libro mayor, su novela *¿Te dio miedo la sangre?* (1977) en la que se enlazan cinco historias distintas moviéndose en tiempos dispares para tratar de circunscribir un pueblo, una época, una dura lucha por la justicia, una nación. Novela casi fantasmagórica por su apertura narrativa, por el friso de personajes y acciones, por el contrapunto surrealista que ordena sus diversos niveles y situaciones, por las formas indirectas de contar, es una de las contribuciones novelescas capitales de los setenta en el movimiento de los novísimos.

¿TE DIO MIEDO LA SANGRE?

—¿Cómo qué te vamos a hacer? —se guardó el Indio la pistola que el Jilguero le había alcanzado— pues nada.

Al coronel le brillaba de sudor la papera y le temblaba ligeramente; ponía la cara hacia la puerta cerrada evitando al Indio, y tampoco quería reparar en el Turco a pesar de que casi se rozaban los codos, y así, siempre pendiente de la puerta, rechazaba en un incesante agitar de la cabeza el paquete de cigarrillos que el Indio le paseaba ahora frente a los ojos, ofreciéndole de fumar.

—Entonces, ¿un traguito, pues? Tal vez una cerveza —se embolsó sus cigarrillos el Indio, y el Jilguero siempre tras él, luchando por deshacerse el nudo de su corbata de colorines, aclaró que ya le había ofrecido, pero en vano. Y al oírte, reaccionó el coronel como picado de culebra.

—Usted, usted me trajo aquí engañado. ¿Y por qué, gran atrevido, me desarmó?

Yo no acertaba a otra cosa que doblar repetidas veces la corbata antes de metérmela en el bolsillo de la camisa, medio ahuevado ante su furia, y le dejaba la palabra al Indio, que pensativo, seguía fumando. Al fin de cuentas, lo convenido era que él llevaría la voz cantante.

—No hombre, Catalino, dejame explicarte —avanzó su asiento hacia él el Indio—, no hay por qué ponerse así.

—Irme de aquí inmediatamente es lo que quiero. ¿Y mi pistola? Devuélvame inmediatamente mi pistola —se atrevió a ordenarte con aplomo, Jilguero.

—Pero si ni siquiera me permitís hablar a mí, tanto tiempo sin vernos y me recibís con esos modos, Catalino —intentó el Indio ponerle la mano en el brazo; pero el coronel, hosco se apartó de su contacto. Sudaba como si lo acabaran de bañar con todo y ropa.

—Bueno, ¿qué es la cosa? ¿Qué quieren conmigo? —preguntó de repente, cortante.

—Pues nada más hacerte una solicitud —alzó el Indio los brazos en demanda de ser creído— y te pido mil perdones por la forma de traerte, pero yo les dije a los muchachos, ¿verdad, muchachos? "Yo conozco a Catalino cómo es de desconfiado, y si lo invitamos, no va a querer."

—Pero es que me han engañado, este señor, usted me engañó, me trajo aquí con mentiras y encima me camisea.

El Indio había consumido su cigarrillo y antes de encender el siguiente, lo golpeaba contra el paquete. Y vos siempre mudo, Turco, como si no fuera con vos la cosa.

—No le echés la culpa a él —señaló el Indio con el cigarrillo apagado al Jilguero, calmadamente— si querés un culpable, aquí estoy yo.

Y como si con aquello el Indio lo hubiera presentado, el Jilguero levantó sin más ni más el sombrerito de la pluma, que conservaba aún en la cabeza; y cuando oyó tu nombre, pese a su furor, se vio que lo desencajaba la tristeza. El Indio aprovechó entonces para acometer su segundo intento de alcanzarle el brazo, y él ya no lo rechazó.

—El asunto es rápido, Catalino. Los muchachos me han dado comisión de ser yo quien te lo exponga. ¿Quién más indicado que un viejo bróder, para hablarle a otro bróder? —gesticulaba adornadamente el Indio como si no pudiera haber posibilidad de duda en su apelación de amistad. —Pero antes quiero que me prometas tomarte con nosotros algo. No podemos hablar así, a boca seca.

—¿Tomar? ¿Cómo tomar? —se encabritó en la silla, el temblor repuesto en su papera sudorosa— ¡Si me tienen aquí preso y voy a estar tomando!

El Indio, a pesar de sus brincos, no lo soltó, como si se tratara de domarlo.

—¿Preso? Sólo a vos se te puede ocurrir semejante barbaridad, Catalino por Dios. No has cambiado nada.

Los ojitos brillantes del Indio nos pasaron revista despaciosamente tras la cortina de humo que le envolvía la cara, Turco.

—Jilguero, abrí esa puerta —le ordenó. Y acudiendo inmediatamente, como en obediencia militar, sacaste el pasador, y de un solo aventón la desencajaste.

—Ya está, ya tenés abierta la puerta. ¿Quién te tiene preso?

Era el momento en que pudo haber intentado empujar la mesa, tratar de lanzarse aunque fuera en cuatro patas al pasadizo, gritar. Nada hizo, nada dijo, serio. Ni siquiera volvió a reclamar su pistola. El Indio le acercó más el asiento entonces, rodeándole con el brazo izquierdo el espaldar de la silla; se llevó luego una mano a la boca y zafándose la chapa postiza de la dentadura con extremo cuidado, la puso sobre la mesa encima del periódico.

El coronel fijó primero los ojos en la chapa ensalivada, como si tardara en reconocer qué era aquello, y después en la boca consumida del Indio.

—¿Ves? Ya ni dientes me quedan —apagó la voz susurrándole, como se consuela a un niño en la oscuridad —no tenés, pues, por qué tenerme miedo.

—¿Miedo de qué cuenta? —respingó, siempre enronquecido el coronel.

—Así me gusta —le dio el Indio una suave palmada en la rodilla y cogiendo la dentadura se la repuso en la boca, tan atolondradamente que parecía se la iba a tragar—. Ahora sí, me vas a aceptar la cervecita, verdad?

El coronel solo se desabotonó el saco y los faldones amplios colgaron a sus lados; y vos Jilguero, saliste entonces volado a traer la tanda de cervezas. Sin quitarse el cigarrillo de los labios, el humo metido en los ojos, el Indio se preocupó en servirle al coronel, poner el vaso lleno al alcance del tacto, y levantó luego el suyo en un brindis tardío, porque asiéndolo con ambas manos el coronel se lo bebía ya, ligero, arrugando la cara a cada trago como si se hubiera tratado de un purgante.

—Te confieso que me tenés resentido. —Se limpió el Indio la boca con el dorso de la mano —¿Cómo se te ha podido ocurrir que yo quisiera hacer algún mal?

Y no le quitaba la vecindad, rodéandolo afectuoso con el brazo.

—Es que vine engañado —insistió ya más tranquilo y empujó el vaso—. Y me dio cólera que me manosearan.

—Pues para que no te quede cólera, aquí está tu pistola —se la empujó sobre la mesa, pero el coronel no la tocó, bien la vio cercana a él, pero no hizo por dónde agarrarla. Y vos, Jilguero, ya listo en la puerta para otra carrera al bar, que si otra cervecita.

—No —se apresuró en responder el coronel.

—Una es ninguna, ni siquiera hemos empezado a platicar el asunto —y sin darle tiempo de protestar, te despachó por la segunda tanda el Indio. Ya llenos otra vez los vasos, miró al suyo como para coger fuerza, o inspiración, el cigarrillo consumiéndose en su dedo inmóvil.

—Pues a lo que íbamos, Catalino, la cosa es sencillamente que queremos volver a Nicaragua.

Incrédulo, el coronel dejó caer la quijada, y arrugando el entrecejo nos miraba como si el resplandor de una luz que en el cuarto no existía, lo ofendiera.

—Volver, se entiende, con todas las de ley, nada de clandestinidades. A vos te consta que si he tenido el defecto de ser algo violento, eso no me quita lo sincero. Ya estamos hastiados de vivir persiguiendo como locos el centavo, es la verdad. ¿Sabés a qué me dedico yo? A fabricante de piñatas, no me vas a creer.

Se registró el bolsillo de la camisa cargado de lapiceros baratos y papeles doblados, y sacó una tarjetita de cartulina impresa en rojo y verde. Colocándose los anteojos la leyó con voz fúnebre.

TUMBO TUMBO TUMBO

Para los cumpleaños de sus adorados niños ponemos a la orden: sillitas, tableros, cristalería, servicio esmerado de refrescos e higiénicos sorbetes, vistosísimas piñatas. Muy pronto, proyección de películas especiales con aparatos sonoros.

Mientras escuchaba la lectura del coronel mantenía el filo del vaso pegado a los labios en claro ocultamiento de una sonrisa, imaginándose de seguro al Indio, de delantal, dedicado a cocer el almidón para vestir sus piñatas. Pero vos lo sacaste de su alegre reflexión, Turco, porque te pusiste imprevistamente de pie y a la manera de un subalterno te le cuadraste, chocando los talones.

—Permiso para hablar, coronel —solicité secamente.

Él aunque ya me sabía allí no me había oído todavía la voz; farfullando, sin atreverse a mirarme, dio a entender que él no tenía por qué apermisarme y bien podía hablar, si quería.

—Si se me concede regresar estoy dispuesto a comparecer ante un consejo de guerra —fue todo mi discurso; pero permanecí, sin embargo, en posición de firme.

—¿Te fijás, pues, Catalino? En tus manos nos encomendamos en cuerpo y alma —y otra vez le llenó el Indio el vaso de cerveza.

—Pero eso no es conmigo —alegó, quitándose los anteojos y restregándolos contra la solapa del saco— yo no soy autoridad de migración— y mientras se entretuvo en limpiar las lentes, permaneció con los ojos legañosos cerrados.

—Nada, el que manda, manda —pareció querer barrer el Indio con su gesto las botellas y los vasos en la mesa de lata. —¿Cómo vas a negarme a mí, que vos seguís siendo poderoso allá?

Como si el coronel lo hubiera mantenido en espera, el Turco le pidió entonces permiso de sentarse. Confundido otra vez, no se resolvía a contestarle nada al principio, pero se lo concedió al fin.

—Yo sé que a *los hijos del hombre* les llegan allá arriba con los cuentos de que yo ando aquí en planes de meterles una invasión, que yo les mandé a matar al padre. Inventos —negó en forma desconsolada el Indio— ya me podés ver la traza pobre y jodida, ¿cuestan acaso medio centavo las revoluciones? Y mi inocencia en la muerte de *el hombre,* ni jurártela vale la pena, aquí están mis manos limpias —y le enseñó las manos por el dorso y por las palmas.

El coronel se quedó agachado, reflexionando indeciso, y el Indio, como para cerrar su trato de intimidad con él, sacó un cigarrillo y prendiéndolo en la brasa del suyo se lo puso en los labios. Él lo recibió con un temblor de sorpresa en la boca pero el Indio no se lo soltó hasta que había dado una chupada.

—Bueno, Larios. . . —empezó a dirigirse muy sumiso al Indio. Pero el Indio lo interrumpió dando un golpe en la mesa, tan fuerte que hizo saltar las botellas.

—¿Cómo es eso de Larios? Yo para vos soy siempre el Indio, me doy por ofendido si ahorita mismo no me llamás Indio.

A la cara del coronel subió una sonrisa amuinada.

—Bueno pues, Indio —concedió, y el Indio cabeceó satisfecho, como lavado de una afrenta— yo les prometo hacer la fuerza, a ver si me oyen.

—¡Gracias, Catalino! Yo sabía que vos a mí no me fallabas, ¿qué les dije, muchachos? —se puso de pie, eufórico, el Indio.

—Conste, yo no puedo garantizarles nada —advirtió halagado el coronel.

—Nada tenés que garantizarnos, tu intercesión es suficiente —y ordenó el Indio al Jilguero ir por una tercera tanda, para hacer un brindis final por el éxito de la gestión del coronel.

—¿Por qué no pasamos mejor al salón y brindamos allá? Ya está despejado de clientela y vamos a sentirnos más cómodos —propuso el Jilguero.

—Bueno, pero que sea la última y nos vamos —dijiste vos, Turco—, yo tengo mucho que hacer.

—Todos tenemos que hacer, pero es cierto, saquemos de esta pocilga a Catalino, si lo metimos aquí fue por culpa del abarrotamiento de afuera.

El Jilguero se acercó solícitamente tras el coronel y lo ayudó a incorporarse, afirmando bien los pies al recibirlo porque de nuevo le echaba el peso del cuerpo encima.

—Tu pistola, no se te vaya a olvidar —cogió el Indio el

arma de la mesa, y él mismo se la metió otra vez en el bolsillo del saco al coronel.

La clientela del mediodía se había despedido ya del bar y solo unos cuantos bebedores rezagados, alejados entre sí, quedaban; las luces de colores de la roconola instalada en la entrada brillaban en la media oscuridad, deshaciéndose en espirales, y el cantinero, que tras el mostrador del bar secaba mecánicamente la tendalada de vasos con un giro veloz de la mano, saludó sonriente al Indio desde lejos, en ademán de desenvainar la espada de palo del rey de cartón.

Al sentarnos de nuevo nos quedamos todos en el borde de los asientos, como a punto de despedirnos; vos preguntaste preocupado por la hora, Turco, y yo no soltaba mi cartapacio. Y cuando el Indio se paró a hacer su brindis, ya no se volvió a sentar. Bebimos los últimos tragos y nos callamos mientras esperábamos la cuenta, como si ya no hubiera habido más que decir, ni preguntar. El Indio daba algunos pasos tras el coronel, y presionándose la rabadilla, se desentumía.

—No me va a quedar paz si no te confieso que la idea de las bailarinas fue mía, Catalino ¿pero verdad que este Jilguero cumplió a la maravilla su papel? —y sonriente le agarró el Indio el espaldar de la silla— como anda metido siempre en esos ambientes de cabaret.

—Me engañó pero de viaje —aceptó el coronel.

—Es que el Jilguero conoce a todas las que pueden llamarse reales hembras nocturnas aquí en Guatemala —siguió riéndose el Indio—. Vos, Jilguero, te habías ido a pagar al bar.

—Yo conozco mejores que esas —bostezó el Turco—, señoras de hogar, niñas de colegios de monjas que se reúnen en lugarcitos muy discretos, muy íntimos. Sitios que uno ni se imagina, coronel.

—¿Siempre te gusta alegrarte el ojo, Catalino? —lo tomó imprevistamente por los hombros el Indio.

—¿Ah? —alcanzó él a balbucear, haciéndose el que no había oído bien.

Entrando a Siuna en la costa un mes de marzo ya de tarde, frente a una casa de cabildo incendiada por los aviones yankis, encuentran a un anciano que agoniza tendido sobre la batiente de una puerta carcomida por el fuego; su cabeza descansa a la altura de la ventanilla enrejada y junto a una de sus manos descarnadas, una mano como de santo poblano, está el hueco redondo de la manija. Lo rodean gentes forasteras repartidas sobre las piedras negras y ya cubiertas de lama de la casa en ruinas, y entre ellas hay un muchacho quinceañero sentado en un montón de ripio, el fuelle de su acordeón desplegado y los dedos puestos en las teclas, como en actitud de comenzar a tocar; y una mujer morena y entrada en carnes, cubierta con un sombrero aludo teñido en distintos colores que se extienden en círculos desde el arranque de la copa, de rodillas en el polvo aplacado de esa hora sin viento, exprime un pañuelo mojado en la boca desdentada del viejo, que se abre como un navajazo obscuro para recibir las gotas sucias.

Y ya siguen ellos de lejos en busca de posada, sino es que arrecostado a una pared ardida del cabildo ven un bulto extraño envuelto en una sábana curtida, quieto el fantasma octogonal como un barrilete gigante que transpirara humedad y olor a esmalte bajo el embozo, olor a manos sucias, a apuestas con billetes terrosos y centavos negros, a humo de candiles, a fritanga de feria, a cohetes de procesiones; y el viejo, sin abrir los ojos, levanta la mano izquierda para señalar su estrella enfundada y gorgotea algo que solo la mujer inclinada sobre su pecho entiende y repite después en voz alta, cabeceando al escuchar y transmitir cada palabra: que esa presencia arrimada al muro es su *toro-rabón* de juegos, su ruleta de pobre que ha andado toda la vida en el lomo, de jolgorio en jolgorio; durmió debajo de su mesa y le tuvieron allí mismo una vez un hijo, vio con él aguaceros, sequías y calamidades de guerras, descarrilamientos y crecidas de ríos, trances a cuchillo en garitos y en galleras, rodando fortuna, dando fortuna, quitando fortuna en todas las fiestas patronales de Nicaragua, a ver si alguien por vida suya se la compraba y pueda esta su mujer volverse a su pueblo de Malacatoya, de donde se la sacó manceba al terminar unas fiestas, para que ya no anduviera errante en esa vida de azares.

La mujer se queda un rato oyendo sobre su pecho, pero el anciano se calla ya y entonces ella, diligente, le acomoda un lío de trapos debajo de la nuca y le soba luego parsimoniosa la armazón de las costillas, girando la cabeza a los forasteros; pobrecito, se acuerda de mí en su hora, exclama tristemente su voz chillona de pregón de frutas, la misma con la que ha repetido el mensaje.

Taleno el padre deposita entonces en el suelo sus bártulos, se limpia las manos restregándoselas en las sentaderas del pantalón y se acuclilla junto a la pareja, inclinando la cabeza para alcanzar el oído de la mujer debajo del alón del sombrero y le habla en susurro para no dejarse oír de los demás, tal vez por vergüenza del negocio con un moribundo, ¿en cuánto deja el *toro-rabón*? Y la mujer, con su mismo chillido nasal, que dice él que lo cojan por una miseria, por treinta córdobas se cierra el trato. Taleno el padre mira reflexivo al oído de la mujer bajo el sombrero, estirando la boca al modelar las palabras como si quisiera enamorarla, que está algo cara, porque nuevas esas ruletas, en Masaya donde las fabrican, cuestan apenas cuarenta. Y se pega otra vez la mujer al pecho del viejo al oírlo sisear: que es una pieza como no se imagina usted de fina, labrada de una sola troza de guayacán como las imágenes que ya no se hacen de los santos cristos crucificados. Y Taleno el padre, cauteloso en el trato, ahuyenta con un movimiento amoroso de la mano las moscas posadas en la frente del anciano, sólo da veinte.

Dásela en veinte, niña, y te vas para tu pueblo, transmite ya lo último el anciano a la mujer. Y Taleno el padre paga sin hablar, cuenta sobre el suelo las monedas alumbrado por el foco tubular que Trinidad arrima porque casi no se mira ya, monedas de diez centavos, de veinticinco centavos, sucias y de cantos desgastados, que la mujer envuelve en el pañuelo mojado y se guarda entre los senos. Ayudado por Trinidad levanta Taleno el padre la estrella ya conquistada y entre los dos la acarrean hasta el mesón, mientras lo dejan a él cuidando los bártulos; y ya para el segundo viaje, cuando llevan los tres las cajas y las valijas de mercancías, los alcanza en la calle la mujer, jadeante: que no les había entregado la torre del *toro-rabón* y las bolitas, la torrecita de hojalata con sus patas de alambre para fijarse al centro de la ruleta y las bolas gruesas, acuosas, guardadas en una cajita redonda de talco *Para Mí*, amarillo estriado, azul claro desvanecido en girones blancos en las profundidades de la transparencia, rojo de sangre diluyéndose en agua; les sonríe como esperando alguna palabra la mujer, el sombrerón amarrado debajo de la barbilla con un cordón de zapatos que parece cortar la grasa de su papera sudorosa, qué se va a andar yendo para Malacatoya, si allá no tiene ya a nadie, y además, que esos reales apenas van a ajustar para mercarle su caja de talalate cuando dé el alma.

Y ya en el mesón se sientan en el escaño frente a la mesa de comer, de cara al fogón donde cocinan con los rostros enrojecidos por las llamas las tres hermanas propietarias, y ninguno de ellos le quita el ojo a la joya envuelta que descansa contra una pared y que aún no han desnudado para verla; y mientras esperan que les sirvan la cena, Taleno el padre se para y va al cocinero a pedir un poco de contil que disuelve en agua sobre un pedazo de teja recogido en el patio; de entre los bártulos saca su cepillo de dientes, las cerdas amarillas doblegadas por el uso, y lo tiñe con el negrumo para escribir sobre la manta

Perteneciente a José Asunción (Chon) Taleno
Comprado en Siuna, abril de 1934

Y mientras come apurado, los carrillos llenos de plátano cocido que se lleva a la boca en trozos humeantes, les explica que la marca es para que no se roben la estrella porque van a andar por muchas aglomeraciones de hombres en las fiestas de los santos patronales con ella. Y Trinidad, que sorbe su pocillo de café, mira el envoltorio, pueden llevarse el trasto y dejarnos la sábana, tata; y Taleno el padre, tragando, lo vuelve a ver entonces con rabia, solo con mierdadas salís vos, le dice.

Y a la noche, acostados sobre la rugosidad de las tablas sin cepillar de la mesa de comer, impregnada de berrinche porque de seguro duermen allí otras veces otros niños forasteros, cada vez que se despiertan giran ansiosos las caras hacia la penumbra para ver si aún está allí, envuelta en el sudario, la ruleta, mientras Taleno el padre arrecostado en el tabique se deja vencer por el sueño en su vigilancia pero la protege con el cuerpo.

En las bancas de los parques, en los atrios de las parroquias, en los portales de las casas municipales duermen desde entonces; debajo del *toro-rabón* se refugian cuando llueve, marchan de noche junto con las promesantes en las romerías, atraviesan los vados de los ríos con las tropas de caminantes y montados, caravanas de carretas, alegría de voces y de risas que celebran caídas en el agua, saludos y encuentros sorpresivos en la oscuridad, encaramados en plataformas de camiones de carga, en la góndola de los trenes, siempre con la estrella a cuestas para llegar sin falta a los pueblos las vísperas de fiesta; revientan en la plaza las alboradas, se queman los castillos de luces y las guirnaldas giratorias en los cielos, desgranan el chisperío de sus carrizos las gigantes de pólvora y Taleno el padre, firme y vigilante, se yergue enjuto en su taburete frente a la ruleta, las alas vencidas del sombrero de fieltro terracota oscurecidas a parches por viejos sudores, el rostro veteado color de hoja de tabaco, la camisa parda de mezclilla abotonada al cuello, inquieta la mirada y vivaces los ojos pequeños, masca su puro con distracción sonriente y se disuelve sereno en una bocanada de humo, la voz ronca al marcar las apuestas, atento a la bolita que cae desde la torre para saltar por los huecos negros, alcanzar los números rojos y pasarlos brincando hasta detenerse, fija, en su orificio; y el movimiento justo de su mano de tigre al recogerla, proclamando con un golpe de puño al ganador, o al tomar lo que se le debe por coimería.

Los días no se les presentan sino cuando amanece o cuando va a atardecer, mientras andan con Taleno el padre por esos pueblos del Pacífico, de fiesta en fiesta; sale de madrugada del escondrijo donde le ha tocado dormir, despierta a las dianas y al olor de la pólvora quemada de las cargas cerradas tempraneras, progresa desde los cerros la neblina o sube de las quebradas para rodear la carpa de caballitos, los palanquines de fierro mojados e inmóviles, la rueda chicago, la casa portátil de la ruleta mayor, los chinamos de palma, la armazón de varas de la barrera de toros, encienden las fiesteras sus fogones, van lerdos los ruleteros a hacer sus necesidades detrás de la iglesia. O atardece, y en los tramos de juegos de suerte improvisados en las veredas de un parque, en una calle real, se prenden las farolas de alumbre que arden pálidas entre las ramas, y comienza a juntarse la tropa errante de coimes, ilusionistas, sacasuertes y tahures, un cura andarín entre ellos que bautiza en los atrios durante el día y le deja a Taleno el padre guardada su sotana en las noches, dedicándose a atraer paseantes a los solares donde esperan, acostadas en petates las mujeres que andan en su compañía.

Es entonces, al oscurecer, cuando a Trinidad le vienen sus ganas angustiadas de hacerse rico, porque con la estrella ya se mira que no va a salir Taleno el padre de pobre; deambula por entre las mesas de juego hasta que llueve, o se apaga al final la música embullada de los discos rayados, metiéndose a las ruedas apretujadas de jugadores de caras tristes, vencidos de antemano, antes de abrir la garra y dejar que los billetes sudados se desarruguen solos sobre la carpeta húmeda, vigilando Trinidad junto con ellos los giros de la ruleta multicolor, viéndola desvanecer sus números de calendario, oyendo a la uña incrustada en el soporte torneado, tensa, rozar en lo alto los clavos veloces de la rueda con un rasgueo intermitente y seco como el de una cuerda quinta de guitarra, y quisiera decidir cuándo va a caer casa grande y cuándo casa chica para despertar una madrugada a Taleno el padre, sacarlo de su cueva debajo del *toro-rabón* y enseñarle las bolsas llenas de billetes, haber quebrado la ruleta, ganarle a los hombres adultos apuestas sucesivas en la mesa de dados manejando el cuchumbo con movimientos maestros del pulso, aunque sentenciado por Taleno el padre de que iba a rajarle el lomo a palos el día que se acercara a aquella mesa redonda prohibida que siempre permanece oculta en el encierro de una casa ruinosa alejada de la plaza, porque en los dados de hueso hay siempre el recuerdo de una cuchillada trapera, de algún suicidio por ruina o de alguna amistad para siempre perdida.

Y está Taleno el padre instalado con su estrella frente al atrio de la iglesia parroquial de Comalapa, tal vez San Pedro de Lóvago, en espera de poder aprovecharse de la salida de la procesión, cuando llegan a buscarlo para preguntarle si no es hijo suyo un forasterito como de doce años al que ha desgraciado un toro por querer sortearlo; que un catrín alzaba en el palco de la barrera un billete de cinco córdobas, pidiendo un valiente para torear al animal ya doblegado en el bramadero, y el niño, subiéndose a como pudo por el varamen alcanzó la tarima y se presentó ante el hombre quien lo recibió con risas, haciendo burla delante de los otros espectadores de que aquel fuera tan chiquito y tan osado; pero que al fin aceptó, le pasaron al niño la manta colorada y se metió a la barrera arrastrándola, de tan grande que era; y lo primero que hizo el animal al verse libre de la soga enmedio del bullicio de la música y el estallido de los morteros, fue venirse saltando en dirección al niño sin hacer caso del jinete y ensartarlo, desgarrarle la barriga y sacarle los intestinos, que se desbordaron sobre el suelo de su caída; que habían andado preguntando en todos los tramos de la plaza y nadie daba razón de si tenía o no parentela.

Y Taleno el padre escupe sobre el suelo adornado con un manto de trigo reventado, lo deja a él cuidando la estrella mientras vuelve, y se va a la barrera tras el informante pero en el camino divisa acercarse enmedio de una nube de polvo la lenta procesión en la que traen al corneado en andas, acostado en una cama de baldaquín sacada en préstamo de un aposento, una cama que con las cortinas de su pabellón al aire y sus pilares negros como mástiles parece un barco; y al toparse con ella los cargadores la hacen descender de sus hombros para que pueda comprobar si el niño es su hijo, mientras la gente que pasea por la plaza se empuja y se atropella para presenciar el encuentro y la banda de música toca desde la barrera *echame ese toro pinto hijo de la vaca mora para sacarle la suerte delante de esta señora,* bailando al compás los caballos sofrenados por sus jinetes.

Con la cara sollamada y cubierta de la tierra en que ha caído, alza Trinidad con dificultad la cabeza para mirar a Taleno el padre, juega amuinado a enrollar en el dedo el cordón de un crucifijo colocado entre sus manos por la misma dueña de la cama, y se sonríe apenas; y mientras van alzándolo de nuevo, lo regaña furioso Taleno el padre, lo reprende porque anda allí por donde quiera como animal sin dueño mientras él se jode en la coimería buscándole el bocado, y todavía lo está regañando cuando le pide al viejo soldado la pana que contiene la gran flor de tripas azulosas y rosadas para cargarla él el resto de la procesión, y la va llevando al lado, cuidadoso de no tropezar como quien carga una reliquia; hasta que uno de los cargadores le pregunta adónde va con destino esa cama, y ve Taleno el padre que los intestinos se han quedado quietos en el agua y responde que a ninguna parte.

mientras la gente que pasa por la plaza se empuja y se atropella para presenciar el encuentro y la banda de música toca desde la barrera [illegible] en otro punto uno de la vuelta para [illegible] la suerte delante de éste, [illegible], bailando al compás los caballos sofrenados por sus jinetes.

Con la cara sollamada y cubierta de la tierra en que ha caído, alza Trinidad con dificultad la cabeza para mirar a Talche el padre, [illegible] a enrollar en el dedo el cordón de un crucifijo colocado entre sus manos por la antigua dueña de [illegible], [illegible] apenas; y mientras van alzándolo de nuevo, lo regaña furioso Talche el padre, lo reprende porque ande allí por donde quiera como animal sin dueño mientras el [illegible] en la comunería buscándole el bocado, y todavía lo pasa regañando cuando le pide al viejo soldado la pana que contiene la gran flor de tripas azulosas y rosadas para entregarla al resto de la procesión y la va llevando al lado cuidadoso de no tropezar como quien carga una reliquia, hasta que uno de los cargadores le pregunta adónde va con destino esa canasta y ve Talche el padre que los intestinos se han quedado quietos en el agua y responde que a ninguna parte.

ALFREDO BRYCE ECHENIQUE

(Lima, Perú, 1939) pudo haber sido el profesional "rangé" de una familia de clase alta limeña. Cumplió sus estudios regulares de Letras y Derecho por la Universidad de San Marcos, y los continuó con el doctorado en la Universidad de París, estudios que le han permitido ocupar cátedras universitarias, últimamente en la Universidad de Vincennes. Recién en 1967, la publicación de un cuento, "Con Jimmy, en Paracas", dio a conocer una tarea narrativa rigurosa, de raro esmero y precisa escritura, que al año siguiente recibiría su primera consagración con el premio de Casa de las Américas a su colección de cuentos *Huerto cerrado*. Su segunda colección de cuentos fue *La felicidad, ja, ja* (1974) habiendo sido ya reunido sus textos breves en *Todos los cuentos* (1979).

Sin embargo, fue su novela *Un mundo para Julius* (1971) la que situó su nombre entre los valores ya definitivos de la narrativa hispanoamericana: este "retrato de un sector feliz y despreocupado de la oligarquía limeña", examinado con mirada impasible y levemente irónica, sin pérdida de contención y con parsimonia escudriñadora, demostraba el dominio de una depurada escritura realista y un cabal conocimiento de los recursos artísticos. Permitía, además, el contacto con un universo que pocas veces aparece en las letras del continente. Su segunda novela apareció en 1977 bajo el título *Tantas veces Pedro* que abrevia el más largo, *La Pasión según San Pedro Balbuena, que fue Tantas veces Pedro, y que nunca pudo negar a nadie*. Es la recorrida europea, el aprendizaje erótico, los personajes originales y sorpresivos, una escritura más caudalosa, desbordada, el ingenio y el humorismo dosificados, el pasaje a un universo adulto.

EL BREVE RETORNO DE FLORENCE, ESTE OTOÑO

A Lizbeth Schaudin y a Herman Braun

No podía creerlo. No podía creerlo y me preguntaba si en el fondo no había esperado siempre que algo así me ocurriera con Florence. El recuerdo que había guardado de ella era el de horas de esas felices, pero felices a mi modo, como a mí me gustan. Y tal vez si el trozo de soñador que aún queda en mí había creído firmemente, intermitentemente, pueda ser, qué importa, que de todos modos algún día la volvería a encontrar. Reconozco haber pasado largas temporadas sin recordarla concientemente, sin pensar en aquello como algo realmente necesario, pero también recuerdo decenas de caminatas por aquella calle, deteniéndome largo rato ante su casa, ante aquel palacio que fuera residencia de madame de Sevigné, y que por los años del destartalado colegito en que conocí a Florence, era ya el museo Carnavalet, pero también, en un sector, la residencia de Florence y de su familia. En 1967, cuando mi madre vino a verme a París, la llevé a visitar ese museo, y juntos nos detuvimos ante una escalera que llevaba al sector habitado, mientras yo le hablaba un poco de Florence, de los años en que fui su profesor, de cómo jugábamos en la nieve. Y como mi madre iba entendiendo, le hablé también de todas esas cosas que en el fondo no eran nada más que cosas mías.

Pero de ahí no pasó el asunto, principalmente porque yo ya estaba bastante grandecito para subir a tocarle la puerta a una muchacha que se había quedado detenida casi como una niña, en mis recuerdos de adulto. Y sin embargo... Y sin embargo no sé qué, no sé qué pero yo seguí creyendo muchos años más en un nuevo encuentro con Florence. Y ahora que lo pienso, tal vez por eso escribí sobre ella guardando muchos datos, el lugar, mi nacionalidad, nuestros juegos preferidos, y hasta nombres de personas que ella podría reconocer muy fácilmente. Sí, a lo mejor escribí aquel cuento llevado por la vaga esperanza de que algún día lo leyera y me buscase por todo lo que sobre ella decía en él; a lo mejor lo escribí, en efecto, como una manera vaga, improbable, pero sutil, de llamarla, de buscarla, en el caso de que siguiera siendo la misma Florence de entonces, la bromista, la alegre, la pianista, la hipersensible. No puedo afirmarlo categóricamente, pero la idea me encanta: un hombre no se atreve a buscar a una persona que recuerda con pasión. Han pasado demasiados años desde que dejaron de verse y teme que haya cambiado. En realidad le teme más a eso que a las diferencias de edad, fortuna, etc. Escribe un cuento, lo publica en un libro, lo lanza al mar como una botella que contiene otra botella que contiene otra botella que... Si Florence ve el libro y se detiene ante él, es porque reconoce el nombre de su autor. Si Florence compra el libro es porque recuerda y le da curiosidad. Si Florence lee el cuento y me llama es porque se ha dado el trabajo de buscar mi nombre y dirección, porque me recuerda mucho, y porque el cuento puede seguir, pero aquí en mi casa, esta vez. La idea es genial, posee su gota de maquiavelismo, *ma contenutissimo, pas d'ofense, Florence,* aunque tiene también su lado *andante ma non troppo*, ten paciencia, Hortensia. La idea es, en todo caso, literaria, y está profundamente de acuerdo con el trozo de soñador que queda en mí, me encanta. Salud, James Bond. Pero a James Bond no le habría conmovido, chaleco antibalas, tecnócrata, etc. Cambio de intención, y brindo por el inspector Philip Marlowe. Y como él, me siento a morirme de aburrimiento en el destartalado chesterfield de mi oficina, pensando en los años que llevo sin ver a Florence, porque ello me ayuda a llevar la cuenta de los años que llevo sin ver alegría mayor alguna entrar por mi puerta. No más James Bond, no más Philip Marlowe, *El viejo y el mar* es el hombre.

Un día sucedió todo. Y de todo. Qué sé yo. No podía creerlo y tardé un instante en comprender, en captar, en reconocer la fingida voz ronca con que me estaba resondrando por ser yo tan estúpido, por no haberla reconocido desde el primer instante. Finalmente Florence me gritó que su casa estaba llena de botellas. Le grité ¡Escritora!, ¡premio Nobel!, y terminamos convertidos, telefónicamente, en los personajes de esta historia.

Después, claro, a la vida le dio por joder otra vez, aunque yo le anduve haciendo quite tras quite. Ella también, es la verdad. Por eso seguirá siendo siempre Florence W. y Florence. En voz baja, y con tono desencantado, debo decir ahora que Florence se había casado. Y debo añadir, aunque ya no sé en qué tono, que la boda fue hace un mes, tras un brevísimo romance a primera vista, o sea que hace unos tres meses, digamos... No, no digamos nada. La boda fue hace un mes y punto. El afortunado esposo (podría llamarlo simplemente 'el suertudo', pero la cursilería esa de afortunado esposo es la que mejor le cae a esta raza de energúmenos cuya única justificación es la de saber llegar a tiempo) es un hombre mucho más joven que yo, médico, deportista, y sumamente inteligente. La verdad, le tomé cariño y respeto, y con más tiempo pudimos llegar a ser amigos, pero no hubo más tiempo porque yo me fui antes de que la historia empezara a perder ángel o duende o como sea que se le llame a eso que le quita todo encanto a las historias. En el amor como en la guerra... En fin, *me fui como quien se desangra.* No había sido nunca mi intención ese cariño que sentí brotar por Florence, aquella noche en su casa; ni siquiera cuando me llamó por teléfono, creo. Si deseé tantos años un nuevo encuentro fue porque me gusta apostar que hay gente que no cambia nunca. Gané, claro, pero acabé yéndome así, como dijo el gaucho.

Bueno, pero démosle marcha atrás a la historia, que eso sí se puede hacer en los cuentos. Aquí estoy todavía, dando de saltos en el departamento, y sin importarme un pepino que Florence se acabe de casar hace un mes. Su ronquera me hacía reír a carcajadas. ¡Ah!, Florence no cambiaría nunca. Como no entendía de parte de qué Florence era, fingió esa ronquera para darme de gritos por teléfono y acusarme de todo, de falta de optimismo, de falta de fantasía, de todo.

¡Florence no había cambiado! Me esperaba mañana, no, mañana no, ¡esta misma noche te espero porque estoy temblando de ganas de verte! ¡Hasta mañana no aguanto! ¡No puede ser verdad! ¡Pero es verdad y yo también he soñado con volver a verte! ¿Te acuerdas del colegio? ¿Te acuerdas cuando se suicidó mi hermana? ¡Creo que gracias a ti se nos fue quitando la pena en casa! ¡Diario llegaba yo y les contaba todo lo que tú contabas! ¡En casa empezaron a reír de nuevo!. . . ¡Otro día. . . mañana, mañana mismo, así nos vemos hoy y mañana, te llevo a ver a mis padres! ¡Siempre quisieron conocerte! ¡Van a estar felices cuando sepan que todavía andas por acá! ¡Ya vas a ver! ¡Te van a invitar mil veces! ¡Pero más todavía te vamos a invitar Pierre y yo! ¡He tratado de traducirle el cuento a Pierre! ¡Lo inquieta, no logra entender, es imposible que logre entender! ¡Es como si fuera algo sólo nuestro! ¡Me has hecho vivir de nuevo esos años y estoy feliz! ¡Es muy explicable que Pierre no entienda! ¡Fueron *cosa nostra* esos años! ¡Pero no te preocupes por lo de Pierre! ¡Yo lo adoro y tú vas a quererlo también! ¡Le voy a decir a Pierre que no me reconociste en el teléfono! ¡Sí, pero tardaste! ¡Te mato la próxima vez! ¡Bueno, yo siempre soy tan debilucha pero Pierre te mata la próxima vez!

Yo seguía saltando horas después. Claro, lo de Pierre no era como para tanto salto, pero al mismo tiempo qué me hacía con Pierre si paraba de saltar. Además, Florence era la misma, sólo a ella se le hubiese ocurrido fingir esa ronquera para darme de gritos por no haberla reconocido en el acto. Y ahora que recuerdo mejor, fue por eso que dejé de dar brincos como un imbécil. ¿Y yo? ¿Seguía siendo el mismo? Eran diez años sin verla. Diez años también sin que ella me viera a mí. Y en el cuento me había descrito visto por ella, como ella me vio entonces. Un tipo destartalado, con un abrigo destartalado, que vivía en un mundo destartalado. ¿Y cómo la vi yo a ella? A pesar de los contactos, que fueron tan breves como tiernos, Florence era una adolescente inaccesible, casi una niña aún, un ser inaccesible que regresaba cada día al palacio de madame de Sevigné.

Había llegado, pues, el momento para una gran fantasía. Yo deseaba ser feliz, y ya por entonces había aprendido a conformarme con que esas cosas no duran mucho. Me vestí para un palacio.

Total que el que aterrizó esa noche ante el departamento de Florence era una especie de todo esto, encorbatado al máximo, y oculto el rostro tras un sorprendente ramo de flores, a ver qué pasaba cuando le abrieran y sacara la carota de ahí atrás. Estaba viviendo una situación exagerada, pero yo ya sé que de eso moriré algún día. Lúcido, eso sí, como esa noche ante el departamento de Florence y notando ciertos desperfectos. El barrio no tenía que ver con el barrio en que vivía antes. La calle tampoco, el edificio mucho menos, y ni qué decir de la escalera... Por esa escalera jamás había subido un tipo tan elegante como yo, y yo no era más que una visión corregida, al máximo eso sí, pero corregida, del individuo de mi cuento anterior. ¿Qué demonios estaba ocurriendo? ¿Qué había fallado? No podía saberlo sin tocar antes. Pero en todo caso yo seguía temblando oculto tras las flores como si no pasara nada. Es lo que se llama tener fe.

Y así hasta que ya fue demasiado tarde para todo. Si las flores que traía eran precisamente las que Florence detestaba, ya las tenía en una mano y la otra en el timbre. Si el nudo de la corbata se me había caído al suelo, ya tenía una mano ocupada con las flores y la otra en el timbre. Si Florence me iba a encontrar absolutamente ridículo, ya tenía las flores en la derecha y la izquierda en el timbre. Y lo mismo si Florence se había casado con Pierre: la derecha en las flores, la izquierda en el timbre. Abrió. Estuvo no sé cuánto rato no pasando nada cuando me abrió.

Yo había puesto la cara a un lado de las flores para que me viera de una vez por todas, y al verla me pregunté qué habría sido del elegantísimo mayordomo árabe de mi cuento anterior. Increíble, seguía notando desperfectos y seguía también lleno de fe, aunque Florence no se sacaba el cigarrillo barato de la comisura de los labios por nada de este mundo y ni por asombro era Florence. Hasta que me equivoqué. Y todo, realmente todo, empezó a funcionar cuando apareció su sonrisa y me preguntó si había hecho un pacto con el diablo o qué. Soltamos la risa al comprender juntos que ella ya no era la chica de quince años sino una mujer de veinticinco y que yo ya no era el viejo profesor de veinticinco años sino un hombre metido hasta el enredo en una situación exagerada. Por ahí, por el fondo, por donde tenía que aparecer, empezó a aparecer Pierre. No sé si Florence, pero yo sí comprendí que nos quedaban sólo segundos.

—Carga esto que pesa mucho —le dije, entregándole el ramo.

Y ahora era Florence la que estaba oculta tras las flores.

—Entra —me dijo—, no te vas a quedar ahí parado el resto de tu vida.

Quise abrazar a Pierre, pero claro, todavía no lo conocía, y los franceses son más bien parcos en estas situaciones. No quise pues pecar de sentimental, y me limité a darle la mano, mostrando eso sí un enorme interés por todas las ramas de la medicina que practicaba. Aún no practicaba ninguna, se acababa de graduar de médico y ni siquiera tenía consultorio todavía. Pero practicarás, le dije, practicarás, y ya verás como todo en adelante, como todo en adelante... Cambié a deportes. Florence me había dicho que Pierre era muy deportista, o sea que cambié a deportes y me interesé profundamente por todas las ramas del deporte que practicaba. Me dijo que sólo tenis, y últimamente muy de vez en cuando, era muy difícil en París, no había tiempo para nada, y además con la tesis de medicina. Practicarás, le dije, practicarás, y ya verás como todo en adelante, como todo en adelante...

—¡Tiene una raqueta de tenis y una tesis de medicina! —gritó Florence, en un esfuerzo desesperado por aliviarme tanto sufrimiento. Quedó agotada, y el cigarrillo barato empezó a notársele más que nunca en la comisura de los labios. Además, la ronquera que fingió en el teléfono resultó ser su voz a los veinticinco años. El grito me convenció, era algo que yo no había querido aceptar. Y sin embargo, ahora... ¡Ah!, si tuviera que seguir escribiendo toda la vida sobre Florence... Ya no podría ser más que con la voz con que te quedaste agotada tras el grito, Florence. Bueno, le tocaba a Pierre.

—¿Por qué no se sientan? —nos dijo—, descansen un poco mientras les traigo algo que beber.

Casi lo abrazo, pero preferí obedecerlo como a un médico, y sentarme como en un consultorio. Florence cayó en el mismo sofá, fumando como loca. Pierre se fue a buscar vasos, hielo, y una jarra de sangría, a la cocina, porque todo esto ya no tenía nada que ver con el palacio de madame de Sevigné. No sé si Florence, pero yo sí comprendí que nos quedaban sólo segundos.

—¡Grita de nuevo! —le grité.

—¡Cállate! —me gritó.

—Niños, esténse quietos —dijo Pierre, desde la cocina.

—¡Cállate! —le gritó Florence.

—¡Cállate! —le grité a Florence.

—¿No pueden estarse quietos un momento?

Ese fue el hijo de puta de Pierre, otra vez. Florence se agarró toda la cabellera larga, rubia, rizada, y se la trajo a la cara, para desaparecer. Me preocupaba mucho pensar que el cigarrillo seguía ardiendo ahí abajo, y empecé a obrar en ese sentido, acercándome bomberamente, y alejándome no bien me di cuenta de que me estaba acercando a Florence. Opté por la palabra.

—Regresa —le dije, con voz que no se oyera hasta la cocina. Tengo miedo de que te quemes el pelo.

—Aquí se ha apagado todo con mis lágrimas —dijo Florence, riéndose con una risa nerviosa que no se oyera hasta la cocina.

—¿Emocionada?, ¿emocionada, Florence? —pregunté puesto que había optado por la palabra.

Confieso que esta es la frase más estúpida que he pronunciado en mi vida. No supe qué hacer con ella, hasta ahora no sé qué hacer con ella, pero la incluyo porque me la tengo merecida. Optar por la palabra. Mira a lo que lleva. ¿Emocionada?, ¿emocionada, Florence? Me la tengo bien merecida. Tremendo manganzón. ¿Emocionada?, ¿emocionada, Florence? Pensar que sólo con tres palabras, de las cuales una, Florence, se puede decir una estupidez semejante. Pues eso hice yo, y cuando nos quedaban sólo segundos.

Lo que sigue se lo dejo al psicoanálisis. ¿De dónde se me ocurrió una cosa así? ¿A quién se le ocurre? Hasta me había olvidado del asunto cuando Pierre nos dijo que nos sentáramos, que nos iba a traer un trago, pero no bien empecé a sentir algo frío en la nalga izquierda, recordé con horror que me había traído la petaca llena, mi petaquita finísima de Gucci, que hace juego con mi portadocumentos y mi billetera, la botellita forrada en cuero y que contiene trago sólo para dos. Para la interpretación de los sueños, el asunto. Sólo a mí se me ocurre. Y sólo a mí me ocurre que se me empiece a vaciar en el bolsillo. La tapé mal, me dije, moviendo ligeramente el culo, lo cual sólo sirvió para que me mojara un poquito más. Total que cuando Pierre regresó de la cocina ya no debía quedar más que un trago en la petaquita.

—Mira, Pierre —le dije—: tenía en casa un poco de whisky sensacional. Esto sólo se consigue en Escocia—. Y saqué como pude la petaca chorreada del bolsillo.

—¡A beberlo! —gritó Florence.

—Es que sólo me quedaba para uno —dije—. Y lo he traído con la intención de que lo pruebe Pierre.

—¿Y no se te ocurrió que a mí también me podría interesar? —gruñó Florence, resentidísima.

Me hubiera gustado que nos quedaran sólo segundos, para explicarle lo inexplicable, pero ahí estaba Pierre, y ya se había apropiado de la petaca. Me lo agradeció mucho, el muy imbécil, y empezó a servirse.

—Aquí hay más de una dosis. Aquí hay dosis y media.

—Bébetela toda —dijo Florence—. Nosotros tomaremos la sangría. Tenemos lo suficiente para emborracharnos mientras el muy egoísta de Pierre se toma todo tu whisky.

Esto último lo dijo mirándome fijamente, y agarrándose de nuevo la cabellera, ya bastante desgreñada, para traérsela a la cara. Pero sólo un poco, esta vez, para desaparecer un poco solamente. Pierre le dio un beso donde pudo, Florence dio un beso donde pudo, porque Pierre ya se estaba sentado en el sillón de enfrente, y yo alcé mi copa y dije ¡salud!, pensando palomos, tórtolos de mierda.

—¡Salud! —dijo Florence, alzando demasiado su copa.

—Salud —repetí yo, alzando demasiado mi copa.

—Salud —dijo Pierre, alzando mi whisky, y añadiendo—: Paren ya de temblar, relájense, se les va a derramar todo.

—En mi caso —dije, dejando establecido—, se trata de la enfermedad de Parkinson. Nací con la enfermedad de Parkinson.

Florence emitió un gemido y salió disparada a la cocina. Yo dije que se le estaba quemando algo, Pierre me sonrió afirmativamente, y yo repetí que a Florence se le estaba quemando algo, a ver si me volvía a sonreír afirmativamente. Me dijo que mi whisky estaba excelente.

Pierre tenía, por lo menos, diez años menos que yo. Eso lo capté de pronto, y de pronto también empecé a sentir la necesidad de confesarle algo, necesitaba decirle que en la petaca había habido whisky para dos, whisky para los dos, no para ti, Pierre. Me sentí indefenso, no encontraba odio por ninguna parte, y lo peor de todo era que Florence me estaba llamando desde la cocina. Opté por no escucharla, puse cara de no estar escuchando nada, empecé a beber más y más sangría, le serví sangría a Pierre para cuando acabara su whisky, seguí poniendo cara de no estar escuchando nada, y casi digo que si me estaba llamando era porque se le estaba quemando algo, a ver si Pierre me volvía a sonreír afirmativamente. Porque Florence realmente me estaba llamando a gritos desde la cocina.

—Llévale su vaso —me dijo, sonriendo afirmativamente.

Estuve a punto de decirle ¿y qué va a ser de ti, mientras tanto?, pero el aventurero que hay en mí optó por el silencio. Desgarrado, y con la petaca vacía nuevamente en el bolsillo mojado, me dirigí a la cocina con dos vasos llenos de sangría. Entré como soy, por eso no podré saber nunca qué cara tenía cuando entré a la cocina con dos tragos tembleques. Sólo sé que conmigo venían el soñador y el observador que hay en mí, aunque recordará siempre que este último le cedió definitivamente el paso a aquél, al llegar a la puerta y encontrar a Florence con un cucharón en la mano. Llevaba siglos esperándome, y esta vez sí es verdad que tenía lágrimas en los ojos.

—Nada, no se ha quemado nada, y todo está requetelisto.

—Hay que avisarle a Pierre que no se ha quemado nada.

Florence me pidió que le entregara los dos vasos, los puso sobre una mesa, y se acercó para abrazarme. No, no hubo besos ni nada de eso. Yo lo único que sentía eran sus brazos, con fuerza, y sus mejillas húmedas, y me imagino que ella también eso era lo único que sentía. Tampoco sé cuánto duró pero perdimos el equilibrio varias veces y sólo una vez logramos decir algo cuando tratamos de decir algo.

—Mira —me dijo—, quiero que sepas que pase lo que pase, que por más tonterías que diga, que por más que meta la pata, que por más que me parezca que esta noche se derrumba. . .

Apreté fuertísimo.

—Aquí lo único que se derrumba soy yo, Florence. Pierre es un santo.

Florence apretó lo más fuerte que pudo al oírme hablar tan bien de Pierre.

Y, por supuesto, ahora le tocaba a Pierre. Nos llegó su voz desde el otro lado.

—A ver si comemos algo, Florence. Me muero de hambre.

—Florence, ¿por qué no le dices al Papa que pare ya de bendecir? Se pasa la vida bendiciéndonos el tipo.

Soltamos.

Durante la comida me fui enterando de que Florence me había preparado sus platos especiales, y de que a Pierre le gustaba tanto el vino como a mí. De otra manera no podría explicarse que bebiéramos y comiéramos tanto, esa noche. Me enteré también de que la ronquera de Florence se perdía en los años en que había empezado a fumar dos paquetes diarios de tabaco barato, negro, y sin filtro, y que lo del piano se había ido quedando relegado a muy de tarde en tarde. Florence ya no era una pianista como en el cuento que yo había escrito sobre ella. En realidad, no sé qué quedaba ya de Florence, ni ella misma hubiera podido decir qué quedaba ya de Florence. Y sin embargo seguí comiendo y bebiendo como un burro y con la absoluta seguridad de haberle ganado mi apuesta a la realidad. Y es que no hubo un sólo instante en que Florence hubiese cambiado, ni siquiera sentada en esa mesa y en ese departamento medio destartalados.

Pero, ¿qué había sido del palacio?, ¿qué demonios hacía viviendo con Pierre en un departamento así? No sé en qué momento logré hacer esas preguntas que tanta risa le dieron a Florence, pero lo cierto es que Pierre, que era el encargado de la lógica esa noche, y que hasta permitió que ella y yo nos declaráramos la guerra a servilletazos, imitando nuestras peleas en el colegio de mi cuento, Pierre, que también permitió que Florence me tocara música de Erik Satie y de Fafa Lemos sobre el mantel, mientras yo le corregía la posición de las manos, porque así no tocaba una buena pianista, y ella las volvía a poner mal para que yo se las volviera a corregir, Pierre, Pierre, no hay otra cosa que decir sobre Pierre, Pierre se encargó de aclararlo todo.

—No vamos a seguir viviendo a costa de sus padres, ¿no? Yo acabo de graduarme y no gano casi nada, por el momento. Hemos alquilado este departamento hasta que encuentre un trabajo estable. Mi idea es encontrar con el tiempo un departamento mucho más grande, donde pueda instalar también mi consultorio.

—Ya ves, no quiere perderme de vista un sólo instante.

—Hace bien, Florence.

Pierre bendijo ese par de idioteces, pero ya Florence y yo habíamos quedado en que la noche no se derrumbaba por nada de este mundo. Hasta habíamos comentado mi frase inmortal. ¿Emocionada?, ¿emocionada, Florence? Florence me dijo que sí, que en efecto se había muerto de risa de vergüenza ajena al oírmela decir, y aprovechó la oportunidad para soltar la carcajada que se había tragado entonces. Peleamos a muerte, pero Pierre nos hizo amistar. Al pobre Pierre lo estábamos metiendo de cabeza en mi cuento anterior, lo estábamos metiendo en asuntos que no le concernían en lo más mínimo. Yo había llegado al punto de confesar lo de mi petaquita, tratando eso sí de aclarar que había sido sin segunda intención, que había sido psicoanalítico en todo caso, y narrando con lujo de detalles lo mal que la pasé mientras se me iba derramando en el bolsillo. ¡Felizmente!, gritó Florence, mirándome y soltando la carcajada, confesando que ella también las había pasado pésimo al ver la mancha en el sofá, había creído que se trataba de otra cosa. ¡Felizmente!, volvió a gritar, sin poder contener la risa. Por fin, hacia el postre, confesé que me había vestido para cenar con madame de Sevigné, y Pierre a su vez confesó que ellos se habían vestido para comer con el profesor de mi cuento, algo más destartalado sin duda ahora por diez años más de penurias en París.

—La idea fue de Florence —siguió confesando Pierre—. A mí me dijo que me pusiera la ropa que uso cuando arreglo mi motocicleta.

Se ganó un manotazo de Florence. Yo, en cambio, me gané las dos manos de Florence apretando fuertísimo el antebrazo de terciopelo negro de mi saco, mientras me clavaba los ojos de cuando nos quedaban sólo segundos.

Y cuando terminamos de comer, Florence decidió que había llegado el momento de que le leyera el cuento, quería escuchar el cuento leído por mí. Fue a traerlo, mientras yo volvía a sentarme sobre mi mancha en el sofá, y Pierre en el sillón de enfrente, cada uno con su copa de vino en la mano. Había algo extraño en el ambiente cuando Florence regresó apretando con ambas manos el libro contra su pecho. Yo, en todo caso, empecé a sentirme bastante mal y tuve la impresión de que la mirada siempre sonriente de Pierre no bastaba esta vez para que todo pareciera normal. Florence estaba temblando, pero de pronto como que decidió que ahí no pasaba nada y me entregó el cuento. Empieza a leer, me dijo, tirándose sobre la alfombra, de tal manera que su cabeza y sus brazos llegaban hasta mis rodillas, mientras que con los pies podía darle siempre pataditas a Pierre para que se quedara tranquilo. Pero ahí nadie se quedaba tranquilo.

Leer fue como si nos quedaran nuevamente sólo segundos. Pero por última vez, ahora. Sí, fue la última vez, y los dos estuvimos muy concientes de eso. Leer fue escuchar a Florence reír y juguetear como en ese cuento, como en éste, también, ahora que lo escribo. Fue escuchar sus aplausos y recibir las caricias que me hacía en las rodillas, cada vez que en mi lectura me refería a ella como a un ser inolvidable. Fue recibir sus golpes y castigos cada vez que me refería a ella como a un ser insoportable. A Pierre le seguían lloviendo pataditas, y eso me tranquilizaba, pero hacia el final, al acercarme al desenlace, Florence estuvo escuchando unos instantes inmóvil. Apoyó la cabeza sobre mis rodillas, cogió mi mano derecha entre las suyas, y permaneció inmóvil hasta que terminé de leer.

—Ahora dedícamelo —dijo. Seguía sin moverse—. Dedícamelo, por favor.

—Bueno, pero vas a tener que soltarle la mano porque no creo que sea zurdo —dijo Pierre.

Me soltó la mano, mirándome con demasiada tristeza, con algo de agotamiento, como si estuviera regresando, como si le costara trabajo regresar de algún lugar lejano y cómodo. Entonces yo le cogí las manos, pero solté, y ella también me las volvió a coger un instante y también soltó de nuevo. Todo pésimamente mal hecho, con la habitación dándome vueltas por todas partes, y de pronto con Pierre más que nunca en el sillón de enfrente. Florence sacudió la cabeza con toda al alma, y se fue gateando a buscarlo. Le tocaba a Pierre, que por supuesto ya tenía listo el bolígrafo con que yo iba a dedicarle el cuento a Florence. Terminó emborrachándome el desgraciado con su sangre fría. Y cuando me arrojó suave, bombeadito, el bolígrafo, desde el sillón de enfrente, donde Florence le abrazaba las piernas, a mí me llegó un bolígrafo que, eso sí, mi honor emparó perfecto, desde un sillón a mi derecha y otro sillón a mi izquierda y un montón de sillones más donde Florence también le abrazaba las piernas.

Seguía dedicándole el libro a Florence cuando me desperté al día siguiente, tardísimo, y recordando que estuve horas y horas dedicando y dedicando por todos los espacios en blanco que tenía el libro, hasta en la cubierta del libro dediqué algo. Creo, no, no creo, estoy seguro de que cada una de las mil frases que escribí estuvo a la altura de mi frase inmortal. ¿Emocionada?, ¿emocionada, Florence? Y tenía un dolor de cabeza exagerado hasta para quien le ha tocado vivir una situación exagerada, aunque aquello no impidió que me diera desesperados cabezazos contra la almohada. ¿Emocionada?, ¿emocionada, Florence? Pasé a la historia, sentía que había pasado a la historia, estaba sintiendo que había pasado a la historia, cuando sonó el teléfono. Florence, por supuesto, para decirme que no había pasado nada, y para quedarse callada luego un rato largo. Casi le aseguro que en todo caso yo no me acordaba de nada, pero ella no había cambiado y ahora era ya una mujer y también maravillosa.

—¿Quieres que cuelgue primero? —le dije, y colgué.

(París, 1979.)

APPLES

A María Eugenia y François Mujica

Hay viajes, ni siquiera viajes, porque son simples recorridos por la ciudad, por un barrio de la ciudad, y que sin embargo resultan interminables, dolorosas aventuras de condensación, de descubrimiento. Y hay descubrimientos que no son más que el enorme resumen de todos nuestros problemas, Juan. Las flores que aquí te traigo, me digo, me lo repito ansiosa de llegar a tu departamento, luchando con las esquinas, todas aquellas esquinas por las que puedo torcer a la derecha, a la izquierda, y nunca llevarte nada. Y aquella esquina definitiva por la que he deseado irme a veces para siempre. He tratado de hacerlo, pero ya sé, ya sé, tu amor gana, como todas las veces aquellas en que huí y te fui dejando huellas para que me encontraras. Nunca he amado así, tampoco, pero también a eso le tengo miedo.

Contigo no hay pasado, contigo sólo hay presente, y contigo no hay futuro porque yo no quiero que haya futuro contigo. Y por eso, claro, es por eso que sólo hay este interminable presente. Ya te llevé las flores, ahí las encontrarás ante tu puerta, pero yo sigo andando y repitiéndome las flores que aquí te traigo, y me duele horriblemente. Hoy he querido matarte. Te puse las manzanas medio podridas junto a las flores y tomé conciencia de que con ellas podía matarte. Tomé conciencia sólo entonces. Hasta entonces eran un regalo porque te gustan así, medio podridas, para prepararte tus compotas. Ahí me vino la idea: encontrarás las flores tan bellas, tan frescas; bellas, frescas y jóvenes como yo. Y como es un tipo demasiado sensible, como es un tipo que parece viejo junto a mí, mucho mayor que yo, verá el ramo de flores que soy yo, verá al llegar a su puerta las manzanas que son él, y comprenderá que he querido matarlo. Y eso lo matará. Lo matará. Aunque sea poco a poco. Cuando sepa que yo he pensado así, que he imaginado eso, que sabiendo todo eso no he retirado las manzanas, eso lo matará.

Y nada es culpa tuya, Juan. En el presente inmenso camino con las flores que aquí te traigo y quiero entregárselas a tanta gente. Juan, hay un tipo de muchacha, sobre todo, que me aterroriza. Bastó con que empezara a llevarte las flores para que empezaran a surgir en mi camino. Es tu cumpleaños y amanecí sonriente, amándote tanto. Te imaginé amaneciendo en tu departamento plagado de objetos, de cuadros, tu viejo departamento parisino donde si hubiera futuro quisiera perderme y que el miedo jamás me volviera a encontrar.

Tu piano, tu pasión por la música, tu pasión por algo, tus horas de estudio, la grandeza con que callado te enfrentas al trabajo mientras yo corro y quiero huir y huyo dejándote huellas para que me encuentres. Perdóname, Juan. Perdonarte qué, me preguntas siempre, mientras encuentras, siempre, también, la palabra más apropiada para que jamás se note que he intentado herirte. Tu piano, tus horas de estudio, tu departamento plagado de cuadernos de música, de tantos cuadros y de tantos objetos. Yo no puedo pintar los cuadros. Yo no te he obsequiado esos objetos. Perdóname, Juan. Perdóname qué. Y mil veces, una palabra en inglés con la que en vez de descubrir la falla, la escondes, la evitas para siempre, con tanto amor, con tanta ternura, con toda la bondad del mundo. Me entrego a tus brazos cuando encuentras la palabra en inglés que embellece hasta el olvido lo que soy y eres capaz de convertir mis tentativas de huir en la travesura de una niña con futuro.

Pero todo es presente y hoy es tu cumpleaños y desperté soñando ya con tu departamento y con estas flores que aquí te traigo. Le voy a comprar a Juan el más lindo ramo de flores que encuentre. Iré a comprarle las manzanas más podridas que se vendan en el mercado y, esta noche, cuando regrese de su viaje, tras haber triunfado en su concierto de Bruselas, encontrará las flores y podrá prepararse una compota. Juan, esto era todo mi programa para el día. Juan, esto es todo lo que tengo para todo el día. Nada más que hacer. Bueno, tal vez encontrarme con uno de los muchachos que odio, uno de los chicos con quien te engaño, y sobrevalorarme diciendo que Juan regresa esta noche de otro triunfo en Bruselas, ocultando siempre que hoy cumples otra vez muchos años más que yo.

Tenía lágrimas en los ojos cuando me desperté soñando con un día tan lindo, con tu retorno, con la sorpresa que te iba a dar. Las flores. Tu compota. Era como si acabaras de pronunciar una palabra en inglés con respecto al resto de mi día, a la idea que ya empezaba a metérseme de encontrar a alguno de los chicos con que te engaño, para vanagloriarme. Pero no estabas. No estabas y no había palabra tuya que me convirtiera en una niña muy traviesa. Y recordaba tus largas horas de trabajo, tu fuerza de voluntad, la forma en que puedes practicar horas y horas tu piano y amarme y saberlo todo. Sí, lo sabes todo. Quisiera matarte.

Juan, hay un tipo de muchacha, sobre todo, que me aterroriza. Las flores que aquí te traigo, lo repito y lo repito, pero ya han aparecido dos de esas muchachas y he querido obsequiarles tus flores. Son muchachas más altas que yo, más jóvenes que yo, y sobre todo son de un tipo terriblemente deportivo. Cruzan las esquinas fácilmente, Juan. Tienen algo que hacer, Juan. No les importaría tu piano, Juan, ni que andes siempre pasado de moda, ni que tengas también muchos años más que ellas. Juan, no las mires nunca, por favor. Pero tú, además, ni siquiera las ves. Adoro tu bondad. Esas muchachas son, Juan, son para mi mal. No sé qué son, no las soporto y quiero inclinarme, no sé si deseo que me peguen o hacer el amor con ellas. En todo caso quiero quitarles al muchacho que va con ellas. Aunque vayan solas quiero quitarles siempre al muchacho que va con ellas. Juan, tú y yo lo sabemos, no hay palabra tuya en inglés que me convierta en niña traviesa cuando me tropiezo con esas chicas tan lindas. Me dijiste que yo era *a queen*. Otro día me encontraste *most charming*, otro día citaste el más maravilloso verso de Yeats. Te sonreí. Y tú sabes de tu fracaso, no lograste encontrar una palabra y odio tu piano. Te mentí una sonrisa y lo sabes también. Juan, debes sufrir mucho por mí.

Las flores que aquí te traigo, lo repito y lo repito, pero he mirado a una de esas muchachas con descaro. Qué fácil caminan. Qué bien les queda la ropa. Qué tranquilas viven y qué tranquilamente caminan. Sus ojos, sus cabellos, las piernas, los muslos, las nalgas. Quise arrodillarme y entregarles las flores. Una, dos muchachas así llevo ya encontradas en mi camino con las flores que aquí te traigo. Qué trabajo me cuesta llegar a tu departamento. Y me falta el ataque de angustia en tu ascensor, todavía. Es todo lo que he aprendido en la vida, estos ataques de angustia en silencio, sin que nadie los note. Hasta me gustan porque parece que es entonces cuando se me abren enormes los ojos y miro sin ver y la gente me baja la mirada y me siento fuerte, casi tanto como para causarle miedo a la gente, a lo mejor hasta para causarle miedo a esas muchachas terriblemente deportivas. Por qué, Dios mío, por qué, si soy tan bonita, tan joven, si te quiero tanto, si me quieres tanto, si no necesito para nada de esos muchachos terriblemente deportivos, adolescentes de aspecto, tranquilos de andada, serenos en los inquietos vagones del metro. Ya sé que la vida no es así, me lo explicaste con amor, pacientemente, pero tal vez si en lugar de esas lágrimas que te saltaron a los ojos, tal vez si en su lugar hubieses encontrado algunas palabras en inglés. No lo lograste. Y desde entonces te quiero matar.

He regresado a la derrota de mi vida. El camino hasta aquí lo hice destrozando este día de tu cumpleaños en que amanecí soñando con tus flores y tus manzanas. Con cuánta ternura las busqué, con cuánta ternura las compré, escogiéndolas una por una, para ti, mi amor, por tu cumpleaños. Esta búsqueda, esta compra, esta selección, han sido mi día, eran para ti, Juan, eran para ti, que por la noche regresabas de Bruselas. Y ahora, la caminata hasta tu departamento me ha traído hasta este lecho donde yazgo. Sigue el presente, Juan. Estoy desesperada, tan sola, tan triste, tan inútilmente bella. Le he robado a una de esas muchachas este muchacho. Ya hicimos el amor y ya le conté que acababa de matar a un pianista llamado Juan. No me entendía bien, al principio, o sea que le conté que había sido primero un regalo de cumpleaños, una sorpresa para tu retorno, y, luego, después, de pronto, un crimen premeditado, un perfecto crimen por telepatía. Por fin, me entendió: tras haberte dejado mi regalo, las flores se convirtieron en mí, las manzanas en ti. Yo soy las flores, tú eres las manzanas, viejo, podrido, muerto.

Sigo sola Juan, sigo huyendo, qué horrible resulta huir sin haberte dejado huellas. Estoy sentada en una estación de tren y no sé cuál tren tomar. Regresar a París... No me atrevo, no me atrevo sin haberte llamado antes. Y ahí está el teléfono pero no me atrevo, esta vez no me atreveré a llamarte. Y tú, ¿cómo podrías llamarme?, si no te he dejado huellas esta vez. Pobre, Juan, cuántas horas al día estarás tocando tu piano mientras yo regreso. No merezco regresar, Juan. No te olvides que te he matado.

Juan, hay una oportunidad en un millón de que me salve. Y todo depende de ti. Estoy loca, estoy completamente loca, pero de pronto estoy alegre y optimista porque todo depende de ti. Juan, tienes que llamarme aquí, no es imposible, no es imposible, estoy en la estación de Marsella, tienes que adivinarlo, ¿recuerdas que aquí nos conocimos? Y cuando hablemos, agradéceme las flores, Juan, y no hables de manzanas. Llámales *apples,* agradéceme *the apples,* por favor, Juan. Hay siempre un futuro para una niña traviesa. No te olvides: *apples,* Juan, por favor, gracias en Marsella.

ROSARIO FERRÉ

(Ponce, Puerto Rico) comenzó a dar a conocer su producción poética y narrativa en la revista *Zona de carga y descarga* que dirigió, con un grupo de intelectuales puertorriqueños jóvenes, de 1972 a 1974. Allí aparecieron algunos de sus provocativos textos sobre la sociedad isleña.

En 1976 obtuvo un premio del Ateneo puertorriqueño por sus cuentos, y éstos aparecieron en el volumen *Papeles de Pandora* (1976) que reúne prosa y versos. *La caja de cristal* (1978) y *La muñeca menor* (1979) completan su producción narrativa, más el libro de fábulas *El medio pollito* (1978). Sus artículos sobre escritoras, del pasado y del presente, y sobre la mujer en la sociedad contemporánea, fueron reunidos en su libro *Sitio a Eros* (1980).

Los distintos géneros que ha cultivado concurren a un mismo discurso poético y crítico que diseña el universo de la mujer, afectivo, erótico, social mediante una escritura ardiente. Trabaja desde hace años en una novela, titulada provisoriamente *Maldito amor,* en la cual se examinan tres generaciones de una familia puertorriqueña, desde la instalación de los norteamericanos hasta la transformación de la sociedad agraria en industrial en las últimas décadas.

MALDITO AMOR

[FRAGMENTO]

Desde el promontorio del Vigía se divisaba flotar en el horizonte el estilete plomizo del Caribe, al que llegaban a morir inevitablemente los cañaverales del llano. La visibilidad aquella tarde era tan transparente que los ciudadanos que habían subido hasta allí en sus coches a tomar su paseo consuetudinario no recordaban haber visto en mucho tiempo un panorama semejante. Observaban con asombro, suspendido sobre los enormes complejos industriales que rodeaban el pueblo, un pedazo perfectamente límpido de cielo, y se dijeron que algo tendría que ver aquel fenómeno con la fiesta que se celebraría aquella noche en casa de Don Fernando Arzuaga.

Por primera vez en muchos años las chimeneas descomunales de las fábricas, de un negro azuloso y apretadas unas junto a otras como cachimbos gigantes, habían cesado de exhalar sus monstruosos penachos de polvo. Privilegiados por aquella claridad inusitada, los paseantes comenzaron al punto a lucubrar historias, a añadir y a quitar detalles de aquel hecho inverosímil ya conocido, ya sabido de memoria por todos: por primera vez en la historia del pueblo se reunirían aquella noche en un mismo lugar norteamericanos y criollos, los nuevos potentados industriales y los hacendados de la caña: comerían, bailarían, brindarían con champán y ron bajo el techo todopoderoso de Don Fernando Arzuaga. Descendiendo de sus coches se arrellenaron lo más cómodamente posible bajo los ramajes escuálidos de los árboles y sobre los montículos de piedra ríspida, recubiertos de sedimentos químicos, para contemplar a gusto los sucesos que se desenvolvían a sus pies.

Desde aquel lugar, donde se alzaba aún la arboladura de una antigua fragata de la cual habían pendido, in illo tempore, dos enormes linternas de bronce, una roja y una blanca, con las cuales el vigía de turno le advertía al pueblo la presencia en el litoral de algún bergantín pirata, se divisaban en aquel momento dos panoramas: por detrás del monte de piedra caliza, erizado de una vegetación siempre agreste, de tintillos y tamarindos espinosos, se multiplicaban las casuchas de tablones y techos de zinc (pintadas de colores alegres, de verde esperanza, de amarillo canario o rojo cundeamor, para que pareciesen palomares) del caserío de Tabaiba, gemelo del que Adriana había visitado con Eusebio en su paseo hasta la Playa del pueblo. El caserío llevaba allí más de cien años, y en realidad había cambiado poco, pese al lavado de cara que había recibido en los últimos años: las mismas calles empinadas y polvorientas que al menor amague de lluvia se transformaban en impasables torrentes de lodo, la misma algarabía de puercos, gallinas y cabros correteando por entre los zocos carcomidos de los sótanos, las mismas letrinas (antes construidas con drones descartados de melao y ahora con los bidones de aceite dísel descartados por las fábricas de cemento), le daban al conjunto un ambiente pintoresco, delicia de los turistas que solían subir al Vigía exclusivamente para fotografiar desde allí el panorama. Los habitantes tampoco habían cambiado mucho: antes peones sorbidos por la perniciosa, ahora se encontraban casi todos empleados con las Empresas Arzuaga.

Desde el montículo escabroso se observaba a aquella hora un constante ir y venir de gentes inquietas, de hombres y mujeres con paquetes de ropa bajo el brazo, seguramente los uniformes que vestirían aquella noche en casa de Don Fernando Arzuaga antes de comenzar a servir las mesas o a lavar los platos, a pasar las bandejas de piscolabis por entre los invitados, o a ayudar a los cocineros como pinches de cocina. Aproximadamente la mitad del arrabal se derramaría después de las ocho de la noche en casa de los Arzuaga, algunos llevando a cabo las labores meniales de la fiesta y otros sencillamente para estarse de pie aguardando la llegada y la partida de los invitados que descenderían de sus coches privados frente a los enormes portones de hierro de la mansión, o para estarse largas horas escuchando, desde el otro lado de la verja de trinitaria púrpura, las eternas melodías de Daniel Santos, o los fogonazos dorados de las trompetas de César Concepción.

El segundo panorama se desplegaba en dirección contraria a los asfixiantes desfiladeros que arrugaban la espalda del monte, donde se sostenían, prendidas como insectos a las rocas, las chozas del arrabal. En la falda del Vigía, en dirección al mar, se desplegaba el panorama del pueblo, que a diferencia del caserío, sí había cambiado considerablemente de aspecto en los últimos años. A pesar del cinturón de fábricas que ahora lo ceñía en todo su diámetro, unido a la población por las ardientes correhuelas de sus calles, la población presentaba aun un espectáculo impresionante. Junto a los escombros de los edificios coloniales, y contrastando con los palacetes plásticos de los restoranes, teatros y negocios modernos que tanto habían impresionado a Adriana en su primera visita al pueblo, se levantaban los restos desafiantes de la antigua ciudad, el esqueleto monumental, ya casi desvanecido, de la Perla del Sur; las antiguas casas solariegas de los hacendados de la caña, florecidas de urnas de acanto sobre los muros de argamasa de cuatro brazas de espesor, con guirnaldas de rosas sotenidas por angelitos de yeso sobre las puertas, y empañetadas siempre con la misma caliza ríspida y alba, que imitaba la espuma del azúcar congelada sobre el mar; las filigranas mudéjares del Parque de Bombas, que en la luz pesada del atardecer recordaban un origami negro y rojo, habilidosamente recortado a contraluz; los pedimentos monumentales del Teatro Atenas, transportado pieza por pieza supuestamente desde el Acrópolis, y que los niños del pueblo habían asegurado un día que se hallaban tallados en nieve.

Por estas calles semi-desmanteladas, semi-desmoronadas por el tiempo y el progreso, se desplazaba ahora una algarabía de automóviles de envergadura, de Packards, Pontiacs y Cadillacs último modelo, transportando en su interior a los invitados a la fiesta de Don Fernando, frenéticamente ocupados en llevar a cabo los últimos preparativos del día. Los coches, conducidos siempre por choferes uniformados, se detenían frente a las puertas de las peluquerías y de las barberías, a llevar y a recoger gentes, o se estacionaban algunos minutos frente a las floristerías, a recoger los corsages de orquídeas que las damas habían de llevar en la noche, atadas a la muñeca de sus guantes de cabritilla o prendidas como aves exóticas a las elaboradas volutas de sus peinados. El estallido impaciente de los cláxones, así como el brillo de los espejos y de los tapalodos de cromio, reverberaba en la claridad enceguecedora de la tarde y contribuía a conferirle al pueblo en aquellos momentos un ambiente de feria, de inusitada celebración.

Desde las ventanillas ornadas de cortinas de terciopelo gris de los coches, los ciudadanos pudientes se saludaban unos a otros, torciendo el cuello para descubrir quiénes entraban o salían de tal o cual establecimiento, para adivinar si menganito y sutanito había sido o no invitado a la fiesta, si le habían dado bola negra o si colgaría él también aquella noche del cachete de Don Fernando Arzuaga. No era que en el pueblo no se hubiesen celebrado jamás fiestas semejantes. La sociedad encumbrada de La Perla del Sur, hasta hacía poco tiempo constituida en su mayor parte por terratenientes y magnates de la caña, había tenido fama por sus fiestas exorbitantes, en las que los barones del azúcar y del ron desplegaban sin escrúpulos todo el alcance de su poderío, pero en los últimos años el carácter de dichas celebraciones se había alterado. La aristocracia cañera había dejado de ser la clase rectora del pueblo, porque sus haciendas y sus tierras habían pasado ya, en su mayor parte, a manos de las grandes corporaciones extranjeras. El poder político del pueblo estaba ahora en manos de la nueva clase industrial, aliada a los intereses extranjeros, y los barones del azúcar habían pasado del día a la noche, de los floridos discursos recitados desde sus escaños del Senado (desde los cuales hilvanaban, vestidos de dril cien, las elaboradas filigranas de su oratoria ciceroniana) a proezas de otro calibre. Se dedicaron en cuerpo y alma a quemar el pabilo por ambas mechas, a arrojar sin constricción los cimientos de sus casas por la ventana.

Era evidente que no tenían salida, y se decía que habían llegado en ocasiones hasta a invitar a los agentes de su desgracia, los dueños de las corporaciones norteamericanas, a estar presentes en aquellas fiestas. Desprovistos de todo cultivo intelectual, así como de un verdadero refinamiento, decidieron, como los ciudadanos de la antigua Roma, suicidarse lentamente devorándose las propias entrañas. Se encerraban en sus mansiones de cal y canto del pueblo a las que se habían trasladado a vivir cuando se vieron obligados a abandonar las haciendas que les era imposible sostener, a beberse y a comerse lo que les restaba de sus enormes fortunas.

La nueva burguesía pujante, convencida de que el espectáculo de la disolución de aquella clase redundaría en que la sangre de los justos sería algún día vertida sobre las cabezas de los hijos, y de los hijos de los hijos de los hijos de quienes osaran presenciarlo, rehusaban dejar pasar a los hijos de los hacendados por las puertas de sus casas, y veían el que sus hijos fuesen invitados a aquellas fiestas como un intento de corromper a su progenie inocente. Con voces temblorosas de indignación denunciaban los bautizos comunales que los hacendados celebraban en sus bañeras de mármol, llenas a desbordar de champán y de ron, que ellos denominaban con orgullo su "oro blanco", y en los cuales sus esposas y sus hijas se comportaban como elegantes hetairas, imitando los incitantes modales y actitudes de las prostitutas del pueblo. Comentaban en voz baja, blancos de ira, los nuevos hábitos bárbaros de los cañeros, como por ejemplo, el saludarse, al entrar por los enormes pórticos sombreados de sus casas, apretándose el pene dentro del pantalón de dril, o invitando a los asistentes a innombrables relaciones sexuales ilícitas, llevadas a cabo, para resguardarse del calor atosigante del pueblo, sobre lechos de almohadones de azúcar, y a veces hasta de nieve. Hacía ya, por lo tanto, varios años que los hijos de los hacendados no pisaban las casas de los hijos de la nueva clase, y lo mismo resultaba cierto a la inversa.

Desde sus casas de mampostería moderna, prácticas y funcionales, edificadas según los requerimientos del moderno American Way of Life, los empresarios y los ejecutivos de las empresas de Don Fernando, así como los ejecutivos del Banco Condal, aliados a los norteamericanos porque veían de cuál lado se inclinaba el barco, observaban las celebraciones que tomaban lugar en las mansiones coloniales de los hacendados con desprecio, y comentaban entre sí los efectos cada vez más galopantes del deterioro y de la desintegración. Contemplaban, con ojos de horror, y sin atreverse jamás a denunciarlos ante las fuerzas de la ley, cuando éstos, casi siempre borrachos, se empeñaban en entrar sus automóviles, sus antiguos Packards y sus Pontiacs polvorientos por las puertas centrales de la catedral, conduciéndolos bocineando hasta el altar, o cuando se bañaban desnudos en las noches de luna bajo los chorros de aguas de colores que vomitaban los leones de yeso de las fuentes de la plaza principal.

Pero la censura de los cañeros no se limitaba a una censura privada, comentada en el seno de las familias industriales en una voz trágica, sino que llega a alcanzar los niveles de una revancha pública como si se tratara de un deceso familiar. La enorme influencia de los gerentes y de los ejecutivos en la banca de la Isla, les permitió lograr que les estrangularan poco a poco los préstamos. Para ello se apoyaban, no solo en el hecho innegable de que la situación económica de los barones del azúcar se tornaba cada vez más precaria, sino alegando principalmente contra ellos el "qué dirán" social. En esto las esposas de los industriales, y en especial las esposas de los gerentes ejecutivos del Banco Condal, quienes luego habrían de convertirse en enemigas acérrimas de Adriana, desempeñaban un papel principal. Decididas a convertirse en rectoras del decoro del pueblo, en sus reuniones semanales de las cívicas, en las tómbolas de la Iglesia, en sus clubes de bridge y de costura, comentaban sin cesar sobre la necesidad de que los clientes del Banco Condal mantuvieran un alto nivel de comportamiento moral. "Innumerables han sido las veces, decían, en que, atareadas en el sereno ajetreo de nuestras casas, detenida la mano sobre el mango de nuestras cafeteras de plata mientras le servimos a nuestros maridos una taza de café humeante, o suspendida la delgadísima aguja de zurcir entre puntada y puntada, hemos escudado cómo a nuestros maridos les ha sido necesario negarle un préstamo a sutanito, porque el rumor de su intento de suicidio ha alcanzado, como insecto inoportuno, los delicados tímpanos de nuestros maridos; o de cómo ha sido necesario ejecutarle la hipoteca a menganito porque algún cuchicheo azaroso, repetido sobre las sábanas pulcras del barbero, ha dejado caer sobre ellos los rumores desaliñados del comportamiento inapropiado de menganito, porque llevó a la querida a un restorán elegante, desafiando todas las leyes de la propiedad social. No vemos que el caso de los hacendados del azúcar sea en absoluto distinto, por más alcurnia que tengan. A ellos también será necesario aplicarles la ley de la respetabilidad."

Los ejecutivos del Banco Condal pronto hicieron su agosto a otros niveles de tan convincentes argumentos. Señalaban que las centrales del pueblo, como resultado de la industrialización de la Isla, estaban naturalmente teniendo problemas con sus ganancias. Los hacendados de la comarca no habían sabido mantenerse a la par con la modernización de la Isla en el equipo de sus centrales, y sus refinerías y destilerías se encontraban por ello hoy casi todas obsoletas, razón por la cual los préstamos del Banco Condal les eran absolutamente imprescindibles. Pero el problema no era tan sencillo como parecía. La verdadera dificultad de los hacendados de la comarca era una dificultad de moral y de credibilidad. Empeñados en perseverar en aquella vida escandalosa, no le estaban dando a la industria de la caña la imagen de pureza, de probidad, que a todo negocio que solicitaba un préstamo del Banco Condal le era exigida. "Nuestros accionistas piden que una compañía sea bien administrada, disciplinada y honesta", anunciaron en el comunicado de prensa en el que finalmente se le informó a los habitantes de la decisión de la directiva del Banco de negarle en adelante los préstamos a los cañeros. "Nuestro Banco ha sido, durante hace ya más de un siglo, la institución base de todas las transacciones económicas fundamentales de nuestro pueblo, y su ruina significaría la ruina de un gran porcentaje de nuestra población."

En suma, la respetabilidad, la moderación, la solemnidad, la probidad del comportamiento privado, y hasta el cumplimiento riguroso de los deberes eclesiásticos, había pasado a ser en el pueblo, como reacción a los desmanes incalculables de los barones del azúcar, el mejor aval, la mejor carta de crédito de quienes requirieran un préstamo del Banco Condal. Los divorcios, los abandonos del hogar, incluso los suicidios habían sufrido una merma sorprendente en aquellos tiempos, y las iglesias del pueblo se encontraban generalmente muy bien atendidas a la hora del servicio dominical.

Los hacendados, por su parte, reconciliados ya a su destino, jamás invitaban a los banqueros a sus bacanales bizantinas, y mucho menos a Don Fernando Arzuaga, a quien los barones del azúcar consideraban su enemigo mortal. Aliado a ellos por razón de su matrimonio con Margarita Font de la Valle, quien pertenecía a una de las familias cañeras más antiguas de la isla, consideraban que Don Fernando los había traicionado, que los había estafado sin el menor escrúpulo, no solo al asociarse a las corporaciones extranjeras para lograr los préstamos que necesitaba para la enloquecida expansión de sus fábricas que se había recientemente empeñado en llevar a cabo, sino porque les había entregado en bandeja de plata, y recibiendo por ellas prácticamente una miseria, las fincas que habían pertenecido a la familia Font de la Valle. Se decía que Fernando había tomado esta decisión para desafiar a los barones del azúcar y constatar públicamente su ascendencia económica sobre ellos, así como para ganarse aún más sólidamente la buena voluntad de los inversionistas extranjeros. Inmerso en sus sueños de grandeza, Don Fernando confiaba en la amistad estrecha que lo unía a los dueños de las corporaciones norteamericanas, y aseguraba que, una vez consolidado su Imperio Industrial Universal, jamás podría sucederle a él lo mismo que a los hacendados cañeros. Pero los predios de Margarita figuraban entre las propiedades más valiosas de la comarca, y el quijótico gesto de Fernando había abaratado aun más el valor de las tierras del litoral.

Conjuntamente con esta situación, había sido Don Fernando quien, no solo por interés, sino también por generosidad natural, y apoyado, demás está decirlo, por los enormes préstamos que recibía del Norte, había comenzado a pagarles a los obreros de sus fábricas unos sueldos que a los barones de la caña, desprovistos de similar apoyo económico, se les hacía imposible costear. Como resultado de esta situación, los hacendados se quedaron muy pronto sin mano de obra, y los océanos de caña que rodeaban el pueblo permanecieron de esta manera de pie año tras año, abandonando el dulce de las jugosas varas al trasiego del sol y del tiempo, sin que a nadie les interesara cosecharlas por un sueldo de hambre. Los inversionistas norteamericanos fueron entonces poco a poco comprando aquellas tierras mientras sus antiguos dueños, clausuradas las puertas de sus casas al mundo, se aturdían cada día más ferozmente, en su intento por olvidar.

Aquilatada desde esta perspectiva, la efervescencia del pueblo en la tarde del día en que se celebraría la fiesta de Don Fernando Arzuaga, resultaba a todas luces comprensible. La población entera se encontraba al tanto de que, entre Don Fernando y los barones del azúcar existía, desde hacía ya algunos años, un duelo a muerte. Y sin embargo, por razones que nadie alcanzaba claramente a comprender, Don Fernando había invitado a su fiesta, no sólo a los hacendados de la caña y a los empresarios y gerentes de las fábricas sino también a los inversionistas extranjeros.

Era por esta razón que el espectáculo de los hacendados, atravesando a las cuatro de la tarde el pueblo en sus antiguos Packards y Pontiacs, y saludando con sus sonrisas glaciales a los empresarios y a los banqueros que atravesaban a su vez el pueblo en sus flamantes Cadillacs último modelo, resultaba un espectáculo tan incongruente para los espectadores congregados aquella tarde sobre la cima polvorienta del Vigía. Alineados junto a las rocas de la empinada carretera, o abanicándose bajo los tamarindos y los quenepos, se preguntaban si Don Fernando se propondría convencer aquella noche a los barones del azúcar de que los norteamericanos no eran tan malos, y de que no deberían de guardarles rencor, ya que lo sucedido entre ellos no se debía, después de todo, a una avaricia personal, sino a la inevitable modernización que había sufrido en los últimos años la economía de la isla. Pero otros, los más perspicaces, sospechaban ya desde aquella hora que aquel espectáculo exorbitante tenía que ver con el rumor, encrespado ya como la verdolaga por encima de los muros y de las tapias de las casas, de que muy pronto Antonio Arzuaga regresaría al pueblo.

Afirmaban estos suspicaces que la entrega que le había hecho Don Fernando a los inversionistas norteamericanos de las tierras de su mujer no había sido, como creían algunos, un gesto quijótico ni de soberbia, un desplante de arrogancia exhibicionista, calculado para restregarle en la cara a los hacendados la proximidad inevitable de su ruina, sino una astuta transacción económica, diseñada para aplacar los ánimos exacerbados de los inversionistas extranjeros. Según los rumores más recientes, las Empresas Arzuaga no se encontraban en una situación de solvencia económica tan sólida como la que se esforzaba en aparentar: en su empeño por expandir sus fábricas hasta que estas alcanzaran el prestigio de lo que él llamaba su "Empresa Universal", Don Fernando se había excedido en el monto de los préstamos que se había arriesgado a recibir de los dueños de las corporaciones norteamericanas y al presente se encontraba imposibilitado de cumplir con sus obligaciones. El pago de los intereses sobre los préstamos, financiados todos a través del Banco Condal, había ascendido a cifras astronómicas, que por primera vez a Don Fernando se le hacía imposible pagar, y los inversionistas extranjeros se encontraban a punto de abalanzarse sobre él como los canes enfurecidos de la ruina.

Bajo las sombrillas verde pardo de las caobas simétricamente podadas de las plazas, bajo los flancos plateados y empavesados de cristales de colores de las torres de la catedral, sobre las amplias aceras de la calle Marina, sobre las que habían quedado tendidos hacía veinte años los cuerpos mutilados de los camisas negras, durante la terrible Masacre del Domingo de Ramos, se comentaba aquella tarde en voz baja, siempre lo mismo: muy pronto Antonio Arzuaga regresaría al pueblo. Las fincas que su padre había negociado tan desfavorablemente con los norteamericanos le pertenecían técnicamente a él, como herencia de su madre, y la entrega de la más reciente, la vega de Boquillas, un excelente predio de cultivo que se extendía desde el macizo central hasta la costa, remachado por más de cincuenta millas de cocoteros y de playas de arena blanca, lo había finalmente encolerizado, volviéndolo contra su padre.

Se decía que era adelantándose a esta situación familiar, temiendo que al llegar Antonio éste se aliara a los intereses de los barones del azúcar, y confiado de que los inversionistas extranjeros seguirían, pese a todo, apoyándolo, que Don Fernando había convocado a aquellos invitados tan disímiles a su fiesta, trazándose seguramente de antemano un plan de acción.

[Novela en preparación.]

EDUARDO GALEANO

(Montevideo, Uruguay, 1940) ha llevado adelante una doble carrera de periodista y escritor desde tempranos años. Jefe de redacción del semanario *Marcha* de 1961 a 1964, director del diario *Época* del 64 al 66, director de Publicaciones de la Universidad de Montevideo, en ese tiempo también dio a conocer varios volúmenes en que reunía una pequeña parte de su continua producción periodística: *China 1964, crónica de un desafío* (1964), *Guatemala, país ocupado* (1967), *Reportajes* (1967). Fue el periodismo, el conocimiento de la historia y la economía del continente y su condición de escritor, los que dieron nacimiento a su más exitoso volumen, *Las venas abiertas de América Latina* (1971) aparecido en sucesivas ediciones en varios países latinoamericanos y traducido a una docena de lenguas extranjeras.

Su obra de narrador comenzó también tempranamente, con *Los días siguientes* (1961) y *Los fantasmas del día del león* (1967). Sus obras adultas corresponden sin embargo al período de su instalación en Buenos Aires, donde dirigió una de las más difundidas revistas literarias, *Crisis* (1973-1976) y dio a conocer su libro de relatos *Vagamundo* (1973) y *La canción de nosotros* (1975), novela.

Un libro de difícil clasificación genérica, que el autor ha subtitulado "testimonios" fue *Días y noches de amor y de guerra* (1978) en que se cruzan vida personal y social, las luchas latinoamericanas contra la opresión y el reconocimiento de los alimentos terrestres.

Desde fines de 1976 vive cerca de Barcelona, consagrado principalmente a su obra literaria, aunque también a su activa participación en el combate contra las dictaduras. Ha dado a conocer varios textos de un ambicioso proyecto, que consiste en reconstruir narrativamente la historia entera del continente a través de momentos, situaciones, circunstancias claves.

LO DEMÁS ES MENTIRA

(a Pedro Saad)

1

—Me voy el domingo —digo—. Hay un vuelo directo a Barcelona.

—No —dice Pedro.

—¿No?

—El domingo irás, iremos, a Guayaquil. Y desde allí...

Me río.

—Escucha —dice Pedro, y yo:

—No puedo quedarme ni un día más. Tengo que...

—¿Me vas a escuchar?

2

Cuando comento con Alejandra el cambio de planes, ella dice:

—Así que vas a ver a Adán y Eva.

Y fuma y dice:

—Yo quiero morir así.

3

En la península de Santa Elena, que se llamaba Zumpa, reina el tiempo gris. No lejos de aquí, más al norte, el mundo se parte en dos de un tajo. Aquí se parte el tiempo. Cada año tiene una mitad de sol y una mitad de grisura.

Caminamos a través de la tierra polvorienta. Hace miles de años, me explica Pedro, la mar metía por aquí sus brazos. Uno excava un poco y aparecen las conchas de los mariscos.

Los vientos del sur han dejado árida la península. Los vientos y el petróleo que se descubrió debajo. También las cocinas de Guayaquil, porque a sus fogones fueron a parar los bosques de guayacán, que hasta no hace mucho, medio siglo nomás, cubrían este desierto, y que antes servían para ofrendar a los dioses incienso de palo santo. De la vegetación quedan ahora unas pocas matas achaparradas, armadas de espinas para engancharte y que te quedes, entre los balancines que cabecean buscando petróleo —y el resto es una inmensidad de polvo y nada.

4

—Es aquí —dice Pedro, y levanta la tapa de madera.

Están casi a flor de tierra, metidos los dos en un huequito.

Los miramos en silencio y pasa el tiempo.

Yacen abrazados. Él, boca abajo. Un brazo y una pierna de ella por debajo de él. Una mano de él sobre el pubis de ella. La pierna de él cubriéndola.

Una piedra grande aplasta la cabeza del hombre, y otra el corazón de la mujer. Hay una piedra grande sobre el sexo de ella y otra sobre el sexo de él.

Veo la cabeza de la mujer apoyada en el hombre o refugiada en él, sonreída, y comento que tiene cara alumbrosa, cara de beso.

—Cara de espanto —contradice Pedro—. Ella vio a los asesinos. Los vio venir y alzó el brazo. Con estas piedras los mataron.

Veo el brazo alzado. La mano le protegió los ojos de alguna súbita amenaza o mal sueño, mientras el resto del cuerpo seguía durmiendo, enredado al cuerpo de él.

—¿Ves? —dice Pedro—. Con esta piedra le rompieron la cabeza.

Me señala la telaraña de la rajadura en el cráneo del hombre y dice:

—Piedras así de grandes, no se encuentran por aquí. Las

trajeron de lejos, para matarlos. Quién sabe de dónde las trajeron.

Yacen abrazados desde hace miles de años. Ocho mil años, dicen los arqueólogos. Antes del tiempo de los pastores y los labriegos. Dicen que la arcilla impermeable de la península les mantuvo intactos los huesos.

Los miramos y pasa el tiempo. Siento la resolana reverberando entre el cielo sin color y la tierra caliente y siento que esta península de Zumpa ama a sus amantes, y que por eso supo guardarlos en su vientre y no se los comió.

Y siento otras cosas que no entiendo y me marean.

5

Estoy mareado y desnudo.

—Ellos crecen —digo.

—Recién empieza. Espera y verás —me advierte Pedro, mientras el auto se desliza hacia la costa entre nubes de polvo.

Y yo sé que me perseguirán.

Magdalena los vio y gritó cuando se iba.

6

—Los descubrió una mujer —dice Pedro—. Una arqueóloga que se llama Karen. Están tal cual los encontró, hace dos años y medio.

Que no los despierten, quisiera yo. Hace ocho mil años que duermen juntos.

—¿Qué harán aquí? ¿Un museo?

—Algo así —sonríe Pedro—. Un museo... ¿por qué no un templo?

Y pienso: "Ese pocito es su casa, que fue invulnerable. ¿Cuántas noches caben dentro de noche tan larga?"

Me estremezco presintiendo el super-show de los amantes de Zumpa en manos de los *tour operators,* una experiencia inolvidable, un tesoro de la arqueología mundial, las cámaras y las filmadoras escoltadas por enjambres de turistas compradores de emociones. Pienso en el bello cuerpo que ellos hacen abrazándose y en tantos ojos sucios que no los merecerán. En seguida me acuso de egoísmo y un poquito de vergüenza me sube a la cara.

7

Comemos en la costa, en casa de Julio. Hay buen vino, que brota en la mesa como milagro, y sé que está sabroso el pescado y la conversación vale la pena; pero yo estoy sin estar del todo. Bebe y come y escucha un pedazo de mí, que algo dice también, de cuando en cuando, mientras el otro pedazo anda que te anda por los aires y queda inmóvil ante el pájaro que nos mira a través de la ventana. Cada mediodía, ese pajarito baja y se posa en una mesa y mira mientras duran los almuerzos.

Después me echo en una hamaca o caigo en ella. La mar me canta bajito. Te abro, te descubro, te nazco, canta la mar, o por boca de ella susurran esos dos que vienen de antes de la historia y la inauguran; los ramajes, atravesados por la brisa, repiten la melodía. Antiguos aires, que bien conozco, me recogen y me envuelven y me balancean. Fiesta y peligro de nunca acabar...

—¡Arriba, dormilón!

Me protejo los ojos con la mano.

La súbita voz de Pedro me devuelve al mundo.

8

—No —dice Karen—. No los mataron. Las piedras fueron colocadas después.

Pedro insinúa una protesta.

—Las piedras hubieran resbalado —insiste la arqueóloga—. Si les hubiesen arrojado las piedras, hubieran resbalado. Las piedras estarían a los costados y no encima. Están prolijamente puestas sobre los cuerpos.

—Pero... ¿y la quebradura del cráneo?

—Es muy posterior. Quizás algún auto o camión que

estacionó sobre ellos. Cuando los descubrimos estaban así, a un palmo de la superficie. Sólo huesos muy antiguos pueden resquebrajarse como la loza.

Pedro la mira, desarmado. Yo quisiera preguntarle qué sintió cuando los vio aparecer, pero me parezco bobo y no pregunto nada.

—Colocaron las piedras cuando los enterraron, para protegerlos —continúa Karen—. En este lugar encontramos un cementerio. Había muchos esqueletos y no solamente los de... los...

—Amantes —digo.

—¿Amantes? —dice—. Sí, los llaman así. Los amantes de Zumpa. Es un nombre simpático.

—Pero también encontraron restos de casas —dice Pedro—. Y de comida: conchas de mariscos, ostiones... Quizás enterraban a los muertos en las casas, como otras tribus que...

—Quizás —admite Karen—. No es mucho lo que sabemos.

—O puede haber una diferencia en el tiempo, ¿no? Una diferencia de miles de años entre el cementerio y las casas. Los amantes pueden ser muy posteriores o anteriores a los demás esqueltos.

—Quizás —dice Karen—, pero lo dudo.

Nos sirve café, mientras sus hijos corretean detrás de un perro, y nos explica que no es posible remover esos huesos al cabo de tanto tiempo.

—No los hemos tocado —dice— para no desbaratarlos. Que yo sepa, es la primera vez que aparece una pareja enterrada así. El hallazgo puede tener cierto valor científico. Han venido huesólogos, como los llaman por aquí. Ellos confirmaron que se trata de un hombre y de una mujer, y que eran jóvenes cuando murieron. Tenían entre veinte y veinticinco años. Los... huesólogos dicen que los esqueletos corresponden todos al mismo período.

—¿Y el carbono catorce? —pregunta Julio—. Habían hecho esas pruebas.

—Enviamos a Estados Unidos otros huesos del mismo cementerio. El carbono catorce rectificado dio una antigüedad de seis a ocho mil años. Los huesos de los... amantes, no se pueden analizar. Sólo un diente, que arrancamos al hombre. El laboratorio investigó el diente. Termoluminiscencia, ustedes saben. La respuesta no sirve para nada. Da una antigüedad de seis a once mil años. De haber sabido, le hubiéramos dejado en paz la dentadura.

Pedro esperaba esta oportunidad.

—Supongamos —dice, triunfal— que dentro de mucho, mucho tiempo, los técnicos analizaran con esos mismos métodos los restos de nuestra civilización. Encontrarían paquetes de Marlboro en el Coliseo de Roma.

Karen se tienta, se le escapa una buena risa franca, y después, a la segunda vuelta de café, nos advierte:

—Yo sé que no les gustará lo que voy a decir.

Nos mira a los tres, nos mide sin apuro y bajando la voz, como quien dicta una sentencia secreta, explica:

—Ellos no murieron abrazados. Los enterraron así. Por qué, no se sabe. Nunca nadie sabrá por qué los enterraron así. Quizás porque eran marido y mujer, pero esa explicación no basta. ¿Por qué no enterraron igual a las demás parejas? No se sabe. Quizás murieron los dos a la vez. No hay signos de violencia en los huesos. Quizás se ahogaron. Estaban pescando y se ahogaron. Quizás. Por algún motivo, que nunca conoceremos, los enterraron abrazados. No murieron así ni los mataron. Los encontramos en su tumba, no en su casa.

9

Caminamos a través de los arenales, mientras cae la noche. Resplandece la mar más allá de los médanos.

—Los científicos dicen —cuenta Pedro— que no podía haber amantes hace tantos miles de años, en un grupo de pescadores semi-nómadas, que no conocían la propiedad y... Y yo creo que *ahora* no puede haberlos.

Seguimos callados los tres, mirando el suelo.

Yo pienso en su grandeza, tan chiquitos que son, como nosotros nomás, y en su misterio. Más misteriosos que el gran pájaro de Nazca, pienso. Símbolo más mío que la cruz, pienso. Y pienso: monumento más de América que la fortaleza de Machu Picchu o las pirámides del sol y de la luna.

—¿Han visto un ahogado, alguna vez? —pregunta Julio. Y dice:

—Yo sí. Los ahogados quedan contraídos, con el cuerpo en posición de... horror, y cuando los sacan están más rígidos que la madera. Si se hubieran ahogado, nadie hubiera podido abrazarlos así.

—¿Y si no se hubieran ahogado? Había otras maneras de morir.

—Tampoco, creo —me dice Julio—. Los muertos se endurecen rápido. Yo no sé... —vacila—. Karen sabe. Ella sabe, pero... No sé. No creo que... Están en una posición *tan* natural. Ningún enterrador hubiera sido capaz de eso. Ese abrazo es tan verdadero... ¿No te parece?

—Yo les creo —digo.

—¿A quién?

—A ellos —digo.

10

Malditos amantes de Zumpa que no me dejan dormir.

Me levanto, en mitad de la noche. Salgo al balcón, respiro hondo, abro los brazos.

Y los veo, traicionados por la luna, en algún punto del aire o del paisaje. Veo a los hombres desnudos que se arrastran en silencio por el manglar y acometen armados de puñales de piedra negra o filosos huesos de tiburón. Veo el sobresalto de ella y la sangre. Después, veo a los verdugos colocando sobre los cuerpos las pesadas piedras traídas desde lejos. Los primeros agentes del orden o los primeros sacerdotes de un dios enemigo ponen una piedra sobre la cabeza de él, otra sobre el corazón de ella y una piedra sobre cada sexo, para bloquear la salida de ese humito que se fuga, humito mareador, humito de locura que pone al mundo en peligro —y sonrió sabiendo que no hay piedra que pueda con él.

11

A la mañana siguiente, el regreso.

La vegetación crece a medida que me alejo del páramo y por el aire se van alzando aromas verdes mientras entro al luminoso mundo mojado de Guayaquil. Me acompañan, para siempre, los que mejor murieron.

(En Ecuador a mediados de 1980.)

CRISTINA PERI ROSSI

(Montevideo, Uruguay, 1941) ha cultivado alternativamente la poesía y el cuento, esfumando frecuentemente los límites entre ambos géneros. Los relatos reunidos en *Los museos abandonados* obtuvieron en 1968 el Premios de los Jóvenes, y su novela *El libro de mis primos* el Premio de Marcha en 1969. En Montevideo aun publicó *Indicios pánicos* (1970) donde mezcla relatos y poemas, y *Evohé* (1971) que recoge exclusivamente poesía.

Desde 1974 vive en Barcelona, donde ha publicado dos libros de relatos, *La tarde del dinosaurio* (1976) y *La rebelión de los niños* (1980), y tres libros de poemas, *Descripción de un naufragio* (1975), *Diáspora* (1976), y *Lingüística general* (1979). Se encuentra actualmente en Berlín como escritora invitada de la Deutscher Akademischer Austauschdienst por un año. Ha confesado su particular atracción por la forma cuento: "La economía del cuento, su concentración, son similares muchas veces a la poesía, de ahí que algunos cuentistas sean por su concepción, poetas. Una novela no exige, necesariamente, una visión, en el sentido que usamos el término a partir de Rimbaud. Creo que un cuento, un buen cuento, es siempre una alegoría, una visión particular del mundo, no imprescindiblemente unívoca, pero sí un sesgo, un ángulo en el caleidoscopio."

MONNA LISA

La primera vez que vi a Gioconda, me enamoré de ella. Era un otoño vago y brumoso; a lo lejos se diluían los perfiles de los árboles, de los lagos planos, como sucede en algunos cuadros. Una bruma ligera que enturbiaba los rostros y nos volvía vagamente irreales. Ella vestía de negro(una tela, sin embargo, transparente) y creo que alguien me contó que había perdido un hijo. La vi de lejos, como sucede en las apariciones, y desde ese instante, me volví extremadamente sensible a todo lo que tuviera que ver con ella. Vivía en otra ciudad, según supe; a veces, realizaba cortos paseos, para mitigar su pena. De inmediato —y acaso, muy lentamente— supe qué cosas prefería, evoqué sus gustos aún sin conocerlos y procuré rodearme de objetos que la complacerían, con esa rara cualidad del enamorado para advertir los pequeños detalles, como el coleccionista minucioso. Yo me volví un coleccionista, a falta de ella, buscando consuelo en cosas adyacentes. Nada hay superfluo para el amante.

Giocondo, su marido, estaba en conflicto con un pintor, según me enteré; era un comerciante próspero y basto, enriquecido con el tráfico de telas y como toda la gente de su clase procuraba rodearse de objetos valiosos, aunque regateara el precio. Pronto averigüé el nombre de la ciudad donde vivían. Era un nombre sonoro y dulce; me sorprendí, porque debí suponerlo. Una ciudad de agua, puentes y pequeñas ventanas, construida hacía muchos siglos por mercaderes, antepasados de Giocondo, quienes, para competir con los nobles y los obispos, contrataron a pintores y arquitectos para embellecerla, como hace una dama con sus doncellas. Habitaba un antiguo palacio, reconstruido, en cuya fachada Giocondo había mandado realizar incrustaciones de oro. Sin embargo, mi informante me hizo notar que lo más bello de la fachada del palacio era un pequeño paisaje, una acuarela enmarcada en madera, que representaba la campiña y en el medio un lago vaporoso, donde —apenas insinuado— levitaba un esquife. "Eso, seguramente, lo ha mandado hacer Gioconda", pensé, para mis adentros.

Desde que la vi, debo confesar que duermo poco. Mis noches están llenas de excitación: como si hubiera bebido demasiado o ingerido alguna droga enervante, cuando me acuesto mi imaginación despliega una actividad febril y poco ordenada. Elaboro ingeniosos proyectos, cultivo miles de planes, zumban mis ideas como abejas ebrias, la excitación es tan intensa que transpiro y me lanzo a comenzar diversas tareas que interrumpo, solicitado por otra, hasta que de madrugada, extenuado, me duermo. Mis despertares son confusos y poco recuerdo de lo que proyecté en la noche; me siento deprimido hasta que la visión de Gioconda —no soy un dibujante del todo malo y debo confesar que he realizado varios apuntes de su rostro, a partir del recuerdo de la primera vez que la vi— devuelve sentido a mis días y me alegra, como una secreta pertenencia. He descuidado por completo a mi mujer; ¿cómo explicarle lo sucedido, sin traicionar a Gioconda? Pero ya no comparto su lecho, y procuro pasar todo el tiempo afuera, perdido entre los bosques que se dibujan tenuemente en la bruma del otoño. Esos bosques leves y esos lagos que evoqué la primera vez que vi a Gioconda y que desde entonces acompañan todas mis representaciones de ella. Uno se enamora, también, de ciertos lugares que asocia indefectiblemente al ser amado, y realiza febriles paseos por ellos, en soledad, pero secretamente acompañado.

Procuro obtener noticias acerca de la ciudad en que vive, porque temo que algún peligro imprevisto la aceche. Imagino catástrofes terribles —erupciones de volcanes, maremotos, incendios— o locuras de los hombres: las ciudades, en nuestros días, compiten en agresividad y envidia. Mentalmente, procuro contener las aguas de los ríos que la cruzan, y aprovecho para dar un paseo con ella por los puentes, esos deliciosos, íntimos y húmedos puentes de madera que crujen bajo nuestras plantas. (La primera vez que la vi, encandilado por la belleza de su rostro, no reparé, debo confesar, en sus pies. Ah, cómo nuestra observación tiene lagunas. Sin embargo, no es imposible reconstruirlos a partir de la perfección de las otras líneas. Ya sé que no siempre se cumple, en lo humano, esta armonía. Pero precisamente, en ella, lo asombroso, es el desarrollo sereno y armónico de los rasgos, uno a uno, por lo cual, visto un fragmento, es posible imaginar la totalidad.)

No me preocupa, tampoco, el paso del tiempo. Demasiado sé que su belleza lo resistirá, dotada, como está, de un elemento de transparencia, una gracia interior que no depende de la sucesión de los otoños o del tránsito de los meses. Sólo un terrible daño provocado, la intervención de una mano asesina podría crispar esa armonía, y no temo por Giocondo: ocupado como está con sus negocios, indiferente a cualquier valor que no puede atesorarse en arcas bien custodiadas, mantiene con ella un trato tan superficial como inofensivo. Lo cual me exonera hasta cierto punto de los celos.

Desde hace tiempo, me ha convertido en un avaro. Hago toda clase de economías, para ahorrar el dinero que me permite realizar el viaje soñado. He dejado de fumar y de visitar la cantina, no me compro ropa y vigilo severamente la administración de la casa. Realizo yo mismo las pequeñas reparaciones necesarias en el hogar y aprovecho todas las cosas que los hombres no enamorados y disolutos desperdician, seguramente porque ya no sueñan. He estudiado minuciosamente las maneras de llegar a esa ciudad y sé que me falta poco para emprender el viaje. Esta ilusión llena de intensidad mis días. No intento, de ninguna manera, comunicarme con Gioconda. Con seguridad ella no reparó en mí, cuando la vi, ni hubiera reparado en hombre alguno: dominada por la pena, sus ojos miraban sin ver, contemplando, acaso, cosas que estaban en el pasado, que se encerraban en los lagos serenos donde yo no ceso de evocarla. Cuando mi mujer me interroga, contesto con frases vagas. No se trata sólo de conservar mi secreto: las cosas más profundas no resisten, casi nunca, su traducción en palabras.

Pero sé, estoy seguro de poder hallarla. Sus rasgos inconfundibles me estarán aguardando, en algún lugar de la ciudad. En cuanto a Giocondo, parece que continúa disputando con un pintor. Seguramente no ha querido pagar un cuadro o pretende desalojarlo de su taller, si aquél le debe algo. Giocondo tiene la insolencia de los ricos y el pobre pintor debe vivir de su trabajo. Mi informante asegura que el pleito dura ya cerca de tres años, y que el pintor ha jurado vengarse. ¿Qué dirá mi Gioconda, de todo esto? A pesar de la fama de interesadas que tienen las mujeres de esa ciudad, sé que ella permanece ajena a los negocios de su marido. La pérdida de su hijo es todavía reciente y no encuentra consuelo. Giocondo procura entretenerla alquilando músicos que cantan y bailan en su jardín, pero ella parece no oírlos. Lánguida Gioconda, a pesar de su escote. Lamentablemente, no soy músico, de lo contrario, tal vez, tendría acceso a tu palacio. Tañería la flauta como nadie lo ha hecho hasta ahora, evocando los lagos y los bosques por donde sueles pasear, en otoño, lagos como suspendidos adonde a veces levita un esquife. Compondría versos y sonatas hasta que tú, suavemente, sonrieras, casi sin querer, como una pequeña recompensa a mi quehacer. Ah, esa sonrisa Gioconda sería un leve compromiso, la certeza de haber sido oído.

He llegado a la ciudad de los puentes, los lagos circulares y los bosques llenos de bruma que se pierden en el horizonte, entre nubes calmas. He paseado por sus calles angostas y sinuosas, con sus perros lanudos y sus mercados repletos de frutas doradas y telas sedosas. Por doquier se trafica; brillan las naranjas, se agitan los peces recién arrancados al mar, zumban las ofertas de los mercaderes, ávidos compradores auscultan vasijas de oro, las sopesan, adquieren suntuosas joyas delicadamente engarzadas, disputan por una pieza valiosa. Las calles están húmedas y a lo lejos se dibujan bosques vagarosos.

De inmediato, busqué quien pudiera darme informes sobre la familia Giocondo. No fue difícil: todo el mundo los conoce, en esta ciudad, aunque por una misteriosa razón, cuando los interrogaba, querían evitar el tema. He ofrecido dinero, las escasas monedas que me quedan luego del viaje, pero es una ciudad próspera, y mi fortuna muy pequeña. Probé con mercaderes que con cortesía me ofrecieron telas y alfombras de la India; luego, con los gondoleros que trasladan a los viajeros de un lugar a otro de la ciudad, porque debo decir que uno de los placeres más vivos que se pueden disfrutar aquí es el de atravesar ciertas zonas en esas finas y delicadas embarcaciones (que ellos cuidan mucho, como si se tratara de objetos preciosos, y engalanan con muy buen gusto) que se deslizan debajo de los puentes de piedra y de madera, removiendo apenas las aguas. Por fin, un muchacho joven, a quien elegí por su aspecto de pordiosero y su mirada inteligente, se prestó a informarme. Me hizo una terrible revelación: el pintor a quien Giocondo había contratado y con el que disputaba hacía años, decidió vengarse. Ha pintado un fino bigote en los labios de Gioconda, que nadie puede borrar.

SESIÓN

A las cuatro de la tarde, me llamó mi psicoanalista. Estaba muy angustiado: había descubierto al segundo amante de su mujer.

—¡Es inconcebible! —gritó—. No estoy dispuesto a permitirlo.

—Serénese —le aconsejé—. Los cuerpos no existen. Las personas, tampoco. En realidad, sólo se trata de funciones, ¿comprende? Nadie es quien cree ser, ni para sí mismo, ni para los demás. El segundo amante de su mujer...

—¡No me lo nombre! —gritó él, destemplado—. Desde que los he descubierto, no puedo comer. No he probado bocado en todo el día.

—Eso significa que usted no puede aceptar la realidad. La comida, en ese momento, representa la cosa rechazada...

—Ya lo sé —gimoteó—, a punto de llorar.

—Nadie se muere por no comer un día o dos. La dieta le hará bien, eliminará toxinas.

—No entiendo por qué se encuentra con él precisamente los martes —me confesó ahora, más sereno.

Aproveché la pausa para tratar de introducir la realidad dentro de un vaso. Es una operación muy complicada. Desde el amanecer estaba ocupado en eso. Pero cada vez que intentaba asirla, la realidad se me escurría. Ahora, mientras hablaba por teléfono con mi psicoanalista, procuraba sostener el vaso, la realidad y el auricular al mismo tiempo.

—¿Qué sucede los martes? —articulé, mientras empujaba el vaso hacia el centro de la mesa de luz.

—Nada especial —dijo él—. Sólo que ella ve a su segundo amante ese día, y no otro. Yo me pregunto, ¿por qué precisamente el martes?

—Seguramente es el día libre de los dos —argumenté, con sencillez.

—De ninguna manera —me corrigió él—. Es un día muy complicado: él ha dictado clases de filosofía por la mañana, a las doce almorzó con sus hijos y a las seis tiene su reunión semanal en el Paraninfo. En cuanto a ella, los martes desayunamos juntos, luego practica algo de yoga, asiste a un curso de Antropología y por la noche canta en el coro de los Amigos del Barroco. Un día muy agitado. Tendría que haber elegido el sábado. El sábado yo voy a visitar a mi madre, los niños no están y él no dicta clases.

Detesto la palabra clases. Quizás por eso en ese preciso instante la realidad se escurrió patas abajo de la mesa. Mientras continuaba hablando con mi psicoanalista, traté de inclinarme para recogerla. Él debió darse cuenta de algo, porque enseguida se irritó.

—¡Pero usted no me está escuchando! —gritó, sordamente.

—Por supuesto que lo oigo —me defendí—. No se impaciente. Trataremos de analizar su sentimiento de angustia con relación a este nuevo individuo...

—¡Ni lo mencione! —insistió—. No puedo tolerar su existencia. No la acepto. No quiero saber nada de él. Ha venido a turbar mi paz. Es un intruso. Además, ¿qué dirá el primero? No entiendo por qué no ha podido conformarse con un amante solo. Por otra parte, se trata de un buen muchacho. Inteligente, formal, hasta de aspecto agradable. No tiene ningún derecho a hacerle eso. Me consta que él ignora por completo la situación. Hubiéramos podido llegar a ser amigos, aunque yo detesto la química, que es su especialidad.

—¿No era la botánica? —pregunté, cándidamente, mientras sostenía el vaso con una mano y el auricular con otro. La realidad estaba escondida debajo de la cama. Tendría que agacharme sin que él se diera cuenta. Ni ella.

—La botánica, la química, lo mismo da. Una de esas horribles disciplinas científicas que explican el mundo por afuera. A ella le encantan las explicaciones fáciles. Se le puede seducir con la descripción de una tricotiledónea.

Dificultosamente, flexioné las rodillas.

—Para colmo —añadió— el mundo está lleno de tricotiledóneas.

—Pero según sus palabras —precisé, no era cuestión de perder terreno: ahora estaba casi arrodillado— éste es un profesor de filosofía.

—Ella cree que la filosofía es una rama de la química —comentó, amargamente—. Y ahora no me diga que esa es una prueba de su inteligencia, porque no estoy dispuesto a aceptarlo.

—Hay demasiadas cosas que usted no está dispuesto a aceptar, amigo mío —reaccioné, con firmeza. Arrodillado, podía mirar abajo de la cama—. La cuestión es: ¿está en condiciones de no aceptar?

Él evitó astutamente la respuesta.

—No comprendo por qué no se ha conformado con el primero —volvió a gimotear—. Será un golpe tremendo para él. Está muy enamorado, el pobre hombre. Además, en estos momentos se encuentra trabajando en un ensayo muy complicado: la influencia de los rayos láser en la pepsina de la rana. No podrá resistir el golpe.

En el suelo, arrodillado, encontré dos colillas, una caja de fósforos vacía y un calcetín que había extraviado el día anterior. Pero la realidad continuaba escondida. El polvo la escamoteaba.

—Cabe la posibilidad de que no se entere nunca —lo consolé.

—Es verdad: los padres son los últimos en saberlo —confesó—. Pero, ¿si ellos cometieran un descuido? Pasearse juntos del brazo, por ejemplo. O coincidir en el cine.

—La gente ya no pasea del brazo —le dije—. En realidad, creo que la gente ya no pasea de ninguna manera. En cuanto al cine, es muy oscuro. Admito que existe la posibilidad de que se encuentren los tres en una sala, antes de que las luces se apaguen. Sería cuestión de escabullirse a tiempo.

—No creo que ella lo haga —me contestó—. Es una exhibicionista. Por ejemplo: le encanta ir al cine conmigo, aunque siempre cabe la posibilidad de que su amante número uno nos vea juntos. Por eso prefiero entrar cuando la película está empezada.

—La película siempre está empezada —argumenté, sutilmente. Ahora la pesco, pensé: la había visto debajo de la cama, detrás de un zapato roto.

—Detesto los principios casi tanto como los finales —me confesó—. En realidad, sólo me interesan los intermedios. Es allí donde todo adquiere profundidad. Por lo demás, en un buen principio siempre se halla incluido el final, lo cual resta sentido al desenlace. En cambio, los intermedios permiten gran variedad de desarrollos.

No era un zapato roto, o no era la realidad, porque no pude asirlos. No, por lo menos, sin soltar el auricular.

—Advierto que su voz por momentos se distancia, ¿qué está haciendo usted? —me interrogó, enérgicamente.

—Es la central telefónica —mentí—. Hay desperfectos en las líneas.

—Siempre hay desperfectos en las líneas —agregó él, proverbialmente.

—Se trata de la tensión —añadí.

—Un problema físico —argumentó.

—Imposible de controlar desde una habitación —precisé.

—Especialmente, si la habitación está cerrada y no entra luz.

—Y nadie ha abierto las ventanas.

—Porque en la luz hay algo insoportable.

—Las motas de polvo que comienzan a verse, como una invasión de partículas misteriosas y oscilantes, devoradoras.

—Ella entró por esa puerta —lloró él— ayer a la noche, y no le acompañaba el hombre de siempre, sino que era otro.

—Y usted tuvo miedo porque no lo conocía.

—Nunca me lo había presentado, antes.

—Sin embargo, su rostro le era vagamente familiar.

—Sí, vagamente familiar. El rostro de un sueño que tuve de niño.

—Y no supo qué decirle.

—Le extendí la mano. Esta mano. Luego, corrí a lavarme. Pedí disculpas. Sentí que molestaba.

—¿Cuántas veces ha molestado, antes?

—Creo que siempre. Una pequeña molestia, como un desajuste. La mano demasiado fría, o sudorosa. El tono de voz una nota más baja o más alta de la prevista. La ocurrencia, un minuto antes, o un minuto después. Y ahora ella entraba con este otro tipo.

—En la habitación a oscuras.

—No me animé a encender la luz.

—Las partículas invasoras.

—Ni a decirle: ¡Váyanse!

—Un acto: sus consecuencias.

—Poder detenerlas.

—Negarse al acto, es negarse a las consecuencias.

—Y el otro lo comete.

—Audazmente.

—Con arrojo: odio su valor.

—Sólo existe como contraste.

—No hay personas: hay funciones.

—Y el sometimiento que hace necesaria la existencia de una autoridad.

—Del poder.

—Frente al cual sólo caben dos posibilidades: la rebelión o la esclavitud.

—Pero son intercambiables: poco a poco el perseguidor se convierte en el perseguido. Y el perseguido, en el perseguidor.

—Observación muy atinada. Ah, pero ya son las cuatro y cincuenta minutos. Su sesión ha terminado —sentenció, como siempre, mi psicoanalista—. Lo volveré a ver mañana por la tarde. Recuerde que si por algún motivo no asiste, de todos modos mi secretaria le cobrará la sesión. Adiós.

Cuando escuché el sonido del auricular, me apresuré a buscar debajo de la cama. Me pareció verla, reptando la pared. Como una diminuta mancha de polvo más oscura.

LUIS BRITTO GARCÍA

(Caracas, Venezuela, 1940) hizo estudios de abogacía en la Universidad Central de Venezuela, graduándose en 1962 y es actualmente en ella profesor de Introducción a la política, y de Historia del pensamiento social.

Su obra literaria se inicia en 1964, alternando en ella la narrativa con el teatro. Luego de los cuentos reunidos en *Los fugitivos* (1964) y su novela *Vela de armas* (1970) que representan su aprendizaje literario, encuentra su exitosa vía en una modernización a fondo de las estructuras literarias, poniéndolas al servicio de un mensaje protestatario, social y político. Dos obras de inmediato éxito ejemplifican esta toma de posición artística e ideológica: los cuentos breves, agudos y certeros de *Rajatabla* que gana en 1970 un premio de Casa de las Américas y el estreno al año siguiente de *Venezuela tuya* que será consagrada con el premio Sujo al mejor texto teatral y señalará el resurgimiento del teatro venezolano en la estima del público caraqueño.

En el año 1975 presenta *El tirano Aguirre o la conquista de El Dorado* que conquista el premio nacional de teatro de Venezuela y comienza a trabajar en su más ambicioso proyecto narrativo, *Abrapalabra,* también premiado por Casa de las Américas y editado en 1980, un complejo texto que recoge una multiplicidad de técnicas, tiempos, situaciones, en un modo vertiginoso, como un incesante chorro palabrero.

Su último texto es *La misa del esclavo,* una pieza teatral presentada en Caracas en 1980. Es además un avezado dibujante, habiendo publicado una selección de sus trabajos en *Racha* (1970).

EL CONQUISTADOR

Nosotros, los hijos de Urakán, desafiamos para buena y leal guerra a nuestros hermanos los hijos del mar, y sobre las aguas les dimos muerte a todos, y nos dieron ellos muerte a todos, salvo a mí, que por no haber muerto de las heridas, tomando el canalete en las manos ensangrentadas dirigí la piragua hacia el seno de las olas en busca del latir del corazón de Urakán para rendir en él la última batalla. Pero Urakán me eludió. Encontré lluvias tristes y oleajes mansos en los que morían y nacían soles, soles, soles, muchos soles, y lunas, lunas, lunas, muchas lunas, tres lunas navegué en la piragua alimentándome de los peces que alanceaba hasta que las olas me arrojaron a una bahía llena de chozas que flotaban. Un poblado de bohíos de piedra vomitó una tribu de hombres repugnantes y pálidos. No me dieron batalla. Con gran escándalo de homenaje o asombro señalaron mis heridas del costado, de los pies y las manos. Cayeron al suelo cuando aferré en una mano un pez, que traía para alimento, y en la otra la macana, donde se cruzaban el asta de madera y la maza de pedernal. No los solté durante el viaje de muchos soles. Metido en una caja de madera, soporté su griterío hasta que me depositaron en un gran bohío de piedra, frente a una pareja de ancianos hediondos y sin fuerzas. Adiviné que no tenían valor para matarse. Toqué sus frentes con la macana. Arranqué de sus sienes aplastadas sendos aros de oro y perlas y piedras brillantes, y los miré a la luz del único rayo de sol que podía entrar en el bohío. El cacique de una tribu de hombres de metal gritó. Gritó el piache de una tribu de hombres de trajes color de la noche. Por si acaso gritaban por los aros ensangrentados, le di uno a cada uno. Los tuvieron entre sus manos, fascinados. Se los pusieron en sus cabezas. Adoráronme, mientras yo cruzaba sobre mi pecho la macana y el pútrido pez. El cacique de la tribu del hierro ordenó a sus hombres desatar al aire el relámpago y el trueno. El piache de la tribu de la noche imitó el susurro de los vientos. No temí a ninguno de los dos, yo que buscaba la voz poderosa de Urakán. Comprendí que podía dominar a aquellos hombres usándolos a unos contra otros. Asfixiado por la peste de sudor rancio y cera quemada del bohío que era como una caverna, salí al sol e hice gesto de que me siguieran. Buscando los frescos soplos del viento caminé por los campos seguido por la tribu del hierro y por la tribu de la noche. Encontramos poblados que perdonábamos si nos daban cuanto tenían, y arrasábamos si nos daban batalla. Tribus de hombres de hierro y de hombres de la noche se nos unían como bandadas de zamuros siguiendo el olor de la carne quemada. Hombres envueltos en traperíos venían a decirme discursos que yo no entendía. Por deshacerme de su hedor, ordenaba que les dieran oro. Si todavía no callaban, les abría la frente con mi macana. Por pestilentes, rechazaba mujeres que entonces se abrazaban a mis piernas y lloraban. Fuimos quemando poblados por países de colores muertos y árboles tristes, atadas en nuestras lanzas enseñas que figuraban el pez y la cruz de mi macana. Ahora solo había hombres que corrían de mí, y hombres que me seguían. Pasadas tantas lunas como dedos tengo en mis manos llegué a regiones donde el día era como la noche y donde el agua se volvía piedra. Supe que Urakán me había permitido contemplar el reino miserable de las sombras, donde van a dar los cobardes que no mueren en batalla. Así, yo conquistaba cadáveres. De allí su palidez, su putridez, los trapos con los que amortajaban sus cuerpos que tenían horror de enseñar: los túneles que como gusanos excavaban buscando el metal, del cual eran todos esclavos. El mundo se cubrió de una espuma blanca y dura. Comprendí que todo moría y que aquellos cadáveres se encerraban en sus bohíos porque eran siervos de la espuma blanca, que les recordaba la muerte. Quisieron adorarme en cuevas con paredes perforadas de falsos soles y rincones donde los gritos rebotaban. Les volví la espalda, asqueado. Busqué en los aires un recuerdo del sol y siguiéndolo arrasé más poblados y aniquilé más ancianos con tocados de oro durante tantas lunas como dedos tienen mis pies. Cuando llegué a la bahía donde mi piragua era adorada en un tabernáculo, lancé a los pies de los hombres de hierro y de los hombres de la noche todos los aros dorados que había recogido, que eran tantos como los dedos de mis pies y de mis manos. Se arrojaron al suelo, disputándoselos. Mientras remaba, miré por encima de mis hombros y vi que también ardía el último poblado frente al mar. Terminaban de aniquilarse, o borraban toda huella de mi paso. Solo en la piragua, yo avanzaba raudamente. En el horizonte encendido de fuego por fin se oía el latido del corazón de Urakán, que me llamaba.

EL JUEGO

Cuando Cortés hizo presentar el juego de pelota azteca en la corte de Carlos V en el año 1528, el significado profundo del juego permaneció naturalmente oculto a los espectadores.

WALTER KRICKEBERG: *Las antiguas culturas mexicanas*

No se caiga usted, señor, no se caiga usted,
Porque el que cae
No vuelve a levantarse.

Canción de los Gigantes de la Primera Edad

El sol extraño raya el horizonte mientras purificamos los arreos del juego. Solo una perfecta intención y una atadura pueden hacer eficaz el equilibrio del petral, de los cinturones, de las palas y el casco. Faltan las vestiduras jeroglíficas que enfatizan el parentesco de cada jugador con un astro, pero no son necesarias, porque en virtud del agrio ayuno y los ejercicios, cada jugador es por sí mismo un cuerpo celeste. Nos dejan trazar el cuadrilátero conforme a las direcciones del cielo, aunque todo en él ha cambiado, salvo las constelaciones que nos contemplaron durante la preceptuada vigilia. Por orden de los rituales, debo ser yo la estrella matutina: esta mañana, regreso de mi viaje por las regiones inferiores: lo hago violando las sagradas armonías del calendario: ello anuncia, o el desacuerdo con el largo viaje por el agua divina del mar, o la destrucción de un mundo.

Mientras nos repartimos las regiones del cielo, aparecen los pálidos espectadores. Como lucero de la mañana vengo, desde el Naciente. En el País de los Muertos he estado, recogiendo los huesos para una humanidad nueva. Los jugadores vuelven el rostro, por no contemplar mi luz contaminada. Tlahuizcalpantecuhtli soy, señor, ejecutor del destino. ¿A quién golpearé con mi tiro?

Desde el Naciente lanzo la pelota.

El golpe del sol hace caer al primer jugador, como una perdiz descabezada. Aletea hacia el Norte, la casa de la oscuridad. Hacia el Norte, lugar de los muertos, embiste el Sol. Rodeada del blanco anillo del mal augurio, para bloquearlo se adelanta la Luna. Contra él lanza las cadaveras de los meteoritos. Duramente lo hieren, duramente lo golpean con sus collares de corazones humanos. Contra él caen los Tzontemoque, que de los cielos bajan de cabeza portando caricias o golpes. Contra el Sol arremete la estrella madre, con su falda de caracolitos donde giran los astros. Contra el Sol acomete Mamalhuaztli, aquí llamado Orión. Con sus tres luceros horadados en la muñeca Mamalhuaztli lo golpea. Como abejas lo acosan Tianquiztli, las Pléyades. Con su cola lo fulmina Colotlixayac, cara de Escorpión. Lo hiere Citlallinpopoca, la estrella que humea. Los golpes nos sumen en la oscuridad.

El Sol cae en Citlacue, la falda de estrellas, el árbol partido, que divide los campos del cielo. Tú que das la vida a los niños, señora de la saya estrellada, ¿también estarás contra él? ¿Lo golpearás también con tu pedernal, que ha engendrado a los dioses?

Él es ahora como un ardor. Como una fuerza es él. Como un rayo se remonta Señor Sol sacudiéndose estrellas. En su mano fulgura Xiucoatl, la serpiente de fuego. Alrededor de él giro; cada vez que se me acerca, lo impulso hacia su destino. En cada tiro, muere un astro. Señor Sol devora a su hermana la Luna. El murciélago saca el corazón a la muerte. Caemos como gigantes enceguecidos en la noche sin astros. Nos devora el jaguar de la oscuridad.

Dirijo el tiro al Naciente. En el Naciente vuelve a nacer Señor Sol. Avanza hacia el de la roja máscara, hacia el del plumaje blanco avanza, hacia el portador de la rodela y el báculo. Los golpes del combate nos arrancan sangre de los antebrazos. El sol arranca el corazón de la tiniebla. Arrojamos sangre por las orejas. Con nuestra sangre impulsamos al Señor Sol.

¿Somos gigantes, o astros?

¿Somos astros, o flores?

¿Somos astros que creen jugar?

Músicos de cinco colores tañen las cinco músicas de las cinco edades. Ascendemos por el cielo, y por encima de cada cielo hacia otro cielo.

Libamos las flores que no se marchitan.

No hay tiempo, no hay dolor, no hay tristeza. Nieblas y nubes somos. Pájaros y gemas. ¿Qué podrá ser superior a esta primavera? El vendaval que se la lleve. El flechador soy, soy el destino. Contra el Sol arrojo el golpe mortífero de los vientos.

Como monos, escapamos entre la tormenta.

Lanzo el tiro hacia el Sur.

Por los caminos azules vamos, hacia el templo hecho con huesos. Las espinas de la fatiga nos rasgan. Las arenas del vendaval nos laceran. Nos mira la cadavera con muchos ojos: miramos por cada ojo la muerte de cada Sol y de cada hombre. Cada mirada una chispa de dolor.

El pájaro de la muerte nos degüella.

El Sol es anegado por los ríos de fuego. Escapan mariposas y pájaros.

Hacia Poniente acompañamos al Señor Sol. Hacia la casa de la oscuridad, donde renace el hueso retorcido de la Luna.

El ave de pico largo le ofrece un corazón, y sangre.

De la diosa con cara de ocelote nace el árbol.

El lagarto corta el pie al señor de la casa del alba. Descienden los renacidos astros, con las vasijas repletas del pulque que derrama el creciente de la Luna. Con pulque entorpecemos el resucitado Sol que habita, para que no pueda huir ante el Señor de las Tinieblas. Con el pulque que extravía los pasos hacia el diluvio de la embriaguez. Se enhebran las corrientes del agua y del fuego de la guerra. Nos arrancamos la piel. En la inundación, somos anegados como peces. En la marejada de nuestro sudor, desciende el Señor de la Oscuridad. El cielo se derrumba.

Los cuatro defensores de las cuatro regiones del mundo levantamos sobre nuestros hombros el cielo.

Encendemos con nuestros golpes el Sol, que no es más que la oscuridad y el viento y el fuego y la lluvia que lo hacen morir, porque para resplandecer, todo Sol también ha de pasar.

Enceguecidos por la oscuridad. Arrastrados por el viento. Abrasados por el fuego. Ahogados por la lluvia.

Estamos en el Centro.

Tantas veces hemos muerto y otras tantas resplandecido.

Astros y hombres nos contemplan inmóviles.

El maíz de los días germina en una sola planta. Una sola boca la devora.

Como el Sol, pasamos y duramos.

¿Cómo ser superiores a la vida y al astro? ¿Y superiores aún a nuestro propio corazón que contemplándolos late?

Despreciándolos.

Para mantener vivo el Sol, sacrifican corazones los hombres. Para mantener vivo el tiempo, los dioses le sacrificamos soles.

Muera también este quinto Sol, el de nuestro instante.

Oscuridad, viento, fuego y lluvia golpeamos el Sol. Tiembla la tierra con nuestro combate. El temblor de los golpes sacude nuestros huesos. Contra la espiga de fuego goteando, como si estuviera punzando el cielo, lo precipito. Le opongo mi cuerpo, tiemblo con el choque, rebota contra el anillo del campo de juego, y muere.

Arrojando sangre por el pecho, caigo sobre el centro.

He perdido el partido.

Se incorporan gritando tus cortesanos de cara de ceniza.

En el Centro he hecho morir el Sol, Señor Emperador Carlos V. Hacia tu trono, en Poniente, rueda una bola muerta, y se detiene. En pleno Centro moriré yo también ahora, conforme es la buena costumbre. Por haber hecho morir el Sol, debo perecer con él, y así podré marchar hacia la casa del alba, a juntarme con los guerreros muertos en combate o en sacrificio. Arrancados sus corazones en el Centro del pecho.

A que me lo arranques, para ser el mismo Sol, esperan los jugadores que te miran marcharte, Señor Carlos V, seguido de tus cortesanos que titilan con el oro robado a nuestros templos, dejando sombras tan largas como carreras de astros.

A dar mi corazón avanzo hacia los sacerdotes blancos del crepúsculo, que se acercan con sus cuchillos y su cuenco de metal humeante a las orillas del campo.

Quitándome el petral sagrado avanzo hacia los sacerdotes sucios. Les ofrezco mi pecho, pero pasan de largo.

Son los cocineros, que no nos sacrifican, sino que nos reparten una olla de desperdicios para la cena, sin mirarnos.

Comemos en la oscuridad, llorando.